OSKAR KOKOSCHKA
Symposion

Herausgeber:
Hochschule für angewandte Kunst in Wien
Österreichische Ludwig-Stiftung für Kunst und Wissenschaft
Verein Freunde der Hochschule für angewandte Kunst in Wien

OSKAR KOKOSCHKA

SYMPOSION

abgehalten von der Hochschule für angewandte Kunst in Wien
vom 3. bis 7. März 1986
anläßlich des 100. Geburtstages des Künstlers

Redaktion:
ERIKA PATKA

Residenz Verlag

Inhalt

Die Übersetzung der Beiträge von Richard Calvocoressi (Originaltitel: »Oskar Kokoschka's Visit to Scotland in 1929«) und Henry I. Schvey (Originaltitel: »The Playwright's Eye: The Visual Drama of Oskar Kokoschka) besorgte Thomas W. Allamoda.

GELEITWORT

Nach dem Tode eines wichtigen Künstlers kommen die Pflichten jener, die es versäumt haben, zu seinen Lebzeiten zu handeln, um ihn in eine Sprache des allgemeinen Verstehens zu übersetzen. Oskar Kokoschkas künstlerische Aussagen haben in sich eine Fülle von komplexen Vorgängen, die zum Teil noch nicht verstanden sind. Diese zu entschlüsseln ist eine Teilaufgabe der vorliegenden Publikation. Privates ebenso wie sachliche Kritik am Werk oder dessen Interpretation vereinigen sich aufklärenderweise in diesem Sammelband. Gerade im Œuvre dieses Künstlers ist die Bewertung relativ schwierig und noch nicht geschehen, hat doch die kunsthistorische Wissenschaft es noch immer verabsäumt und nicht gewagt, diese durchzuführen.

Dem Expressionisten ist die Euphorie gegeben. Der Betrachter muß sie erst erlernen, ist er doch in seinem Denken zu sehr versachlicht. Daraus kann sich auch vieles in eine andere Perspektive verlagern und dahin einpendeln, wo der richtige Aussagewert liegt.

Oswald Oberhuber
Rektor der Hochschule für angewandte Kunst in Wien

OSWALD OBERHUBER

Österreichische Kunst um die Jahrhundertwende und die Störfaktoren

Die Beschreibung österreichischer Kunst unterliegt meistens einer schematischen Denkweise. Vorformuliertes und Abgeschriebenes wird gern wiederholt und eingebracht.

Hier scheint die Forschung in eine zu gleichgültige und oberflächliche Position zu geraten. Damit soll nicht behauptet werden, daß Österreichs Kunst alles sei, aber das Weglassen und Wegschieben von Vorgängen ist die bevorzugte Beschäftigung bei Betrachtung österreichischer Kunst. Wann wird endlich eine Identifikation gefunden? Das beginnt schon mit der Eingrenzung von Grenzen, denn die historische Vergangenheit sieht sich wesentlich weiter und erlaubt nicht, auf sprachliche oder ethnische Vorgänge einzugehen. Die völkischen Unterschiede beeinflussen sicher die Empfindlichkeit von Künstlern, die Sprache der Kunst ist aber immer eine hohe und weltweit bezogene. Der regionale Vorgang wird ja auch kaum beachtet und bleibt als Wert in der Region hängen.

Die künstlerische Sprache sieht man viel weniger eingeengt und in ihrer Universalität keineswegs von den Empfindlichkeiten und Weinerlichkeiten angeschlagen, die österreichischer Kunst nachgerufen wird. Wesentlicher erscheinen die gleichbleibenden Begriffsvorstellungen bei der Einengungsinterpretation Österreichs als eine scheinbar feststellbare Qualität. Diese läßt sich aber nicht feststellen, sondern verbleibt als Torso und kann eventuell in verschiedenen Definitionen als greifbarer Kulturkreis sich zeigen und finden. Es ist sicher falsch, das Musilsche Kakanien-Feindbild als ständiges Abbild hervorzuziehen oder mit Karl Kraus und seiner Weltuntergangsstimmung ein ganzes Land wie eine dekorative Arabeske zu überziehen und damit in eine Unfähigkeitsinterpretation zu stoßen, aus der heraus Österreich sich nicht mehr so ohne weiteres befreien kann. Man muß in der Auffassung verharren, daß wie überall auf der Welt Vielsichtiges gleichzeitig auftritt und kaum Merkbares vorzüglicher erscheint oder Heftiges und nach außen Dringendes wichtiger sei. Keines entspricht den Tatsachen, für jede Behauptung entspringt eine Gegenbehauptung. Es erübrigt sich festzuhalten, wieviel Verschiedenes zu beschreiben wäre, um zeitlich bedingten Situationen gerecht zu werden. Nicht nur das! Und wenn es zusätzlich eine Objektivität gäbe, die alles ignorieren kann, was an Verletzungen allgemeiner Art geschehen ist, die sich als schöpferische Taten zur Darstellung bringen, was an Wunden und unklaren Vorgängen aus Beleidigungen heraus sich definiert. Mit dieser persönlichen und unobjektiven Einstellung kann man auf Dauer nicht ein Land interpretieren und diffuse Wahrheiten hinstellen, die sich laufend aufheben und nur falsche Stimmungen erzeugen.

Kein Land der Erde wird so vorurteilsvoll von den eigenen Interpreten verurteilt wie dieses Österreich. Das kritische Verhalten ist gleich Selbstzerstörung, um aus der Kritik zu entweichen, die jedes lebendige Handeln ausschließt. Somit ist diese Selbstkritik nicht ein Erkennen seiner selbst, sondern nur ein Dahindenken, das aus sich selbst flieht, so daß nur das Entleibte, die Haut zurückbleibt. Dieser drastische Vorgang entspringt der Theatralik, die vor sich geht bis zum überstrapazierten Aktionismus jüngster Tage, den wir schon vergessen haben. Hier ist der sogenannte Tiefgang der Seele genauso zu verspüren wie die äußere Theatralik, die da nach vorn dringt. Die Selbstlüge als Angelpunkt verlorener Größen, der Verlust von Ländern und Weiten.

Es ist zurechtzusetzen das äußere Bild, die Karikatur, die angenommen wurde. Das Freischaufeln und Entblößen jener schemenhaften Äußerlichkeit wäre zu erreichen. Um einen Einstieg zu erzwingen, der ein gereinigtes Bild zuläßt und wiedergeben kann, muß eine Neutralität des Denkens sich durchsetzen, denn ein erdachter Zustand kann zur Gewohnheit werden.

Das wäre die Ausgangsbasis, aus der heraus Überlegungen erst möglich wären. Vielleicht war das schon ein Störfaktor in der Einbringung von Störfaktoren, denn sicher wäre noch zu bedenken, daß Österreichs Tradition in der bildenden Kunst eine geringe ist, die sich kaum sichtbar zeigt, außer in einer lokalen Begrenzung. Im auslaufenden 18. Jahrhundert haben wir Joseph Anton Koch, und bei ihm ist ja auch eine breite Möglichkeit zu ersehen, daß merkbare Bildgedanken fließen, die darauf hinweisen, daß ein bestimmender Wille aufbricht und etwas durchsetzen kann, was dann auch geschieht. Die Vorwegnahme zweier sehr gegensätzlicher Vorgänge, die Bildsprache der Reduzierung und Überschaubarkeit, die Versachlichung und Verdinglichung und damit der Verzicht auf das Handschriftliche. Demgegenüber erscheint eine breite Form der Erzählung, die in religiösen, mythischen, hellenistischen Schäferszenen sich versteigt. Hier ist die Geburt einer Weltkunst, die sich fortsetzt in den Nazarenern und Präraffaeliten bis hin zum Symbolismus und Historismus. Das sind die Faktoren, die bis in die Jahrhundertwende einwirken und Auswirkungen haben. Das mag eine Wahrheit sein, die sich ergibt aus der Entfernung von Wien und sich entfernt von dieser Stadt. Das Ereignis der bildenden Kunst entsteht außerhalb. Wem ist damit recht gegeben und was widerspricht sich, wenn einer Person die Vision zugeschoben wird. Diese Erfindung ist die Verwirrung der Gedanken und der künstlerischen Festlegungen, die sich verschoben haben, denn jeder weitere Stilbezug ging verloren, so daß die Stilisierung der Gedanken und des Wollens eintritt. Die barocke Kunst als Hintergrund, die vom Festbezug bis zur religiösen ausschweifenden Erzählform alles enthält, was die neue Lehre der überhöhten Aussage sich vorstellt – ein vernünftiger Hergang, aus der Vernunft zu handeln. Es beginnt eine Aufschlüsselung der Verwirrung – was haben wir, was bleibt uns? Ist das Religiöse noch von Wert oder verbleiben wir in der Ursprungsgeschichte des Abendlandes? Die Aufzählung der verschiedenen Möglichkeiten beginnt.

Sicher ist, daß wie immer zwei Vorgänge vor Augen stehen. Der historische Gefühlsbezug einer Beschreibung, jene märchenhafte Hoffnung eines Gottes oder Götterstaates, der die Harmonisierung der Menschen in gemeinsamen Gedanken und gemeinsamem Handeln erreichen will. Die Bildinhalte verwirren, jede reale Vorstellung wird verdrängt. Wo das Reale eine Basis wäre, der sogenannten Heilung durch Lügengeschichten zu entrinnen, wird nur am Rande bemerkt. Somit hätte das Reale als einzig möglicher Faktor in diesem Falle die Ausweglosigkeit des falschen Erzählens mit den Mitteln der Wirklichkeit und der äußeren Sichtbarmachung des Erscheinungsbildes die falschen Erzählungen verdrängen können, die weder Wiesen noch Wälder und Äpfel als bescheidene Bemerkung gelten lassen wollten. Trotzdem hat sich die Freiluftmalerei wenigstens für kurze Zeit durchgesetzt. Hier liegt ja auch die Geburt einer gedanklichen Heilung, und trotzdem strebt alles eine Vereinheitlichung durch den Jugendstil an.

Die Gegensätze, die entstehen, zeigen nach außen keine Verkrampfung der Gedanken, sondern nur ein Nebeneinander von Vorgängen, die möglich waren. Die Aussagen sind in einer Art Philosophie in der Zeit zu erfassen – oder auch nicht, denn die Freiheit des Nebeneinanders erschwert jede Festlegung des Handelns und Denkens. Nicht nur die Impressionisten haben recht, als Vertreter der realistischen Malweise, die im Freien stattfindet, sondern auch jene Maler, die man ihnen vorzog wegen der thematischen Äußerlichkeiten und der Genußhaftigkeit, deretwegen man sie auch gekauft hat.

Wie ist so etwas zu verstehen, wenn festgesetzte Werte aufgehoben werden? Nach einer Vielzahl von Jahren zählt nicht nur die revolutionäre Idee allein, die Festlegung darin ist nicht mehr als einziges Kriterium zu akzeptieren, denn dann müßten ja alle österreichischen Maler des 19. Jahrhunderts, außer Waldmüller, Segantini, Hölzel, Romako und Schuch, aus der allgemeinen Kunstgeschichte verbannt werden, was ja so oder so geschehen ist. Man darf sich irren. Vielleicht war Makart doch mehr als nur ein Zeitgeschmack, zumindest eine schöne Malerei, was nicht viel heißt, was aber für die Augen angenehm sein kann. Bei aller Zuneigung fragt es sich, warum wird der Makart-Festzug über die Wiener Ringstraße immer noch verherrlicht und als Markstein künstlerischer Darstellungsfähigkeit angepriesen und kritiklos angenommen, obwohl der Ständestaat in seiner ganzen Brutalität sich hier bereits ankündigt. Nicht zu reden von der Verhöhnung der Arbeiter und der Kritik an der Industrialisierung durch Hinweise auf das Handwerk. Oder hat diese Malerei den bitteren Geschmack alternder Schönheit ausgeführt und überdeckt die malerischen Annahmen, die nicht nur alte Meister kopieren, sondern die besonderen Raffinessen der Duktusmalerei übertragen.

Es ist sehr schwierig, die Vergangenheit zu strapazieren, denn die Geschichtsbilder sind untermauerte Tatsachen, die nicht umzuwerfen sind. Somit ist lange zu überlegen, was einzuschließen ist in die allgemeine Diskussion, denn der Vollzug von Malerei hat ja nichts mit Malerei zu tun, sondern ist bei uns belastet mit Aussagewerten. Das muß nichts Negatives sein. Davon leben aber die Wertvorstellungen des 19. Jahrhunderts. Die Verwissenschaftlichung von Kunst, und damit die analytische Aussage aus sich selbst heraus, ist vor allem ein Versuchsbekenntnis zur Wahrheit. Im Grunde geht es um die Überwindung von eingewurzelten Ideologien, die kein Wertmaß geben können, denn das Verharren in substantiellen Vorgängen, die nicht mehr vorhanden sind, ist ein wesentliches Merkmal dieser Zeit. Denn ein bleibendes Anliegen der Geschichte der Menschen ist das Verlangen nach einer verpflichtenden Einbindung des Anwesenden in eine Anwesenheit, die eine spezifische Pflicht ist. Sonst kann man die Hinweise auf phantastische, religiöse und andere schicksalsverhaftete Abhängigkeitsvorgänge, denen man sich ausgesetzt fühlt, nicht verstehen. Die Sehnsucht nach starker Geborgenheit und Einbindung in Machtvorgänge drückt sich aus. Die Geschichte bezeugt den Starken als Hoffnungsträger, dieser Glaube bleibt bestehen bis in unsere Tage. Das scheinbar Sinnlose nur zu leben verlangt immer nach Sinn – und wenn es nur das Sinnliche ist.

Die Kunstäußerungen teilen sich einerseits in die Frage »Was ist Kunst?« – und da gibt es dann klare Antworten aus der Kunst heraus – oder andererseits bleibt der klassische Ansatz eines Sinnbezuges zur Vergangenheit mit all den gewaltsamen Vorschreibungen einer höheren Sinnbezogenheit. Diese schwierige Situation beherrscht weiterhin die gedanklichen Vorgänge. Dieser Verwirrungssituation und dem zu klärenden Bedürfnis nach Einbindung in Gemeinschaften folgt das allgemeine Ausgesetztsein an Diktaturen. Insofern ist die Verwissenschaftlichung von Kunst als eine Basis humaner Ziele sicher besser, auch wenn die bekannten Konflikte aus der Anmaßung von Theorie daraus entstehen. Der lineare Vorgang, alles zu können, ist nur dann in der Kunst gescheitert, wenn die Hinterfragung zu kurz gekommen ist.

Nun haben wir aber gerade in Österreich eine heftige Neigung zu den Gefühlen. Eine scheinbare Abgrenzung zu den tatsächlichen Vorgängen entsteht. Aber wie unverständlich ist diese Kunst, wie kompliziert, weil sie nach Verständnis klagt, auf Verständnis hofft und nicht verstanden wird, weil man sich selber meint. Und das ist die Schwierigkeit im Sagen, im Meinen eines Gedankens, der nicht in seiner künstlerischen Aussage sich meinen darf, sondern einen neutralen Bogen zu schlagen hat. Das ist die Unverfrorenheit der Gleichgültigkeit – und die ist gemeint, an der hält das Programm sich fest, an der neutralen Ungebundenheit von Vorgängen. Darum sind wir hoffnungslos verlassen und unverstanden, denn wer darf sich schon selber meinen? Darum klage nie, auch in der Entäußerung deiner Gedanken, die dich nur selber meinen. Was ist schon das Gefühl einer Sekunde, das sich immer wieder umschlägt und zerschlägt.

Um dem entgegenzuwirken, gab es vor der Jahrhundertwende die beiden schon genannten Österreicher Segantini und Hölzel, die eine interessante Mischform erarbeitet haben. Das Ungegenständliche als Ansatz für das Ungegenständliche – das soll heißen, daß aus der Gefühlslage heraus auch ein konstruktiver Ansatz zu erreichen ist.

Segantini entwickelt in Detailbereichen eine Auflösung der äußeren Form, indem er durch Nebeneinanderlegen von Farbpartikeln eine Dynamisierung der Fläche erreicht. Diese substantielle Zusammenballung bekommt Bedeutung in einer Art von Zeitlichkeit oder Festhalten von zeitbezogenen Vorgängen, die für den Futurismus zur Ausgangsbasis werden. Hier haben wir auch in der Thematik den Realismus einer Bauernkultur und ein verspätetes Einsetzen symbolistischer Vorgänge, die nicht die Aktualität aus der Zeit der theoretisierenden Malvorgänge erreichen, so daß wir die symbolistischen Werte in seiner Malerei streichen müßten, sind diese doch aus der Verirrung, sich dem Zeitgeschmack anschließen zu müssen, entstanden.

Hölzel, der als erster bewußter ungegenständlicher Künstler zu gelten hat, verwendet das Abstrakte nicht als Element der Verzierung, sondern gibt ihm eigenen Wert. Es ist interessant zu bemerken, daß schon seine ersten Weihnachtsdarstellungen aus einem Gewirr von Konstruktionselementen entwickelt werden. Auch hier ist eine Diskrepanz zwischen dem Konstruktiven und dem Motiv aus dem Religiösen zu bemerken. Dieser parallel-laufende Vorgang läßt die Angst vor der revolutionären Tat erkennen. Die Vergangenheit will die Zukunft behindern und verhindern. Aber hier ist ein wesentlicher Störfaktor gegen den Zeitgeist und die Zeitempfindungen zu bemerken. Der Bruch mit der Vergangenheit vollzieht sich schwerfällig. Das schulische Bedürfnis eines Hölzel vermag erst das Absolute in der Kunst über den Umweg didaktischer Eingebungen festzuhalten. Erst seine Schüler werden zu dem, was er schon für sich wollte. Ein seltener Vorgang, der in der künstlerischen Schulung kaum gelingt.

Das Nebeneinander aller möglichen Kunstäußerungen verbirgt und verbreitet sich im Jugendstil. Es ist dies eine Richtung, die vor allem von den Architekten geprägt wurde. Somit ist auch zu verstehen, daß der bildenden Kunst in ihrer zwar eminenten Auftrittsmöglichkeit nur dekorativer Charakter zugesprochen wurde. Serielles und Mittelmäßiges fügt sich ein in den Triumph der Architektur. Die Symmetrie steht gegen das total Asymmetrische. Das Bespielen und das Verspielte ist genauso da wie die Konstruktion einer klassischen Raumgliederung. Wir haben hier die erste totale und zwanghafte Erfindung einer Gesamtheitsvorstellung innerhalb verwirrender Vorgänge. Die Zeit der Uneinheitlichkeit und der unklaren Begriffsvorstellungen, die man nicht haben will, soll erzwungen werden. Dies wäre der laufende Versuch, klare Begriffe und Vorstellungen einzubringen und die vielschichtige Denkweise in eine Ordnung zu stellen.

In diesem Zusammenhang gilt es einige Persönlichkeiten zu nennen wie Mallina, List, König, Mediz, Matsch und der besondere und scheinbar überbetonte Gustav Klimt, denn er kann den Ansatz von Größe übertrumpfen in einer Äußerlichkeit der oberflächlichen Betrachtung, in Nur-Schönheit sich hineinleben. Oder sind diese Schönheiten gerade das direkte Ebenbild aller Zustände, die Lust bereiten? Lustig ist die Lust. Die Normierung und Reglementierung bis zur plakativen Äußerlichkeit entspringt dem stilistischen Anspruch und erstellt Distanz gegenüber jeder Individualisierung, was ihm zwar gelingt, aber nur getragen von verspäteten Aussagewerten sind seine thematischen Werke, die um fünfzig Jahre zu spät kommen wie sein berühmter Beethovenfries. Hier scheint ja überhaupt die Fortschrittlichkeit der Zeit über die Secessionisten hinweggefahren zu sein, obwohl gerade sie diese Fortschrittlichkeit heraufbeschworen haben. Gerade der Anspruch der formalbezogenen Künstler, die Feststellung und Interpretation von Kunst aus der Kunst heraus, ist ja der eigentliche Anspruch, der sich in der Zeit entwickelt. Die Maßlosigkeit des Anspruches und die Übertreibung in den gedanklichen Vorgängen läßt die Secessionisten nicht zu einem Anschluß kommen. Es bleibt alles an der Oberflächlichkeit stehen. Josef Hoffmanns Sopraporta-Relief hat zukünftige Visionen des Konstruktivismus vorweggenommen und gleichzeitig zu höchster Vollendung gebracht. Dieses anspruchsvolle Zitat innerhalb einer auftrumpfenden Umgebung wurde immer nur als dekoratives Element interpretiert, was verständlich ist, ist doch alles, was sich hier anbietet, von Effekttheatralik getragen, die jede Versachlichung auf die Seite stellt.

Das in letzter Zeit vielzitierte Gesamtkunstwerk als Begriff hat hier über den Anspruch hinaus ideologischen Charakter und das unbescheidene Mißverhältnis in sich, daß Geschichte und Gewohnheitsempfindungen zu einer Speicherung von Werten führen, die in keinem Verhältnis mehr zu den geistigen Möglichkeiten stehen. Das Ertasten und Erkennen von künstlerisch-geistigen Werten erfordert ganz besonders in dieser Zeit eine Rückbesinnung und Überlegung auf die elementaren Vorgänge hin, die zur Speicherung von elementaren Erfahrungen führen und einen anderen Bewertungsvorgang ermitteln könnten. Am Beispiel Kupkas ist es sogar so, daß die Formalwerte als oberstes Ziel die Ausschließlichkeit dieser Möglichkeit umgehen lassen, indem alle vorhandenen Oberflächlichkeiten zerebraler Empfindlichkeiten miteinbezogen werden. Immerhin ist auch hier ein totales Abweichen von unmittelbaren Zeitempfindungen, die wenig wollen, erreicht.

Und was ist mit Kokoschka? – wäre nun endlich zu fragen, obwohl hier nur ein Andiskutieren einer schwierigen Situation beabsichtigt ist. Denn in jenem Augenblick seiner Selbsterkenntnis, im Aufbrechen seiner eigenen Fähigkeiten, haben andere Künstler die Untersuchung von Kunst schon begonnen und die Meinung gebildet, endlich die Kunst zu beherrschen. Das ist eine kühne Annahme und bleibt eine Annahme, aber eine gesunde. Immerhin beginnt die Versachlichung und eine Abgrenzung zu Gefühlszuständen. Wie auch immer ist dieser Vorgang wichtiger als alles, was vorher geschah. Die Emotion läßt entstehen, was dann in der Analyse wieder kritisiert und verworfen wird. Das Formale kann als Geschichte einer Art Befreiung gesehen werden. Die Anerkennung der Autonomie des Bildes als Körper, der sich selbst genügt, ist die Individualisierung des Bildes und der Kunst. Dem gegenüber steht im Gegensatz der Individualismus des Künstlers, der sich selbst genügt und daraus etwas entstehen läßt und seinen Egoismus pflegt. Hier stehen zwei Fragen und zwei Gegensätze gegeneinander. Somit ist verständlich jene berühmte Feindstellung Kokoschkas gegenüber ungegenständlicher Kunst, ist doch sein Freiheitsbegriff ein grenzenloses Ausgesetztsein in Vorgängen, die ihn in laufende Hinwendungen zu Personen verfallen lassen, die ihn hineinversetzen in Unfreiheiten persönlicher Beziehungen. Sein Hinweis auf das immerwährende Verliebtsein wird erkennbar in seinem Theaterstück »Mörder, Hoffnung der Frauen«. Die Verliebtheit als Basis, um künstlerische Spannungen zu erzeugen, läßt jeden verbleiben in der Unmöglichkeit der Erfüllung, die nicht zu erreichen ist. Somit ist das Ausgesetztsein in verlangenden Zuständen wunderschön, aber nur als Augenblick vermittelbar. Das unerfüllte Gefühl gerät dauernd in eine Krise und verlangt nach dem Objekt der Erfüllung.
Dieses Kunstwollen erzeugt die Maßlosigkeit der Aussage, Übertreibung aus einem zwanghaften Zustand heraus. Nicht umsonst sind die Krisen der Expressionisten die Folgen des egozentrischen Verlangens, nur nach dem inneren Zwang zu handeln. Kokoschka wuchs über jene Fähigkeit hinaus, hatte doch

dieser Freiheitsbegriff ihm ermöglicht, in vielschichtiger Weise sich auch zu befreien von der Ideologie, in bestimmten Aussagen zu wirken.

Die Störfaktoren sind der Durchbruch einzelner, den Zustand der Gleichförmigkeit zu durchbrechen, was zu jeder Zeit nur begrenzt erreichbar war und bis in unsere Tage ein Wagnis blieb.

HEINZ SPIELMANN

Kokoschkas Kindheit und früheste Gemälde

(Ausschnitte aus der in Vorbereitung befindlichen Kokoschka-Monographie)

I.

Kindheit

»Wien war in der Vergangenheit viel ländlicher« – dieser Satz faßt Kokoschkas »visuelle Kindheitseindrücke« in einer einfachen Aussage zusammen. Erinnerungen an seine Kinderzeit hat Kokoschka in mehreren, immer mehr ausgeschmückten, noch in den letzten Fassungen um allgemeingültige Deutungen vermehrten Geschichten beschrieben. Ihr erster Satz, der Wien nicht als eine intellektuelle Metropole oder als eine anonyme Großstadt, sondern als einen in die Natur eingebundenen, einem Dorf mehr als einer Stadt gleichenden Ort beschreibt, blieb in allen Fassungen gleich.

Deshalb hat es wenig Sinn, Kokoschkas Herkunft mit Kunst und Gesellschaft Wiens während des Fin de siècle beziehungsweise des Jahrhundertanfangs in Zusammenhang zu bringen, wie es in fast allen Lebensbeschreibungen bisher geschah. Von der Metropole, ihrer Ausstrahlung und ihren Umtrieben, hat das Kind, hat der Knabe fast bis zum beginnenden Mannesalter hin so gut wie nichts wahrgenommen. Seine Welt war ein Vorstadthaus mit einem Garten, ein in der Nähe liegender Park, später eine Realschule im 18. Bezirk und, während der Ferien, ein – zwei Dörfer, in denen Verwandte wohnten. Alle Einzelheiten, die Kokoschka schildert, fügen sich zum Eindruck von ländlicher Abgeschiedenheit abseits des Großstadtbetriebs: eine Balustrade um ein Haus, von dem die Vier- oder Fünfjährigen auf den Garten sehen und wo sie in frischer Luft spielen konnten; Trinkwasser, das von Trägern, Badewasser, das auf mit Pinzgauern bespannten Wagen gebracht wurde; vor dem Garten ein gepflasterter Hof mit einem Brunnen, im Garten bunte Glaskugeln; in der Nähe ein Park mit barocken Figuren, der Ort von harmlosen Jungenstreichen.

Schreckliche Ereignisse hat es, so möchte man aus den drei Geschichten schließen, die Kokoschka von seiner Kindheit erzählte, nicht gegeben. Vom Tod des älteren Bruders Gustav ist die Rede, doch kann es sich hier kaum um eine eigene Erinnerung handeln – Gustav starb, als Oskar ein Jahr alt war.

Einschneidender hat sich der Tod eines Kindermädchens aus der Nachbarschaft eingeprägt. Diesen Tod hat das Kind mehr als Märchen denn als etwas Schreckliches erlebt; es glaubte, ein Stier habe das Fräulein fortgetragen. Auch alle weiteren Geschehnisse, von denen Kokoschka erzählt, fügen sich in das Bild einer scheinbar ungestörten Kindheit – die Spiele des zehn- bis zwölfjährigen Knaben, eine Krankheit nicht lange vor der beginnenden Pubertät, die Begegnung mit Zigeunerinnen während der Schulferien etwas später. Diese Einzelheiten sind verschiedentlich ohne Bezüge zu anderen Erlebnissen der Kinderzeit interpretiert worden. Das Dunkel des Brunnenlochs wurde »Metapher der Versuchungen« genannt; der Garten, in dem der Knabe einen Ameisenhaufen explodieren ließ, wurde zur Paraphrase der selbstzufriedenen Gesellschaft, gegen die der künftige Künstler revoltierte.

Solche auf wenige bekannte, von Kokoschka selbst bereits in die Kunstform der Erzählung gebrachte Ereignisse gestützten Deutungen lassen Realitäten außer acht, von denen er selbst nichts oder kaum etwas überliefert hat. Zu der Vorstellung, daß die Geschichten die wesentlichen und einschneidenden Zäsuren seiner kindlichen Entwicklung beschrieben, hat Kokoschka selbst viel beigetragen. Eigentlich ist in den Erzählungen nichts von dem zu finden, was ihn in der Kindheit gepeinigt und verstört hat und was ihn, dessen Wesen die Mitteilungs-Fähigkeit an andere ausmachte, lange Zeit fast kontaktlos, scheu und unzugänglich bleiben ließ. Nur in Andeutungen ist aus den Erinnerungen die materielle Not zu ahnen, in der die Familie leben mußte, und noch sparsamer finden sich die Hinweise auf die Gründe für diese Verarmung. Fast beiläufig erwähnt Kokoschka in seiner Selbstbiographie »Mein Leben«, sein Vater habe den erlernten Goldschmiedeberuf deshalb nicht mehr ausüben können, weil die Maschine die Handarbeit verdrängt habe. »So kam das Ende einer erlernten Tätigkeit für meinen Vater . . . Er wurde verschlossen, war selten zu Hause, als ob er dort keine rechte Freude mehr fände. Als Partner in einem Juweliergeschäft eines Verwandten reiste er viel nach London, nach Paris . . . Ein wenig kosmopolitische Luft scheint in die Vorstadt-Provinzialität zu ziehen. Daß Erzählungen von der Welt draußen die Phantasie des Knaben anregten, entspricht ohne Zweifel der Wirklichkeit, ebenso, daß ihn die mitgebrachten Geschenke erfreuten. Das größte Geschenk war aber wohl die Rückkehr des Vaters jeweils selbst. Im stillen – später, als freundlichere Erinnerungen sich behaupteten, wohl nur im Unterbewußten – empfand das Kind die wiederholte längere Abwesenheit des Vaters als das einschneidendste Erlebnis der ersten Lebensjahre. In seinen letzten Tagen kehrte Kokoschka die Erinnerung an das ständige Fernsein des Vaters übermächtig zurück. Von allen Geschehnissen – selbst von der Grenzsituation zwischen Leben und Tod im Ersten Weltkrieg – drängte sich unmittelbar vor seinem Tod keine aus dem Unterbewußtsein so heftig hervor wie die Frage des Kindes nach der Rückkehr des Vaters.

Gustav Kokoschka, der als Goldschmied aus Prag, aus einem wirtschaftlich ge-sunden Haus gekommen war, verlor vermutlich nicht nur wegen der Industria-lisierung seinen Beruf – so mag er es selbst geschildert und verbreitet haben. Seine Unstetigkeit und Arbeits-Unlust haben sicher ebenso viel zum Wechsel in die weniger angesehene und weniger einkömmliche Arbeit eines Buchhal-ters beigetragen, wie die ungeliebte Tätigkeit ihn dazu verleitete, dem Drang zum Ausbruch aus den engen häuslichen Verhältnissen immer wieder nachzu-geben.

Wie wir aus einem im Amt der Stadt Pöchlarn erhaltenen Protokoll wissen, er-folgte einer der Ortswechsel Gustav Kokoschkas mit seiner Familie nach Pöch-larn. Vom 1. Mai 1885 bis zum Jahresende 1886 unterhielt er ein Mietverhältnis im Hause Nr. 5 der Vorstadt. Die Wohnung bestand aus zwei einfachen Zim-mern und einer Küche im ersten Stock des Vorhauses zu dem kleinen Gebäude-komplex, der heute das Kokoschka-Archiv der Stadt Pöchlarn beherbergt. Ko-koschka übernahm von seinen Eltern die Erklärung, daß seine Mutter kurz vor seiner Geburt nach Pöchlarn in die Nähe ihres Bruders, eines Sägewerkbesit-zers, gefahren sei; der Vater habe sich zu jener Zeit wieder einmal auf Reisen befunden. Die etwas widersprüchlich klingenden Aussagen des Protokolls und des Lebensberichts lassen sich leicht lösen: vermutlich zog Romana Kokoschka in die Nachbarschaft ihres Bruders, weil sie angesichts der häufigen Abwesen-heit ihres Mannes für sich und den ersten, erst zwei Monate alten Sohn Gustav etwas Sicherheit suchte, und weil die besseren Vermögensverhältnisse des Bru-ders der Familie seines Schwagers zugute kommen konnten. Als Oskar Ko-koschka geboren wurde, war der Vater wieder einmal nicht bei seiner Familie. Die Mutter war mit dem etwas Älteren und dem Neugeborenen allein.

Um den Zeitpunkt seiner ersten Lebenstage hat Kokoschkas Phantasie eine Le-gende gewoben: Einen Tag später sei in Pöchlarn ein großes Feuer ausgebro-chen, dem auch die Sägemühle des Onkels zum Opfer gefallen sei. Seine Liebe zum Feuer sei gleichsam auf ein unbewußtes Ereignis des ersten Lebenstages zu-rückzuführen.

Nun gab es zwar in Pöchlarn Feuersbrünste, jedoch nur längere Zeit vor und nach Kokoschkas Geburt. Die Mutter dürfte dem Knaben davon erzählt haben. Wie später häufig, verbanden sich in seiner Phantasie auch in diesem Fall weit auseinander liegende Ereignisse zu einer neuen, dichterischen Wirklichkeit.

Die Irrtümer, die Kokoschka in seiner Selbstbiographie über die Vorgänge in Pöchlarn beibehielt, sind leicht dadurch zu erklären, daß er diese alle nur vom Hörensagen kannte. Als er neun Monate alt war, zogen die Eltern von der Do-nau wieder in die Metropole, vermutlich gleich in die Veronika-Gasse, die un-weit des Gürtels um die wachsende Großstadt in jener Region lag, in der die

1. OK, Peer Gynt, 1973

20

Familie noch mehrmals eine Wohnung suchen und finden sollte. Hier starb im Herbst 1887 das älteste der Kinder, der zweieinhalbjährige Gustav. Als 1889 die Geburt des dritten Kindes bevorstand, sah der unruhige Vater abermals nach einer neuen Bleibe, und zwar im nordböhmischen Aussig. Auch an diesen Ort hat sich offenbar keine Erinnerung in Oskar Kokoschkas Gedächtnis erhalten – umso einschneidender war ein Vorgang, der sich von allen der frühen Kinderzeit wie kaum ein anderer einprägte: Die Geburt des Bruders Bohuslav am 22. November 1892, in der Herrengasse (der heutigen Gentzgasse) 9, wo die Familie seit der Rückkehr nach Wien bis etwa 1894 lebte.

Oskar Kokoschka war damals sechsdreiviertel Jahre alt. Er hatte die ersten Kinderjahre mit ständigen Orts- und Wohnungswechseln verbracht, so sollte es weiter bleiben. Fast nie länger als rund zwei Jahre fanden Eltern und Kinder Ruhe. Gedrängt von finanziellen Sorgen, vermutlich nicht in der Lage, regelmäßig den fälligen Mietzins zahlen zu können, mußten sie neue Wohnungen suchen, 1895/96 in der Mitterberggasse, 1897/98 in der Staudgasse, die noch jenen dörflichen Charakter trugen, wie ihn Kokoschka in seiner ersten Erzählung aus der Kinderzeit beschreibt und Hans Tietze 1918 ganz ähnlich schilderte: »In den Dörfern der Bannmeile, die nun längst in die Großstadt eingeschmolzen sind, flossen ländliche und städtische Elemente zu einer feinen und eigenartigen Kultur zusammen . . . (,die) im gewissen Sinn das Bild einer viel älteren Blütezeit vor uns aufdämmern läßt: als Stadt in Gärten . . .« Das von Kokoschka beschriebene Bild kommt dem von Tietze erwähnten sehr nahe. Es entspricht der Wirklichkeit, aber es spiegelt nicht die ganze Realität und nichts von dem, was ein Kind von der Empfindsamkeit des jungen Oskar Kokoschka länger als ein Jahrzehnt bedrücken mußte. Aufschlüsse darüber liefern einzelne frühe Briefe, liefern aber auch Kokoschkas eigene Dichtungen sowie die Dichtungen anderer, die auf Kokoschka zeitlebens deshalb einen so großen Eindruck machten, weil er in ihnen eigene Erlebnisse wiederfand.

Das Bild von Kokoschkas Kindheit muß aus solchen Querverbindungen in seinen essentiellen, das künstlerische Werk später formenden Einzelheiten rekonstruiert und um das Überlieferte erweitert werden, wenn die Topoi seiner Bilder und Dichtungen als prägende Lebenserfahrungen verstanden werden sollen. Über alle Wechselfälle von Kokoschkas Leben hinweg erweist sich die Kontinuität seiner auf diese prägenden Erfahrungen gegründeten Überzeugungen als die sich behauptende Kraft für ein ganzes Leben.

Einige Jahre vor seinem Tod, vor den aus dem frühen Gedächtnis aufsteigenden Erinnerungen an das Fehlen des Vaters, malte Kokoschka als eines seiner letzten Bilder »Peer Gynt«. Es gibt in einer fast chiffrehaften Form einen Rückblick auf das eigene Leben. (*Abb. 1*)

Mit der Vorstellung von einer ungetrübten Kinderzeit ist die Idee des Peer Gynt nicht zu verbinden. Auf dem Bild sind nur drei Personen dargestellt: Peer Gynt, seine Mutter Åse und seine Geliebte Solveig. Nach Kokoschkas eigener Aussage identifizierte er sich mit dem die Felswand emporklimmenden Helden des Dramas, seine Mutter mit Åse. Mittelbar hat Kokoschka mit dem Verweis auf seine Mutter auch an seinen Vater erinnert, weil sie nicht nur den Sohn, sondern im Sohn auch den Vater als einen unzuverlässigen Herumtreiber anklagt.

Einige Szenen von Ibsens Drama scheinen Abschnitte aus Kokoschkas Leben zu beschreiben – so entspricht Kokoschkas Reiseroute durch das östliche Mittelmeer im Jahre 1929 den Aufenthalten Peer Gynts in dieser Region. Beim Wiederlesen des Dramas 1972 müssen Kokoschka solche Parallelen deutlich geworden sein. Er hat jedoch die Identifikation mit Ibsens nie zur Ruhe kommendem Phantasten nicht erst nach 1929, nach seiner Nahost-Reise, gesehen. Kokoschka hat offenbar sehr früh, vielleicht schon in den zur Schulzeit erstandenen Reclamheften, die Paraphrase des eigenen Schicksals in dem des Peer Gynt erkannt, also im ersten Akt: Er selbst als der junge Phantast, dessen Erzählungen nicht wirkliche Ereignisse wiedergeben, sondern vorgestellte Wirklichkeiten, dem die Gesellschaft und ihre Ordnung nichts gilt, der deshalb selbst für die Gesellschaft zum Spott wird, dessen Zauber sich die jungen Mädchen ebensowenig entziehen können wie die eigene Mutter. Die Mutter bleibt für ihn die in sich ruhende Kraft, die trotz aller Verzweiflung am Sohn diesen schützt, weil sie weiß, daß sein Erbteil ihn und seine weltverlorene Phantastik prädestiniert. Sein Ausbrechen aus der Realität mit Hilfe der Imagination ist ihr eigenes Erbe, die Unstetigkeit das Erbe des Vaters. Das Verhältnis von Mutter und Sohn erscheint vorgeprägt durch die vom Vater verschuldete Armut als Folge seiner Unfähigkeit, bei der Familie zu bleiben, für diese Sorge zu tragen und auf die Großmannssucht mit ihren verheerenden Folgen zu verzichten. Wenn Åse ihren Mann bejammert und mit einem Rest von Bewunderung verdammt, klingt darin auch eine früheste Kindererfahrung Kokoschkas an. Hat seine Mutter während der wiederholten Abwesenheiten des Vaters in ihrer materiellen Not nicht Ähnliches gesagt wie Åse zu Peer Gynt?

>Liegt das Erbe nicht zerschlagen
Aus Großvaters Wohlstandstagen?
Sag, wo sich ein Kreuzer find't
von dem alten Rasmus Gynt?
Vater machte Beine dran
Hat's wie puren Sand vertan . . .
. . .Wo ist's, wo . . .«

So direkt wie im Umweg über den Hinweis auf Peer Gynts Mutter hat Kokoschka die Klagen der eigenen nie wiedergegeben, zumindest nicht in Äußerungen, die für die Öffentlichkeit bestimmt waren. Nur versteckt, in Andeutungen, hat er auf das Schicksal der Mutter und ihrer Kinder hingewiesen – auf die Armut zwar unverblümt, auf die Schuld, die den Vater daran traf, jedoch nie oder nie so, daß überhaupt schuldhafte Verknüpfungen vermutet werden könnten. In den Briefen, die er den Eltern, sobald er nur konnte, wöchentlich, oft täglich schrieb, ist nie der geringste Vorwurf gegenüber dem Vater herauszulesen – aus ihnen sprechen nur Verständnis und Liebe.

In der Zeit, in der die Erinnerung an die schlimmen Tage der Kindheit noch nicht weit zurück lag, hat Kokoschka die Verzweiflung der Mutter und ihr Schicksal manchmal angesprochen, so, wenn er 1912 Alma Mahler gegenüber ein Fehlverhalten seiner Mutter ihr gegenüber entschuldigt: » . . . eine Frau, die die Wahrheit nicht mehr einfach verträgt, weil ihre Gesundheit durch lebenslange Sorgen und Aufregungen jeder Art ruiniert ist . . .« Der Mutter und der Familie die Aufregungen zu ersparen, machte er sich zu einem Prinzip, sei es auch um den Preis, daß er ihr und ihren Angehörigen die Wahrheit vorenthielt. Auf seine Briefe, die den Krieg oder wirtschaftliche Miseren beschönigend darstellen, hätte Romana Kokoschka wie Åse Peer Gynt häufig entgegnen können: » . . . du schwindelst«.

Alma Mahler, die die meisten vertraulichen Mitteilungen über Kokoschkas Lebensbedingungen während seiner Kinder- und Jugendzeit erfuhr, hat oft die ganze Schwere des ihr Mitgeteilten nie ganz erfassen können, weil selbst ihr gegenüber Kokoschka sich mit allgemeinen Wendungen begnügte. So verbirgt sich hinter einer Wendung, daß er » . . . die unangenehmen Erlebnisse . . . vergessen . . .« wolle, die er » . . . als Kind durchmachen mußte . . .«, nicht nur das kindliche Leid über das Wegsein des Vaters.

Dieses nach außen weitgehend verborgene Leiden, ja die Verzweiflung am Vater wäre keiner indezent scheinenden Erwähnung wert, wenn sich nicht ein Teil von Kokoschkas Weltbild dadurch grundlegend gebildet hätte – die Überzeugung von der größeren Lebenskraft und vom überragenden Lebensrecht der Frau. Da der Vater oft fehlte, mußte die Mutter mit verzweifelten Mitteln dafür sorgen, daß die Kinder und sie selbst das Notwendige für ein ärmliches Auskommen besaßen. Ihre Stärke, ihre durch die Lebensumstände geförderte, bis an die Grenzen der Rücksichtslosigkeit reichende Energie hat Kokoschka von den frühesten, bewußt erlebten Kindertagen an als entscheidenden Ordnungsfaktor des Lebens erfahren. Wenn er später, seit der Vermittlung der Werke Bachofens durch Briffault im Haus Schwarzwald eine neue, bessere Einrichtung der Welt durch das Matriarchat forderte und glaubte voraussagen zu können,

wenn er 1926 in der Herrschaft der Frauen das Glück sah und von »männlichen
Verbrechern« sprach, resultierte diese radikale Absage an die überlieferte Män-
nerherrschaft nicht aus intellektuellen Analysen, psychologischen Studien oder
literarischen Kenntnissen – solches Wissen mochte später bestehende Überzeugungen allenfalls bestärken. Kokoschkas Eintreten für das Matriarchat, auf den
täglichen Erfahrungen des kindlichen Alltags gegründet, war für ihn fixiert, als
er noch nicht lesen konnte, geschweige denn die Bücher von Bachofen kannte,
die zu gern als seine Quelle angesehen werden. In seiner früh ausgeprägten Vorstellung von der Frau fließen die Idee der Mutter und die des Mädchens zusammen – wie bei Ibsen, für den Åse gegen Ende des Dramas ein mütterliches und
kindliches Wesen zugleich wird. Die Frau als ein ambivalentes Wesen sah Kokoschka in Alma Mahler, die er als Geliebte, aber auch als Mutter und Kind an-
spricht. Gegen eine psychologisierende Interpretation, die die Freud-Schule
und C. G. Jung auf die Gestalt der Åse bezogen, hätte Kokoschka sich gewehrt.
Er sah in ihr nicht einen unwirklichen, intellektuell rekonstruierten Archetypus
der Frau, sondern die Verkörperung einer universellen Lebenserfahrung. Nach
dem verzweifelten Vater-Erlebnis mußte deshalb die Verzweiflung am ideali-
sierten Gegenbild, an der geliebten Frau, Mutter, Kind Alma Mahler lebensbe-
drohlich werden. So wird in der Krisis seiner Beziehung zu Alma Mahler die
Verlassenheit durch den Vater in Erinnerung gerufen. In den ersten Fassungen
des Gedichtes »Allos Makar«, jenem im März 1913 geschriebenen Anagramm
»Anders ist glücklich« der Namen Alma und Oskar, heißt es unzweideutig, wie
in einer nüchternen, prosaischen Feststellung, in Hinblick auf das eigene Kind-
heitserlebnis:

>»Vater, warum verließest Du mich«

mit der dichterisch freien Fortführung des Gedankens:

>»Tag und Nacht können nicht in Eins verfließen,
>seit sich Kind und Vater einst verließen.«

und in der nächsten Fassung:

>»Tag und Nacht
>dürfen nicht zusammen reisen,
>mild dem Klimmenden das Weiter weisen,
>wo der Vater sich verhüllt.«

Ohne die Nöte des Kindes blieben solche Klagen bloß rhetorische Exaltationen,
ein logisch nicht erfaßbares und schwer einsichtiges Bild. Kokoschka hatte keine
Scheu, sich in einer Dichtung so offen zu äußern – er wußte, daß man die Dichtung nicht als eine unmittelbare Lebensäußerung verstehen würde. Der Vers, in
dem vom »Klimmenden« die Rede ist, gibt zudem an, wie früh Ibsens Peer Gynt

ein Leitmotiv Kokoschkas umriß; er spielt auf den die Felswand hinaufkletternden Gynt an, sechs Jahrzehnte vor der Entstehung des Gemäldes.

Die nie vergessenen Nöte um den Vater müssen schon die ersten bewußt erlebten Kinderjahre belastet haben. In derselben Zeit ereignete sich ein einmaliger Schock, der unmittelbar mehr als ein Jahrzehnt, mittelbar ein Leben lang auf Kokoschkas Entwicklung einwirkte. Ganz allgemein hat er in einem Brief an Alma Mahler mit seltener Offenheit und doch nicht konkret ein Vorkommnis erwähnt, das sein Wesen fast in das Gegenteil verkehrt hätte: »Da ich aber von Kindheit an, durch eine unangebrachte Entdeckung gestört in der Entwicklung meiner Natur, die eigentlich Gutes will und Gutes sein kann, den Menschen kalt und kontaktlos gegenüber stand, empfand ich alles als unsicher, fremd zu mir, und von mir fremden Trieben absorbiert.« Um was für eine »unangebrachte Entdeckung« es sich handeln mag, läßt sich aus einem um 1907/08 in einem scheinbar ausweglosen Augenblick geschriebenen Brief an Erwin Lang, den Mitschüler in der Kunstgewerbeschule, mit einiger Sicherheit erschließen. Der Brief beginnt mit einer Schilderung von Kokoschkas gegenwärtiger Situation: »Ich halte es hier nicht länger aus, alles ist von einer Starre, als ob man nie das Aufschreien gehört hätte . . .« Etwas weiter heißt es dann: » . . . Ich habe meine ganze Innigkeit immer nur auf solche Dinge richten dürfen, die nicht antworten konnten und mein Gleichgewicht wieder hergestellt hätten. Meine Mutter hatte in meiner ersten Kindheit durch einen gräßlichen Zufall neben mir geboren, das Blut hatte mich ohnmächtig gemacht. Seitdem kann ich mit Menschen nicht recht verkehren. Meine Eltern werde ich seit dem erschlagen oder mich loskaufen. Da hat sich die ganzen Jahre her meine Innigkeit angesammelt, und jetzt muß ich damit wie ein Nagetier herumschleichen mit einer Inzucht. Wenn ich meine Fühler ausstrecken möchte, kommt der alte Mann in mir und tritt mit der Bissigkeit darauf.«

Dies schreibt der etwa Einundzwanzigjährige; Erfahrungen der Pubertät sind, wie aus einer anderen Stelle desselben Briefes hervorgeht, in die Aussage eingeflossen. Folgen und Deutungen stehen neben Fakten, die entscheidende Mitteilung jedoch enthalten wenige Protokollsätze. Wenn Kokoschka von seiner »frühesten Kindheit« schreibt, so kann damit kaum die erste Lebenszeit während der in Aussig verbrachten Jahre gemeint sein. Zwar könnte eine Sturzgeburt einem Dreieinhalbjährigen – so alt war er bei der Geburt der Schwester – durchaus als Schock in Erinnerung bleiben. Wahrscheinlicher dürfte der Lang so knapp und direkt beschriebene Vorgang jedoch die Geburt des Bruders 1892 gewesen sein (nimmt man nicht eine Fehlgeburt zu einem anderen Datum an). Dafür, daß die Geburt des Bruders Bohuslav zu einem für Außenstehende nicht zu begreifenden Einschnitt in Kokoschkas Selbstverständnis führte, spricht seine lebenslange, dem Jüngeren zugewandte Hingabe (*Abb. 4*). Aus der Pflicht des ältesten der Geschwister, die sich aus dem Versagen des Vaters herleitete, ist diese besondere Fürsorge allein nicht zu erklären. Sieht man von den Jahren ab, in denen Kokoschka von England aus wenig für den in Österreich verbliebenen Bruder tun konnte, dann begleitete er alle Schritte in dessen Leben mit solcher Fürsorge, wie er sie außer den Eltern niemandem erwies – er förderte dessen Studien nach den Jahren des Ersten Weltkriegs, ermöglichte ihm Reisen und ein ungestörtes Leben zusammen mit der Mutter, sorgte für dessen Familie, solange er selbst lebte.

Wie läßt sich damit die vorgebliche, von Kokoschka selbst registrierte Kälte andern gegenüber vereinbaren? Immer wieder spricht der junge Kokoschka bis in die Zeit des Ersten Weltkriegs hinein von den Schattenseiten des eigenen Bewußtseins, von Gefühllosigkeit und Kontaktarmut. Alle, die ihm in jenen Jahren begegneten, erwähnen zwar gelegentlich seine Schüchternheit, aber auch die Wärme seiner Zuneigung und die Heftigkeit seiner Ansprache. Sein intensiver Dialog mit dem Gegenüber wird geradezu als der hervorstechende Charakterzug seines Wesens empfunden – so blieb es ein Leben lang. Sicher hat Kokoschka mit seiner vorgeblichen »Gefühlskälte« nicht kokettiert, noch hat er seine Wärme und Zuneigung andern gegenüber gespielt. Seine Natur, »die Gutes will und Gutes sein kann«, hat sich auch in seinen jungen Jahren stärker und unzweideutiger behauptet, als er es selbst empfand, forciert durch den Willen, dem Druck der Negativität nicht nachzugeben. Im Widerstreit der Regungen hat sich seine Natur so durchgesetzt, daß Heftigkeit und Dauer seiner Zuneigung gerade gegenüber der Familie alle üblichen Maße sprengen konnten, nicht selten ohne Rücksicht auf eigene, elementare Interessen. Die überbordende Liebe mußte jede Spur von aufkommender Verzweiflung am andern beseitigen. Solange es möglich war, gerade dem Bruder so zu begegnen, blieb für die Verzweiflung kein Raum. Als der Bruder Bohuslav unerwartet starb, vier Jahre vor Kokoschka, mußte sein Tod noch einmal zu einer ähnlichen Zäsur werden wie die Geburt. Den zweiten Schock hat Kokoschka in den Jahren, die ihm danach zu leben vergönnt waren, nie ganz überwunden.

Der in der Seele des Knaben schlummernde Abgrund, der Trieb, jemanden umzubringen, war keine verbale Floskel eines um die Konsequenzen unbesorgten wilden jungen Mannes. Daß die Möglichkeit des absolut Bösen Teil der menschlichen Natur, Teil der Natur des Kindes sein kann, hat Kokoschka immer wieder ausgesprochen. Als er 1974 an eine Hamburger Gemeinde eine Karfreitagsansprache richtete, nachdem sein Mosaik »Ecce homines« eingeweiht worden war, sagte er unter anderem: »Wir sind alle Mörder.« Der Mörder ist Held seines ersten Dramas. Der Trieb, jemanden umbringen zu können, ist gerade in den frühen Tragödien stets gegenwärtig und der Liebe zum andern so nahe, als wären Tod und Liebe nur zwei Seiten desselben Vermögens. Ist es verwunderlich, daß Kokoschka die Zeichnungen und Erzählungen des zwei Generationen jüngeren Maurice Sendak besonders schätzte, dessen Kinderbücher die Möglichkeiten des Bösen im Kind, die verborgene Zerstörungskraft in einer scheinbar geordneten Kinderwelt zum Inhalt haben?

Die Folgerung, daß die Kräfte der Negation in der Dichtung dargestellt und gebannt werden könnten und daß dadurch in der Wirklichkeit sich seine wahre Natur zeigen könne, zog Kokoschka am Ende des Jünglingsalters. Aus dieser Zeit stammt auch die Erkenntnis, daß die Liebe gegenüber der Familie ihren Preis habe. Stufenweise mußte ihm seit der Zeit, in der sein Bruder geboren wurde, bewußt werden, daß ihm die materielle Existenz der Familie aufgebürdet werden könnte. Als er noch nicht zur Schule ging oder die erste Volksschulklasse besuchte, hatte er den Mietzins zur Hauswirtin zu bringen, wenn der Vater ihn nicht rechtzeitig hatte zahlen können; der Älteste trat hier zum erstenmal an die Stelle des Vaters. Gustav Kokoschka muß damals erst 52 Jahre alt gewesen sein. Je älter er selbst und der Vater wurden, umso deutlicher mußte sich für Oskar Kokoschka die Aufgabe stellen, die Familie zu ernähren, wenn nicht nur aus eigenem Antrieb, dann angestoßen durch die von Not getriebene und vom Willen zum Überleben bestimmte Mutter. Das älteste unter den lebenden Geschwistern sollte leisten, wozu der Vater nicht mehr fähig war. Kokoschka hätte um ein Haar, ohne ein Stipendium zu Beginn seines Kunststudiums, kein Maler werden können, und ein Jahr später wäre er, ohne ein weiteres Stipendium, nach der Lehramtsprüfung zum pädagogischen Beamten geworden, um für sich und die Familie ein bescheidenes Auskommen zu sichern. Drei Jahre später, in dem Jahr, in dem er den zitierten Brief an Erwin Lang schrieb, war der Vater 68 Jahre alt, die Mutter 47. Nun sprach er klar aus, was er seit längerem wußte: Das »Loskaufen« würde ein Teil seines Schicksals werden; er sah überdeutlich, daß er seine eigene Freiheit nur so lange erhalten konnte, wie er die Unfreiheit des »Loskaufens« zu leisten vermochte – und er nahm diese Erkenntnis als Konsequenz für sein Handeln an. Wie bewußt ihm die eingegangene Verpflichtung war, wie sehr sie seiner angeborenen Natur entsprach, hat Kokoschka später Alma Mahler mit einfachen Worten erklärt: »Ich wollte mir den Horizont erhellen, indem ich ihnen das Leben erträglicher machte.«

II

Die frühesten Gemälde

Kokoschka selbst hat immer mit großer Deutlichkeit gesagt, er habe sich vor 1906/07 noch nicht vor die Meisterwerke der Vergangenheit getraut und keine Ausstellungen gesehen: »Es soll zu dieser Zeit in der Secession eine Reihe von bedeutenden Ausstellungen moderner Künstler aus anderen Ländern gegeben haben. Ich habe sie nicht gesehen. Selbst die außerordentliche Sammlung des Wiener Kunsthistorischen Museums am Maria-Theresia-Platz besuchte ich in diesen Jahren kaum.« Diese Angabe Kokoschkas ist immer bezweifelt worden, auch seine Auskunft, er habe die Ausstellungen von Meistern der Moderne in der Galerie Miethke nicht besucht. Die von dem promovierten Kunsthistoriker Hugo Haberfeld geleitete und vom Maler Carl Moll beratene Galerie war die bedeutendste private Galerie Wiens, die sich der neuen Kunst widmete; sie zeigte im November 1905 eine Romako-Ausstellung, die den Ruf dieses Malers mehr als eineinhalb Jahrzehnte nach seinem Tod neu begründete; im Januar 1906 präsentierte sie eine van Gogh-, im März 1907 eine Gauguin-Ausstellung. Da sich in einigen bisher nicht zuverlässig datierbaren Gemälden des jungen Kokoschka Einflüsse Romakos und van Goghs finden, wurden diese Bilder meist mit den Ausstellungen bei Miethke in Zusammenhang gebracht; sie galten dementsprechend zu Unrecht als Werke der Zeit um beziehungsweise nach 1906. Diese Datierungen sind falsch.

Noch im Sommer 1906 und im darauffolgenden Wintersemester mußte sein Lehrer Carl Otto Czeschka feststellen, daß Kokoschka wenig von Kunst gesehen hatte und, das resultiert aus anderen Hinweisen Czeschkas, noch nichts, was ihn in prägender Weise beeinflußt hätte. Kokoschka malte und zeichnete damals völlig realistisch. Wir kennen so viele seiner Arbeiten vom Frühjahr bis Herbst dieses Jahres, daß sich mit ihnen ein nicht nur punktuell belegtes Bild seiner Entwicklung bis ins dritte Jahr seines Studiums an der Kunstgewerbeschule darstellen läßt.

Eines der ersten Blätter dieser vor 1906 entstandenen Gruppe, ein Monatsbild »Oktober«, dürfte die Kopie nach einer fremden Vorlage sein. (Ähnliche Karten zeigte unlängst die Galerie Würthle, Wien.) Die Berg- und Seelandschaft des Hintergrundes läßt an Czeschkas Hinweis denken, daß sich unter Kokoschkas Studien, die er im Sommer 1906 der Kommission für die Aufnahme in einer Malklasse vorlegte, auch »Nachempfindungen von . . . Calame, . . . meist landschaftlicher Art . . ., feinst durchgearbeitete Zeichnungen und Tuschierungen . . ., auch in Sepiamalerei . . .« befunden hätten. Der Überlieferung nach schenkte Kokoschka sie einem Schulmädchen, ob 1906 oder früher, muß ange-

2. OK, Mädchenakt, um 1906

3. OK, Stehender Knabe, um 1906

sichts der unsicheren Erinnerungen der Beschenkten und der unklaren Datierung auf dem Blatt offen bleiben.

Zwei Kinderakte des Frühjahrs 1906, die einander formal sehr ähneln, obwohl sie in unterschiedlicher Technik ausgeführt wurden, bestätigen Kokoschkas Angaben, daß er während seiner Studienzeit häufiger Kinder gezeichnet habe. *(Abb. 2, 3)* Dies geschah offenbar früher und länger, als er es in seiner meist mehrere Ereignisse zu einem Vorgang zusammenziehenden Erzählweise schilderte. Er sah sich den Kindern näher als Gleichaltrigen oder Älteren; sie besaßen eine Naivität und Unbefangenheit, die ihm gemäßer war als die skeptisch beobachtete Verhaltensweise der Erwachsenen. Diese Unmittelbarkeit zeigt er in den beiden Studien ebenso sicher wie die körperliche Gestalt. Entstanden sind sie mit großer Wahrscheinlichkeit während der Frühjahrsferien 1906.

Die Sommerferien nutzte er für Porträts *(vgl. Abb. 5)*. Gelegenheit dazu boten ihm die Ferienaufenthalte im August 1906 im Kreis von Verwandten und deren Freunden. Anfang August meldet sich Kokoschka mehrmals aus Wildalpen, wo er sich zusammen mit einem Schwager seines Onkels Loidl, dem Bildschnitzer Johann Donner, aufhielt. Für seine Grüße benutzte er Korrespondenzkarten, auf deren Vorderseite er Bildnisse der Verwandten und ihrer Freunde sowie zwei Selbstbildnisse zeichnete. Mitte August reiste Kokoschka von Wildalpen ins niederösterreichische Lassing. Hier lebte der verwitwete Bruder seiner Mutter, Anton Loidl, mit seinem Sohn und seiner Tochter Julie. Lassing war ihm nicht unbekannt. Die Eltern, die ihren Sohn ihrer beschränkten Mittel wegen nur zu Verwandten in die Ferien schicken konnten, hatten ihn bereits als Knaben mehrmals dorthin geschickt. Hier hatte er jeweils für kürzere Zeit durch den Onkel Violinunterricht erhalten. (Wir kennen die Umstände und Ergebnisse seiner Ferienaufenthalte in Wildalpen und Lassing durch Aufsätze von Rupert Feuchtmüller.)

In dem bäuerlichen Zirkel Lassings spielte die Musik eine nicht unwichtige Rolle. Anton Loidl nahm neben der Funktion eines Postmeisters und Kaufmanns auch die des Organisten in der Dorfkirche wahr. Er spielte außerdem Violine, ebenso seine Kinder, Freunde der Familie – Richard Kappo, Werkmeister im Sensenwerk, und Viktoria Hofreiter, die Frau des Oberlehrers – waren Violinspieler, der Förster Herrmann Waas war Cellospieler, der Bauer Kupfer Posaunist. Man tat sich vor allem zusammen, um Kammermusik von Mozart und Beethoven zu spielen. Kokoschka beherrschte das Violinspiel nicht genügend, um als Musiker mit von der Partie sein zu können. Er zeichnete statt dessen alle Genannten, während sie ganz auf ihre Instrumente konzentriert waren, so, wie er auch Johann Donner kurz zuvor mit seiner Gitarre dargestellt hatte. Zum erstenmal läßt sich mit den erhaltenen, im Format kleinen Zeichnungen belegen, daß nicht das steif dasitzende Modell, sondern die sich natürlich bewegende Person für Kokoschka das rechte Gegenüber war. Keiner der Porträtierten auf den fünf Blättern schaut den Zeichner an, der mit skizzenhaften, aber festen Strichen Kopf und Gestik der Musizierenden festhält, anscheinend unbekümmert um eine Komposition im akademischen Sinn, gerade dadurch aber die Lebendigkeit des Spiels und der Bewegungen erfassend. Neben den Köpfen sind es die Hände, die den Zeichner beschäftigen; auf zweien der Zeichnungen, den Einzelporträts von Johann Donner und Anton Loidl, sind die Hände überproportional groß dargestellt. Man denkt nicht nur an die Gemeinsamkeit mit den reifen Porträts Kokoschkas gerade in dieser den Händen besonderes Gewicht gebenden Übersteigerung, man versteht auch, warum Kokoschka 1906 oder 1907 seinem Lehrer Czeschka erklärte, was er näher sähe, müsse er auch größer darstellen.

In zwei der Mädchen, in Anna Donner und Juliana Loidl, war Kokoschka verliebt, beide wohl auch in ihn. Vor allem hatte es ihm die lebhafte und phantasievolle Juliana angetan. An sie schrieb er öfter, im August und September 1906. Von ihr heißt es, sie sei ein phantasiebegabtes Mädchen gewesen, das sich selbst gestikulierend Geschichten erzählte, musizierte und Theater spielte, Kokoschka soll ihr die Kulissen für eine Aufführung gemalt haben.

30

Sie war die passende Gefährtin und Freundin für einen Träumer, der von seinen Phantasien der Außenwelt noch nichts kundgeben wollte. Wie er ausschaute, wissen wir aus zwei gezeichneten Postkarten. Die eine, durch einen Poststempel auf den 4. August 1906 datiert, erhielt ein Wiener Freund. Kokoschka blickt hier träumerisch, aber offen, mit gering geneigtem Kopf sein Gegenüber an. Das zweite, durch den Poststempel auf den 5. August 1906 datierte Selbstbildnis erhielt Juliana Loidl; es ist noch überzeugender gelungen, weil es die Charakterzüge des jungen Malers noch glaubwürdiger vorstellt. Er blickt abermals offen und träumerisch, jedoch am Betrachter vorbei. In seinen Zügen mischen sich Bestimmtheit und Sensibilität – eine klare Stirn, energische Backenknochen, ein festes Kinn, ein weicher Mund. Kräftige, dunkle, vehement gezeichnete Schraffuren lassen das Gesicht plastisch hervortreten, eine Binde um den Hemdkragen trägt den Kopf wie ein Sockel, den die Revers der Jacke locker und lebendig rahmen. Es ist das Gesicht eines zwanzigjährigen jungen Mannes, nicht mehr das eines Kindes.

Das Mädchen bewahrte alle ihr geschickten Karten, Zeichnungen und auch eine ihr Jahre später gewidmete Photographie ihres Vetters liebevoll auf, schon zu einer Zeit, als dieser noch nicht berühmt war.

Ein Gemälde Julias entstand während der gleichen Sommerwochen. Es ist der Öffentlichkeit – wie das Bildnis der anderen jungen Dame, Anna Donner – bisher noch nicht bekannt geworden. Allerdings gibt das ins Museum der Stadt Wien gelangte, auf die Vorder- und Rückseite eines Kartons in zwei Fassungen gemalte Porträt in Hinblick auf seine Entstehung Fragen auf, gerade deshalb, weil es auf der skizzenhaften Rückseite mit »Sommer 00« bezeichnet ist. Kokoschka war 1900 vierzehn Jahre alt – die kräftig und in sicherem Zug aufgemalten Versalien sind kaum von einem jungen Mann geschrieben. Stammen Monogramm und Datum überhaupt von Kokoschka? Der Stil des Doppelgemäldes fügt sich völlig zu dem der Zeichnungen aus dem August 1906, Lockerheit und Bestimmtheit der Ölskizze sind die gleichen wie die der Bleistiftskizzen. Die Hände auf der vollständig ausgeführten Seite sind ebenso kräftig, vergrößert hervorgehoben wie auf den Porträts von Johann Donner und Anton Loidl. Es kann kaum einen Zweifel daran geben, daß das kleine Ölbild während derselben Sommerwochen entstand wie die Lassinger Zeichnungen, nur etwa vierzehn Tage früher in Wildalpen, gleichzeitig mit dem Porträt des Vetters Johann Donner und den beiden Selbstbildnissen. Zu erklären wäre die Datierung »00« (1900) sehr leicht dadurch, daß eine Notiz Kokoschkas »06« falsch gelesen und von anderer Hand auf die Rückseite in der irrigen Form aufgetragen wurde.

Da einige der Zeichnungen das Monogramm OK tragen, wäre ohnehin zu erwarten, daß Kokoschka, wenn er schon ein Datum selbst aufgemalt hätte, auch seine Initialen hinzugefügt haben würde, und dann auf der Vorderseite mit dem fertigen Bildnis.

Für eine Datierung des Porträts von Anna Donner ins Jahr 1906 spricht auch das Alter der Dargestellten, die etwas über zwanzig Jahre alt sein mußte (nicht ein Schulmädchen, um geringes älter als der vierzehnjährige Kokoschka im Jahre 1900).

Das auf Pappe gemalte Porträt, das auf der Rückseite eine skizzenhafte Vorstudie trägt, fügt sich in Malweise und Darstellungsmodus ganz zu einem mit dem Monogramm OK bezeichneten und 1906 datierten Porträt einer Freundin der Familie Kokoschka, der 1915 verstorbenen Barbara Siegl von Siegville. Kokoschka malte sie vielleicht im Auftrag. Gemessen am Bildnis von Anna Donner erscheint das der Barbara Siegl als fertiger und als weniger skizzenhaft. Kokoschka dürfte sie gemalt haben, nachdem er während der Ferien seine Fähigkeiten trainiert hatte.

Beide Frauen sitzen in einem deutlich erkennbaren Ambiente. Ihre Physiognomie ist ebenso wirklichkeitsgetreu wie ihre Kleidung. Trotz dieser Genauigkeit entbehren beide Bilder jeglicher Kleinteiligkeit; sie sind großzügig gesehen, vehement und wohl in kurzer Zeit gemalt. Die Bedeutung der Hände für das Porträt, die Kokoschka bereits zwei Jahre später so ausdrucksvoll zu nutzen verstehen sollte, beginnt sich auf ähnliche Weise abzuzeichnen wie in den Zeichnungen aus Wildalpen und Lassing. Man spürt den Versuch, die Figuren im Raum zu erfassen. Die Diagonale ist wichtiger als die orthogonale Geometrie. Sicher können die beiden Porträts noch nicht als gültige Deutungen der Persönlichkeit, wie etwa Kokoschkas Porträts von der zweiten Jahreshälfte 1909 an, gelten, sie geben sich jedoch im Vergleich mit diesen als nicht unwichtige Vorstufen späterer Meisterschaft zu erkennen.

In Lassing war außer dem Porträt Juliana Loidls noch ein weiteres Ölbild entstanden; es ist nicht auf Pappe, sondern auf grobe Sackleinwand gemalt – Kokoschka nahm, was ihm gerade zur Verfügung stand. Es handelt sich um eine Darstellung der barock gefaßten spätgotischen Madonna vom Seitenaltar der Lassinger Kirche, in der Anton Loidl als Organist wirkte. Gemessen an der Sprödigkeit des Vorbilds hat Kokoschkas Madonna Bewegung und Ausdruck gewonnen. Sie ist schräg von rechts unten gesehen. Die näher an der Staffelei befindlichen Teile des Gewandes sind vergrößert – wie die Hände der Porträts –, die Falten bauschen sich auf, die Rechte mit dem Szepter stellt sich mit einer energischen Gegenbewegung in Kontrast zur leichten Diagonalen der Figur, die Physiognomie gewinnt durch einen ahnungsvollen Blick ins Unbestimmte, die Blumen um die Madonna erscheinen wie kleine Wolken und lassen die Gestalt

4. OK, Jugendbildnis des Bruders Bohuslav, um 1906

mehr schweben als stehen. Obwohl das Vorbild unbedingt erkennbar bleibt, erscheint es verändert – so, wie es später mit größerer Meisterschaft in den vielen Skizzen Kokoschkas nach Kunstwerken in Museen geschehen sollte. Die Farbigkeit des Bildes ist lebhafter als die der Porträts; ein Gemälde wie das »Stilleben mit Ananas«, um 1909, erscheint nach dieser Madonna als weniger überraschend.

In die Zeit zwischen Sommer 1906 und Winter 1906/07 gehören vermutlich auch das Bildnis des Bruders Bohuslav und eines Mädchens.

Wie mag diese für die Verhältnisse eines Zwanzigjährigen an Zahl beachtliche und in kürzerer Zeit entstandene Gruppe zu erklären sein? Allein aus künstlerischem Impetus oder als Folge auch äußerer Entwicklungen?

Der Sommer 1906, der Augenblick unmittelbar vor den Ferien, hatte eine für Kokoschkas weiteres Leben wesentliche Entwicklung gebracht. Er sollte nicht Zeichenlehrer, er konnte Maler werden. Diese Entscheidung, die ihm eine bislang verschlossene Möglichkeit eröffnete, mag ihn angespornt haben.

33

5. OK, Mädchenbildnis, um 1906

III.

Loos lernte ohne Zweifel, als er 1908 engen Kontakt zu Kokoschka fand, auch die neuesten Porträts kennen. Aus eigenem Antrieb hatte Kokoschka seine Bildnisstudien, die er 1906 begonnen hatte, im folgenden Jahr fortgesetzt. Gegenwärtig kennen wir zwei von ihnen, die sich vom Realismus der etwas älteren Gemälde durch ihre träumerische Physiognomik und durch ein Zurückdrängen der gegenständlichen Umwelt unterscheiden. Daß das Bildnis der Nathalie Baczewski in Kokoschkas Werk eine neue, auf die sich anbahnende Entwicklung vorausweisende Stufe vertritt, erkannte schon Adolf Loos, denn er hielt es für das erste Bild, das in der Öffentlichkeit hätte vorgestellt werden sollen. Die junge Dame, Nathalie Steinhaus, wünschte sich ein Hochzeitsbild für ihren Verlobten Dr. Max Baczewski, und da Kokoschka zwar als talentierter Student galt, aber noch nicht in der Öffentlichkeit umstritten war, entschied sie sich für den

Auftrag an ihn. Daß man das Talent des jetzt Einundzwanzigjährigen seit 1907 immer häufiger zu beobachten begann, erhellt aus dem Interesse, das Sammler zeitgenössischer Kunst an ihm nahmen. Einer der ersten unter ihnen war Dr. Oskar Reichel, ein begüterter Internist. Kokoschka kam, nach der Erinnerung des Sohnes, von etwa 1907 an in Reichels Haus. Unter den Kunstwerken, die er dort kennenlernte, befand sich eine umfangreiche und qualitätvolle Kollektion von Arbeiten Anton Romakos, darunter mehr als vierzig Gemälde. Über den Zeitpunkt, zu dem Kokoschka erstmals in Reichels Haus kam, lassen sich nur Vermutungen anstellen. Da Czeschka sich bei Sammlern nachdrücklich für seine Schüler einzusetzen pflegte, spricht manches dafür, daß der Kontakt zwischen dem jungen Maler und dem Sammler noch in der ersten Jahreshälfte 1907 zustande kam. Kokoschka war zu jener Zeit, wie das Beispiel Beardsley zeigt, für Eindrücke von Werken etwas älterer Künstler aufnahmebereit. Romako sollte für die Entwicklung seiner Malerei eine ähnliche Funktion gewinnen wie Beardsley und Minne für seine Zeichnung. Wenn er später »Romako als wahren Pionier der modernen Malerei« schätzte, sagte er lediglich mit anderen Worten, daß er in ihm einen Vorläufer seiner eigenen Malerei sah. Es gibt tatsächlich keinen zweiten Maler, der in vergleichbarer Weise Romakos Auffassung von Porträt und Landschaft künstlerisch logisch gesteigert so übernommen und fortentwickelt hätte wie Oskar Kokoschka. Den Sammler Oskar Reichel führte, nach seinem eigenen Bekenntnis, die Kenntnis Romakos zur Einsicht in Kokoschkas Bedeutung.

Ohne es sich recht bewußt zu machen, fand Kokoschka sich selbst in einer Tradition der österreichischen Malerei; das Erlebnis Maulpertschs während der späten Kinderzeit, das Erlebnis Romakos während der Entfaltung seines künstlerischen Selbstverständnisses wurden für ihn die beiden entscheidenden Stufen, die ihn als Maler prägten. Die Gemälde des Jahres 1906 stehen der Zeichnung nahe, geben mit den Personen auch die Gegenstände ihrer Umgebung wieder. Im Porträt der Nathalie Baczewski werden zufällig vorhandene Objekte unwichtig, der malerische Duktus und die Farbe – ein dominierendes Dunkelrot – gewinnen mehr Bedeutung als die Zeichnung, die Physiognomik und der direkte Blick der dunklen Augen Suggestionskraft. Brauchte es noch eines Beweises, daß Klimt und die Klimt-Gruppe auf Kokoschkas Entwicklung als Maler keinen Einfluß nahmen – im Vergleich zwischen den stilisierten Repräsentations-Porträts Schieles und der schlichten Unmittelbarkeit des Baczewski-Porträts fände man den Nachweis überdeutlich, daß Kokoschkas Malerei direkt an die barocke Tradition anknüpfte. Später hat er dies auch bewußt artikuliert und Romako so mit der barocken Malerei verknüpft wie Bruckner mit der barocken

Musik. Barock ist der formale Aufbau des Porträts (den Kokoschka ohne Zweifel naiv-unakademisch fand): die diagonale Haltung, die auf die Erfassung des Raumes zielt und nicht auf die Flächigkeit Klimts oder der Klimt-Nachfolge. Ähnlich sind Kopfhaltung und Handstellung des zweiten Frauenbildnisses aus dem Jahre 1907 auf die Einbindung der Figur in den Raum ausgerichtet.

In der Gestik der emporgehaltenen Hände dieses Porträts klingt ein wenig der Einfluß Hodlers an, doch bleibt das Romako-hafte wichtiger. Hinter dem Kopf der jungen Frau gibt ein heller, malerischer, gegenständlich nicht erklärbarer Nimbus ihrer Physiognomie eine fast unwirklich scheinende Ausstrahlung. Romako hat in manchen seiner Porträts die Wirkung des Nimbus noch gegenständlich begründet, Kokoschka verzichtet darauf, erstmals im Bildnis der Unbekannten, dann, noch konsequenter, in einer Reihe von Porträts der Jahre 1909/10. Der Nimbus unterstreicht den psychischen Ausdruck des jeweiligen Menschen, macht ihn zu einem Wesen außerhalb der zufällig vorhandenen Welt.

Zwischen den beiden Frauenbildnissen des Jahres 1907 und dem nächsten bekannten Bildnis, dem Porträt des Schauspielers Ernst Reinhold, entstand Kokoschkas erste Landschaft. Es dürfte zugleich das erste seiner Bilder sein, die durch Loos angeregt wurden. Kokoschka hat wiederholt erzählt, daß Loos ihm den ersten »Farbenkasten« seines Lebens geschenkt habe. Gemeint ist damit ein umfangreicheres Sortiment von Ölfarben – vermutlich besaß er, als er 1906/07 seine Porträts malte, nicht die Mittel, sich einen größeren Vorrat verschiedener Farben zu kaufen. Jetzt verfügte er erstmals über eine größere Farbpalette. Kokoschka griff danach als Autodidakt. Nie hatte er, soviel wir wissen, während der vier Studienjahre an der Kunstgewerbeschule methodischen Unterricht im Malen mit Ölfarben gehabt (die Gobelinentwürfe wurden mit Temperafarben gemalt). Dies erklärt, warum zwischen seiner Zeichnung und seiner Malerei um 1907/08 nicht viele Gemeinsamkeiten bestehen, und warum er mit der Ölfarbe so unkonventionell umging, sie dünn und pastos nebeneinander verwendete, in sie Linien hineinkratzte oder bedenkenlos um konservatorische Probleme Farbschicht über Farbschicht malte – nicht nur in den ersten von ihm als gültig anerkannten Bildern.

Das erste von ihnen, das Kokoschka später als ihn selbst überzeugend ansah, war die »Ungarische Landschaft«. Die Anregung dazu gab möglicherweise ein Aufenthalt auf Gut Pudmanitz nahe der österreichisch-ungarischen Grenze zusammen mit Loos im Oktober 1908. Von dort aus ging der Blick über die Gärten und Felder der ungarischen Tiefebene, er verlor sich im Dunst, am Horizont ging der Dunst in den weiten Himmel über. Kokoschka sah diesen weiten, durch keine wahrnehmbare Grenze geschlossenen Raum mit den Augen Romakos. Dem großen Eindruck hatten sich die Details der Landschaft unterzuordnen, sie gaben ihr eine den Raum prägende Struktur aus Linien und Punkten, so, wie in den schönsten Landschaftsbildern Romakos vom Gasteiner Tal aus den siebziger Jahren.

In Kokoschkas Erinnerung prägte sich das Bild, das er in den Jahrzehnten seit der Wiener Zeit nie mehr zu Gesicht bekam, im unendlichen Blick über die Pußtaebene ein. Wenn er in den vierziger Jahren Edith Hoffmann gegenüber sagte, daß das Licht Romakos ihm die Augen für die Schönheiten des Himmels ebenso wie sehr viel später die Bilder Turners geöffnet habe, so verweisen diese Worte auf die Bedeutung, die Romakos Vorbild gerade in der »Ungarischen Landschaft« für ihn gehabt hatte.

Die Bäume am Rande des Bildes mit ihren Linien besitzen eine ähnlich zeichenhafte Abstraktion wie diejenigen der »Träumenden Knaben«, der gleichzeitig mit diesen entstandenen Karten und einzelner Zeichnungen aus der zweiten Jahreshälfte 1908 – darin besteht eine der wenigen Gemeinsamkeiten von Kokoschkas Graphik und Malerei jener Zeit. Auf die späteren Landschaftsbilder Kokoschkas weist der hoch gelegene Blickpunkt voraus und das Verständnis des von dort erfaßten Ausschnitts der Welt als Teil des Kosmos.

Das zweite Gemälde, das Kokoschka als gültig ansah, war wieder ein Porträt, das Bildnis seines Jugendfreundes Ernst Reinhold, der 1909 in der Kokoschka-Matinee des Kabaretts »Fledermaus« mitwirken und den Krieger in »Mörder, Hoffnung der Frauen« verkörpern sollte. Mit diesem Bildnis verwirklichte Kokoschka erstmals eines jener Porträts, die ihn innerhalb weniger Monate zum bedeutendsten Darsteller menschlicher Gesichter machen sollten und in denen von der Staffage nichts, vom Wesen des Dargestellten alles unverstellt und offen zu sehen ist. Ausgestellt war das Porträt erstmals auf der »Kunstschau 1909«, es muß also zwischen dem Spätherbst 1908 und dem späten Frühjahr 1909 entstanden sein. Mell und Loos konnten sich angesichts dieses Bildnisses in vollem Umfang bestätigt fühlen – sie hatten auf Kokoschka als Porträtmaler gesetzt und hatten nun den Beweis für ihr Urteilsvermögen vor sich. Formuliert hat die Erkenntnis über Kokoschkas Porträtkunst als erster Ludwig Erik Tesar. Er verstand als einziger unter allen, die sich auf der »Kunstschau 1909« über den jungen, wilden Maler äußerten, daß er nicht formale Effekte suchte, sondern etwas über den dargestellten Menschen mitteilen wollte, daß in diesem Bild »das Überbewußte in starken Strömen sich Bahn« schaffe, getragen von Raum und Licht, sichtbar gemacht durch die Farbe. Kokoschka hat Tesars Deutung seiner Kunst nicht nur 1909, sondern noch Jahre später als verständig und adäquat empfunden, denn als dieser sich 1912 wieder über ihn äußerte, in der *Fackel*, verwendete er sich dafür, daß Walden Tesars Text nachdruckte. Kokoschka war über das Unverständnis, das sich in wohlmeinenden Ratschlägen der meisten Kritiker über die »Irrgänge« des »gewiß stärksten Talents der Kunstschau-Jugend« äußerte, wohl weniger empört als über die Mischung aus Amüsement und Indolenz gegenüber seiner Kunst, die für ihn eine Äußerung seines Lebens selbst, für andere ein Atavismus oder eine Gaudi war.

Umso befreiender mußte es ihm erscheinen, daß es Künstler gab, die er als seine Wahlverwandten verstehen konnte – nicht die Wiener Künstler, wie Egon Schiele, Paris von Gütersloh und Max Oppenheimer, die mit ihm auf der zweiten »Kunstschau« ausstellten, sondern zwei Maler der älteren Generation, Vincent van Gogh und Edvard Munch. Neben den vielen anderen Künstlern der frühen Moderne, neben Corinth oder Slevogt, Minne und Gauguin, waren sie es allein, denen er sich nahe fühlte. Munch, dem er persönlich nie begegnete, blieb für ihn zeitlebens eine hoch geschätzte Individualität, van Gogh regte ihn unmittelbar als Maler an, so wie kurz zuvor Romako. Kokoschka verhielt sich gegenüber van Gogh ähnlich wie gegenüber den anderen Künstlern, die für ihn zwischen 1907 und 1908 Bedeutung gewonnen hatten – er nahm auf, was ihm adäquat war und machte daraus etwas Eigenes, innerhalb kürzester Zeit. Auf diese Weise löste er sich aus einer für ihn nicht mehr akzeptablen Welt und fand eine neue ohne Einengungen durch Normen und Regulative.

Als 1953 zum einhundertsten Geburtstag Vincent van Goghs eine Reihe moderner Künstler nach ihrer Meinung über van Gogh gefragt wurden, faßte Kokoschka sein Urteil über ihn in Worte, aus denen die erste Begegnung mit dessen Bildern und deren Bedeutung für seine eigene Malerei spricht: Irgend etwas ändere sich, etwas Neues käme, aber man wüßte nicht, wie und warum.

IV.

Am 27. April 1909, also zeitlich in der Mitte zwischen den beiden Theateraufführungen Kokoschkas im Kabarett »Fledermaus« und in der »Kunstschau«, antwortete Kokoschka auf eine Anfrage von Frau Emma Bacher, die zum Bekanntenkreis von Gustav Klimt gehörte, ein Exlibris-Entwurf durch ihn koste 50 Gulden. Ergänzend fügte er hinzu: »Ich schicke gleich eines mit, weil ich nicht gerne Briefe schreibe. Ich möchte gerne ein nervenirrsinniges Porträt machen (100 fl.).« Die knappe Kartennotiz enthält eine Fülle von Informationen,

6. OK, Exlibris Emma Bacher, 1909

mehr, als der Adressatin verständlich war, und mehr, als ein heutiger Leser aus den drei Sätzen ohne Vorinformationen entnehmen kann.

Kokoschka war zu jener Zeit bereit, ein Porträt zum doppelten Preis eines Exlibris zu malen, allein von dem Wunsch getrieben, seine Vorstellung eines neuen Menschenbildnisses verwirklichen zu können. Das Wort, mit dem er das Neue kennzeichnet, »nervenirrsinnig«, erinnert auffällig an seine Vorstellung, die Nerven seiner Schauspieler – wie in der Aufführung seines ersten Dramas – außen sichtbar zu machen – das Innere bloßzulegen. In den Illustrationen zum »Weißen Tiertöter« hatte er zum erstenmal die Nervenstränge wie Tätowierungen auf die Haut gezeichnet, jetzt wollte er mehr. Wie sehr er mit seiner Vision rang, ohne sie schon vor sich zu sehen, verraten gerade die Skizzen zum Exlibris für Emma Bacher. Sie müssen ihn über längere Zeit beschäftigt haben. Das erste Exlibris, das er – sicher getrieben durch die Hoffnung auf einen Verdienst – Emma Bacher gleich zuschickte, war kaum das letzte. Drei ganz unterschiedliche Reinzeichnungen mit der Inschrift »Ex Libris Frau Emma Bacher« sind erhalten geblieben. Jede davon stellt eine von der anderen unabhängige Thematik dar, zwei stehen im Zusammenhang mit Gemälden, die im späten Frühjahr oder Frühsommer 1909 entstanden sein müssen (*Abb. 6*).

Das erste der drei gleicht noch den Zeichnungen im Stil der Illustrationen zu den »Träumenden Knaben« (*s. Abb. 33*). Auch thematisch bezieht es sich auf ältere Arbeiten; die drei Ährenträgerinnen wiederholen die Dreizahl der Frauen auf dem Fächer des Jahres 1908 und auf dem »Traumvision« betitelten Blatt etwa derselben Zeit. Emma Bacher hat dieses Blatt reproduzieren lassen, doch scheint sie nicht recht zufrieden damit gewesen zu sein, denn sie ließ sich noch 1909 – im gleichen Jahr wie von Kokoschka – ein dekorativeres, auch größeres Exlibris von Carl Otto Czeschka zeichnen, obwohl dieser bereits in Hamburg war. Ihre Unzufriedenheit könnte der Grund dafür gewesen sein, daß Kokoschka sich mit weiteren Entwürfen versuchte; einem kompromißlosen, der nur aus Kokoschkas Sicht bedeutsam, für eine dem Jugendstil zugewandte Kunstfreundin jedoch kaum erträglich war, und einem unaggressiv-gefälligen, der aber ebenfalls mehr ein Bildproblem Kokoschkas löste als den Wunsch der Auftraggeberin erfüllte. Das eine zeigt einen Mann mit einer Frau auf dem Schoß in der Haltung einer Pietà-Gruppe, das andere stellt einen Fruchtkorb dar, aus dem zwei Bananen herausragen. Ein ähnlicher Fruchtkorb befindet sich auf einem Madonnenbildchen, das vermutlich Ende 1908 – um die Weihnachtszeit (?) entstanden sein müßte. Die Exlibris-Entwürfe isolieren das Fruchtkorb-Motiv zum selbständigen Bild. Die engen Beziehungen zum Pietà-Plakat, mit dem Kokoschka seine Aufführung von »Drama« und »Komödie« in der Kunstschau ankündigte, und zum »Stilleben mit Ananas« liegen auf der Hand. Einzelheiten auf den Vorstudien zu den beiden Exlibris – Sonne und Mond zu beiden Seiten der Pietà-Gruppe, die Paradiesvögel neben dem Fruchtkorb – finden sich auch auf anderen Arbeiten, die sinnvollerweise in die gleiche Zeit zwischen Mai und Juni 1909 datiert werden müssen: Die Einbände für Eleonora Duse, das Gemälde der Veronika mit dem Schweißtuch (*s. Abb. 105*) und eine Selbstbildnis-Zeichnung, die den schwer verständlichen Titel trägt »Ich bin der Voyeur am Notbett der europäischen Isolde«. Alle Selbstdarstellungen Kokoschkas mit kahlrasiertem Schädel dagegen sind nach dem Juli dieses Jahres entstanden.

Beschwörend wie ein Zauberer, der Getier und Gebirge, den Mond und eine geisterhafte Frau erschafft, hebt Kokoschka die Hände. Den Sinn dieser Selbstdeutung bloß rational verstehen zu wollen, hieße, die Emphase des Ausdrucks mißzuverstehen. Mit dem Inhalt der ersten Dramen hat der Gehalt der Zeichnung gemeinsam, daß die körperliche Liebe als etwas Fremdes, den andern überlassenes beschrieben wird, der ein neuer, dem Zauber des Liebestrankes nicht erlegener Tristan – auch ein Held und Krieger – wie ein Voyeur zuschaut. Das »Notbett« mag in einer assoziativen Verknüpfung mit Klimts Gemälde »Hoffnung«, der schwangeren, dem Notbett nahen Frau, zu erklären sein.

Das Gesicht der Frau, die hinter dem Selbstbildnis des kleinen Blattes mit der aufschlußreichen Inschrift auftaucht, gleicht so sehr dem der Veronika mit dem Schweißtuch, daß es ein und dieselbe Person wiedergeben muß. Es war die Tochter eines Hausmeisters, die Veronika hieß. Man erkennt sie an ihren langen Haaren, die ihren Kopf wie eine Mantilla umgeben, an ihrem spitzen Kinn mit eingefallenen Wangen und an ihren mandelförmigen Augen. Kokoschka hat ihre schlanke Gestalt dadurch hervorgehoben, daß er sie mit einer hellen Gloriole umgab, die sie schwerelos und wie in ein unwirkliches Licht getaucht erscheinen läßt, als eine Heilige mit dem »Abglanz der sterbenden Göttlichkeit« in ihren Händen. Das Bild ist durch ein fahles, von Violettönen belebtes, an geronnenes Blut erinnerndes Rot bestimmt, von dem sich nur das hellbraune Gesicht der Veronika, das Weiß ihres Leinentuchs und der Schein der Gloriole abheben. Die Scheibe der Sonne versinkt im dunklen Braun-Violett des Hintergrunds. Daß das Rot für ihn immer, besonders aber in seinen frühen Bildern, die wichtigste Farbe, die Farbe von Blut, Feuer und Leben gewesen sei, hat Kokoschka wiederholt erwähnt. Das Rot im Rock des Mädchens Li auf dem Plakat für die »Kunstschau 1908«, die roten Flächen in den Blättern der »Träumenden Knaben«, das vorherrschende Rot im Porträt der Nathalie Baczewski und das Rot des Veronika-Bildes bestätigen die Aussage des Künstlers. Rot kennzeichnet den Mann auf dem Plakat mit der Pietà für die Aufführung der ersten Dramen in der Kunstschau. Kokoschka hat es als die »Lebensfarbe« erklärt, die zeige, daß der Mann in den Armen der Frau lebe, obwohl er leblos wie ein blutiger, gehäuteter Kadaver in den Armen der bleichen, über ihrem Schmerz empfindungslos gewordenen Frau zu hängen scheint. Trotz der verzerrten Züge der Frau ist aus ihnen unschwer das Gesicht der Veronika herauszulesen, deren lange Haare sich wie ein Mantel um Köpfe und Schultern der Gruppe legen.

Mehr noch als dieses Plakat, dessen Statik und Starre die Vehemenz des Dramas einen Moment lang wie für eine Ewigkeit anzuhalten scheinen, stellt eine skizzenhafte Gouache mit einer Szene daraus dar, so, wie Kokoschka sie sich vor der Aufführung dachte (denn der Krieger trägt noch lockige Haare). Vor schwarzblau-nächtlichem Hintergrund ringen über einer fahlroten Blutlache der Mann und die Frau miteinander. Sie ist bereits zu Boden gesunken, der Mann reißt mit der einen Hand ihren Mund auf, schlägt sie mit der anderen und tritt ihren vorgewölbten, schwanger erscheinenden Leib mit Füßen. Ein streunender Hund leckt das Blut auf.

✳✳✳

Mit dieser Zeichnung, die Kokoschkas innere Verfassung unmittelbar vor der Aufführung seines ersten Dramas spiegelt, ende ich meinen knappen Überblick.

WOLFGANG G. FISCHER

Oskar Kokoschka als Seher des Untergangs oder Die Bühne des Verwesens

Worin lag die Faszination, die von Oskar Kokoschka ausging und die jeden, auch Menschen, die altersmäßig Generationen von ihm getrennt waren, unweigerlich in ihren Bann zog?

Ich selbst habe ihn, als ich als junger Kunsthistoriker im Londoner Kunsthandel 1963 begann, auf vielen ›Mal- und Zeichenfahrten‹ betreut; im eleganten Motorboot »The Nore«, das ihm der Chef der Londoner Hafenverwaltung zur Verfügung gestellt hatte, damit er zu seinem Lithographie-Zyklus »London and the River Thames« vom Boot aus Skizzen machen könne, saß ich neben ihm und verwaltete die Whiskyflasche, im 35. Stockwerk des Shell-Wolkenkratzers am südlichen Themseufer, von wo er eine seiner vielen Londoner Ansichten malte, versuchte ich durch Ziegelstein-Verankerung das Umfallen des Leichtmetall-Stativs auf der windgepeitschten Aussichtsterrasse zu vermeiden, und bei den Porträtsitzungen zum Bild der Königin des Kriminalromanes, Agatha Christie, im Jahre 1969, also vor siebzehn Jahren und in OKs dreiundachtzigstem Lebensjahr – Agatha Christie war damals übrigens nicht sehr viel jünger als er –, hatte ich die Aufgabe, die beiden Weltberühmten bei guter Laune zu halten. Agatha Christie interessierte die Kunst des 20. Jahrhunderts nicht (das Porträt war von ihrem einzigen, geliebten Enkel in Auftrag gegeben), und OK zischte mir zu: »Kannst du sie nicht anders plazieren, so plaziert muß ich immer ihre wollenen Unterhosen anschauen und das stört mich!«

»What a lovely tree!« sagte Agatha Christie am Ende der Porträtsitzungen und meinte den Baum vor dem Fenster, während sie das Porträt mit angelsächsischer Diskretion völlig überging.

Oskar Kokoschka sprach mit jedem unter dem Diktat des Hier und Jetzt, das immer den Eigenwert des anderen achtet und die besten Absichten des Gegenübers voraussetzt.

Als Illustration ein Ausschnitt aus meinem Tagebuch aus dem Jahr 1962. Meine Frau und ich besuchten Oskar Kokoschka und Olda in Salzburg, und beim Tee in der Pension Wöss erschien plötzlich eine hilfesuchende Schülerin aus der »Schule des Sehens« und legte OK eine Mappe mit Blumenaquarellen zur Korrektur vor; hier das Stenogramm seines Kommentars:

»Schau dir so eine Rose an. Wie sich der arme Cézanne mit einem Pfirsich ge-
plagt hat; oder Chardin – da war Cézanne ein Zwerg dagegen. Die erste Vision
nicht verlieren. Ich trau mich das nicht (eine Rose malen). Fantain-Latour
konnte es, aber es ist ihm auch nicht immer geglückt. Man muß sich absolut verlieren, muß vergessen, daß es eine Rose ist. Man muß so weg sein: ich habe das
noch nie gesehen, ich habe nie gemalt! Das Sich-Wundern über etwas, das darf
man nie verlieren. Ich will eine Rose malen: das ist eine Keckheit! Ich wundere
mich über dieses Ereignis.
Laß dich nicht von ihr (dem Porträtmodell) anschauen, der Blick zieht dich in
den Bann, magisch. Du muß ganz distanziert sein – *es* muß kommen.
Nicht vom Technischen reden, das ist Akademie, Schulbetrieb. Man muß nur
lieben. Niemand zwingt dich zum Malen . . . Die Schule verkrüppelt, weil sie
auf Zweck dressiert.
Paris hat eine Schönheitsindustrie und dazu gehört auch die Malerei. Malen hat
aber nichts mit Schönheitsindustrie zu tun.
Es ist alles erlaubt, außer Kompromisse zu machen.«

* * *

Im Februar 1911 wurden im Hagenbund, der fortschrittlichen Wiener Künstlervereinigung, 25 Bilder und eine Gruppe von Zeichnungen Kokoschkas im Rahmen einer Ausstellung junger Kunst gezeigt. Kokoschka war zu diesem Zweck
aus Berlin, wohin er nach den ersten Wiener Kunstskandalen geflohen war und
wo er beim Mäzen und Kunsthändler Paul Cassirer eine neue Heimstätte gefunden hatte, mit großen Erwartungen zurückgekehrt. Bei der Vorbesichtigung
sagte der Thronfolger Franz Ferdinand angesichts der Werke Kokoschkas den
historisch bezeugten, niederschmetternden Satz: »Dem Kerl sollte man die
Knochen im Leibe zerbrechen!«
Vom Koordinatensystem seines Weltbildes aus hatte Franz Ferdinand allerdings recht; er mußte hier plötzlich in die Gegenwelt der physisch und psy-
chisch Gestörten blicken, die ihm als Bewohner der gesellschaftlich geächteten
Welt der Syphilisbaracken, Bordelle und Irrenhäuser entgegenstarrten und
nichts zur Ehre des Thrones und des Vaterlandes und zum schönen Glanz der
Märchenstadt an der Donau, wie Wien feuilletonistisch genannt wurde, beitra-
gen konnten; er wurde plötzlich mit Visionen konfrontiert, die sich auch ein
Bosch nur unter dem Deckmantel von Todsündenideologie und Höllenbegrif-
fen erlauben konnte. Der christliche Habsburger mußte sich bedroht fühlen!
Drei Jahre später schon hatte ihn jene Welt, deren Wellenlängen von Kokoschka
als Störfaktoren vorausgefühlt und aufgezeichnet wurden, bereits eingeholt . . .

Ich selbst bin oft vor der Vitrine im Wiener Heeresmuseum gestanden, in der der blaue Waffenrock Franz Ferdinands vom Ermordungstag in Sarajewo liegt. Rings um die Einschußstelle ist auch heute noch ein verblaßter Blutfleck zu sehen, und ich kann das böse Traumbild nicht abschütteln, als würden sich die auslaufenden Rots in den Bildern Kokoschkas und Schieles mit diesem Rot am Waffenrock geisterhaft verbinden . . . Die lange zurückliegende kindliche ›Parallelaktion‹ zum welthistorischen Ereignis entnehmen wir OKs selbsterzählter Jugendbiographie: hier geht es um einen Ameisenhaufen, den der kleine Oskar mit Hilfe einer aus Salpeter, Schwefel, Ruß, Holzstaub und Eisenvitriol selbstgebastelten Bombe im nahen Park in die Luft sprengt. Eine Dutzendgeschichte in einem Bubenleben zwar, aber es geht uns um Kokoschkas spätere eigene Darstellung der Begebenheit (1956):

»Unter donnerndem Krach erhob sich eine große Rauchwolke, in welcher die brennende Stadt der Ameisen in die Luft ging. Wie schaurig-schön! An den Flügeln und Gliedern versengt, wälzen sich die Überlebenden am Boden. Wie ein Soldat, dem ein Bein abgeschossen, sich auf dem blutigen Klumpen noch aus der prasselnden Feuerlinie zu retten versucht, vergeblich, denn auch die letzte Gasse in die Freiheit brennt bereits. Wie die irrsinnig gewordenen Lebewesen ihre Puppen von einem brennenden Bezirk in den nächsten schleppen, der doch auch im Aufflammen war. Ordentlich menschlich, wie Mütter, die ihre Kinder in Kriegen, wo für die großen Ideen gekämpft wird, vom Untergang zu retten versuchen, der indes von einer höheren Macht bereits beschlossen ist!«[1]

Kassandra hat vielerlei Gestalten: einmal tritt sie uns in der Verkleidung einer historischen Anekdote entgegen, das andere Mal in Form der Ninive- oder Troja-Allegorie eines zerstörten Ameisenhaufens.

Als OK 1908 den ersten Schritt in die Öffentlichkeit tat und in der legendären »Kunstschau« ausstellte, sind die Kulissen jener Welt, für die Franz Ferdinand Symbolcharakter trägt, noch lange nicht abgeräumt. Die großartigste dieser Kulissen ist die Wiener Ringstraße, dieser spätbürgerliche Großbaukasten aller Stile, in dem auch mein eigenes Geburtshaus am Schottenring steht, das ich im 1. Band meiner Romantrilogie beschrieben habe:

»In den Schottenring haben Großväterarchitekten (sie werfen mit Akanthus, Eierstab, Schachbrettmuster, Renaissancegirlanden um sich wie ihre Söhne mit den Schulschwämmen) Ringstraßenhäuser eingesetzt, Granit- und Sandsteinkaryatiden mit Granit- und Sandsteinbüsten, Balkone mit Amphoren, Dachabschlüsse mit Obelisken, Löwenköpfe als Türklopfer für Advokatenetagenwohnungen, ein Marmor-Herkules vor der Portierloge mit Spion – der böhmische Hausmeister sitzt dahinter, äugt, spioniert, spintisiert . . .«[2]

Hans Makart, der ästhetische Namensgeber dieser Epoche, ist der Kulissenmaler der Ringstraßenzeit. Seine Bilderwelt erscheint uns heute wie die Ikonographie zur Bilderfolge einer monumentalisierten Laterna magica, die ununterbrochen neue Themen für den großbürgerlichen Maskenball zwischen den beiden Polen »Sirkecke«, als Korsoplatz der eleganten Welt, und »Börseplatz«, als Arena des kapitalistischen Wettbewerbs, liefert. Die größten Vorwürfe waren ihm gerade gut genug, wie »Der Einzug Karls V. in Antwerpen«, 1877, oder »Venedig huldigt Caterina Cornaro«, 1872/73.

Wir wissen, daß der Festzug in historischer Kostümierung, der sich aus Anlaß der silbernen Hochzeit des Kaiserpaares im April 1879 über die Ringstraße bewegte, von Hans Makart arrangiert wurde. Makart hatte die *Renaissance der Renaissance* zum malerischen Signet der Ringstraßenzeit gemacht und ist so zutiefst restaurativ geblieben.

Venedig als Kristall der Verfalls-Ästhetik wird auch in der Literatur der Zeit in immer neuen Varianten gespiegelt, bei Hugo von Hofmannsthal zum Beispiel im Versdrama »Der Tod des Tizian«, 1892, als Schönheitsglanz und Gefahr formuliert:

>»Siehst du die Stadt, wie sie jetzt drunten ruht,
>In Schönheit lockend, feuchtverklärter Reinheit?
>Allein in diesem Duft, dem ahnungsvollen,
>Da wohnt die Häßlichkeit und die Gemeinheit;
>Und bei den Tieren wohnen dort die Tollen . . .«

Die müden Herren der spätromantischen Dekadenz spüren sehr hellsichtig das Knistern im Gebälk, sehen das Verblassen ihrer Lebens- und Theaterkulissen, aber die Kraft für den befreienden Schrei der Expressionisten auf einer neugezimmerten *Weltbühne* bringen sie nicht auf. Da verstummen sie lieber, wie Hofmannsthals fingierter Held im »Brief des Lord Chandos«:

»Mein Fall ist, in Kürze, dieser: Es ist mir völlig die Fähigkeit abhanden gekommen, über irgendetwas zusammenhängend zu denken oder zu sprechen . . . und dies nicht etwa aus Rücksichten irgendwelcher Art, denn Sie kennen meinen bis zur Leichtfertigkeit gehenden Freimut: sondern die abstrakten Worte, deren sich doch die Zunge naturgemäß bedienen muß, um irgendwelches Urteil an den Tag zu geben, zerfielen mir im Munde wie modrige Pilze . . . Allmählich aber breitete sich diese Anfechtung aus wie ein um sich fressender Rost . . .«[3]

Diese berühmte Beschreibung einer Depression des Kreativen, als Formulierungsstau und Schreibkrampf bis zum völligen Verstummen körperlich erkennbar, könnte man auch als *Verwesung der Sprache* bezeichnen, ins Sinnliche durch das Bild der vermodernden Pilze übersetzt. Es ist aber im Gegensatz zur expressionistischen Untergangsdramatik passives Erleiden, kunstgewerbliche

Melancholie, die alles ebenso seismographisch wie Kokoschka, Schiele, wie
Kraus und Kafka spürt, aber den Ausweg noch in der Restauration und das Heil
am Ende des barocken österreichischen Heldenzeitalters zu Füßen des Türken-
besiegers Prinz Eugen im Wien Maria Theresias und Canalettos sucht:

> »Mit verschlafenen Kaskaden
> Und verschlafenen Tritonen,
> Rokoko, verstaubt und lieblich,
> Seht . . . das Wien des Canaletto
> Wien von siebzehnhundertsechzig . . .«[4]

Der Hofmannsthalsche Gedichtanfang von 1896 kann als Antwort des Resi-
gnierenden auf die Forderung nach revolutionärer Ernennung beim Wort genommen werden:

> »Manche freilich müssen drunten sterben,
> Wo die schweren Ruder der Schiffe streifen,
> Andre wohnen bei dem Steuer droben . . .«[5]

Auf jene, die sich eine konkrete neue Welt entwerfen wollten – sei es mit Hilfe
von Theodor Herzls »Alt-Neuland« oder als Bannerträger des »Kommunistischen Manifests« –, muß der Geist Hofmannsthals wie eine Revolutionsblas-
phemie gewirkt haben. Man könnte in Abwandlung des politischen Aperçus
Grillparzers *von der Humanität über die Nationalität zur Bestialität* einen
neuen Aphorismus schöpfen – *von der Resignation über die Restauration zur
Immunisation* (gegen das beunruhigend Neue im politischen, sozialen und ästhetischen Bereich).
Es gibt aber auch Zwischentöne im Muster der Weltuntergangstapisserie, die in
der Malerei am qualitätsvollsten von Anton Romako und Gustav Klimt angeschlagen werden. Auf Anton Romakos »Herr und Dame in einem Salon«, 1887
(*Abb. 7*), ist das Interieur des Makartsalons bereits durch Gestik der Figuren
und durch das lächerliche Bürgerporträt im Hintergrund ironisiert. Die ver-
trockneten gelben Palmwedel über dem Kamin schlagen ein knisterndes Leitmotiv an, das im Rascheln der roten Damenrobe wiederholt wird. Das alles
wirkt wie ein gespenstisch-romantisches Bühnenbild zu Hofmannsthals »Der
Schwierige« oder zu Ibsens Bürgertragödie. In Gustav Klimts Porträt »Adele
Bloch-Bauer« I, 1907 (*Abb. 8*), erreicht die rein ästhetische ornamentale Flächenkunst ihren Höhepunkt. Hier sind die byzantinischen Figuren der ravenna-
tischen Mosaiken in freien Variationen in die Großbürgerwelt übertragen und

7. ANTON ROMAKO, Herr und Dame in einem Salon, 1887, Ausschnitt

die oströmischen Prinzessinnen durch nicht weniger sensible Damenfiguren aus der Wiener jüdischen Bourgeoisie ersetzt. Man könnte sich gut vorstellen, daß Frau Adele Bloch-Bauer am Vormittag Klimt Modell saß, am Nachmittag die seelenärztliche Praxis von Dr. Sigmund Freud konsultierte, während sich die abendliche Hintergrundmusik aus Richard Strauss' *Salome* wie von selbst ergäbe. Das Zerreißen dieses schönheitsgesättigten Theaterschleiers war der nächsten Generation vorbehalten.

Österreich war damals wie ein altes Mosaikbild, dessen Kitt, der die einzelnen Steinchen zusammenbindet, alt und brüchig geworden ist; solange das Kunstwerk nicht berührt wird, vermag es noch sein Dasein weiter vorzutäuschen, sowie es jedoch einen Stoß erhält, bricht es in tausend Scherben auseinander. Die Frage war also nur die, wann der Stoß kommen würde.

Diesen Stoß brachte auf der ästhetischen Bühne die Kunstschau-Ausstellung von 1908, dem Jahr des sechzigsten Regierungsjubiläums Kaiser Franz Josephs. Diese Ausstellung vereinigte den Kulminationspunkt der überreif gewordenen Jugendstilkunst von Gustav Klimt, Carl Moll, Bertold Löffler und Josef Hoffmann mit dem Einbruch des Neuen im Werke Kokoschkas. Mit Kokoschkas eigener Dichtung »Die träumenden Knaben« wird der Einsatz gegeben. Seine

8. GUSTAV KLIMT, Adele Bloch-Bauer I, 1907

Illustrationen zu den freien Rhythmen sind teilweise noch eine Huldigung an die Flächenkunst Klimts (s. *Abb. 34*). Das Werk ist ja auch Klimt gewidmet, aber die reife Fin-de-siècle-Ornamentik ist bewußt durch eine primitivere, volkskundlich motivierte Bildersprache verdrängt worden. Es ist, als hätte man endlich Byzanz verlassen und sich den nördlichen Gefilden Edvard Munchs genähert, wo die Ängste der Pubertät in kindlich-dünnen, verschreckten Gestalten einer Erlösung harren:

»nicht die ereignisse der kindheit gehen durch mich und nicht die der mannbarkeit / aber die knabenhaftigkeit / ein zögerndes wollen / das unbegründete schämen vor dem wachsenden / und die jünglingsschaft / das überfließen und alleinsein / ich erkannte mich und meinen körper / und ich fiel nieder und träumte die liebe /.« (OK, »Die träumenden Knaben«)

Text und Illustrationen gehen nicht immer konform, die Illustrationen müssen ähnlich wie die Klavierbegleitung zu Liedern aufgefaßt werden, als Vertiefung und Erweiterung. Beunruhigende Motive, wie Bäume aus menschlichen Händen oder gespaltene Fische, müssen im Bildhintergrund und gleichsam mit der Lupe gesucht werden, im Text steht das Motiv der Gewalt und des Schreckens in der Gestalt des *Wärwolfs* mit aller Deutlichkeit im Vordergrund:

»spürt ihr die aufgeregte wärme der zittrigen / lauen luft – ich bin der kreisende wärwolf
wenn die abendglocke vertönt / schleich ich in eure gärten / in eure weiden / breche ich in euren friedlichen kraal /
mein abgezäumter körper / mein mit blut und farbe erhöhter körper /
kriecht in eure laubhütten / schwärmt durch eure dörfer /
kriecht in eure seelen / schwärt in euren leibern /
aus der einsamsten stille / vor eurem erwachen gellt mein geheul /

ich verzehre euch / männer / frauen / halbwache hörende kinder /
der rasende / liebende wärwolf in euch
und ich fiel nieder und träumte von unaufhaltbaren änderungen /«

Diesen durch Scham gebändigten pubertären Erlebnishunger, welcher symbolisch für Veränderungen viel umfassenderer Art steht, finden wir auch in Robert Musils Novelle von 1906 »Die Verwirrungen des Zöglings Törless«:
»er wartete auf irgendetwas . . . auf etwas Überraschendes, noch nie Geschehenes, auf einen ungeheuerlichen Anblick, von dem er sich nicht die geringste Vorstellung machen konnte; auf irgendetwas von fürchterlicher tierischer Sinnlichkeit; das ihn wie mit Krallen packe und von den Augen aus zerreiße . . .«[6]
Jeder Mensch ist in der Pubertät ein Ausgesetzter, und Musil hat episch, Kokoschka lyrisch und visuell die Archetypen der neuen Epoche für diesen Zustand geprägt.
In der Hofmannsthal-Generation gab es die Frühreif-Wissenden, hier bei OK und Musil stehen die Naiven vor uns, deren Ausgesetztheit existentielle Angst einflößt. Der Musiker Arnold Schönberg hat den Begriff der *Emanzipation der Dissonanz* geprägt, um den revolutionären Akt im Aufgeben der Tonalität anläßlich seines Liederzyklus »Das Buch der hängenden Gärten«, 1908, zu charakterisieren.[7] Die Dissonanz kam voll zum Ausbruch, als Kokoschka auf der Experimentierbühne der erwähnten »Kunstschau« im Sommer 1909 von Kommilitonen der Kunstgewerbeschule den Einakter »Mörder, Hoffnung der Frauen« aufführen ließ. Archetypische Figuren – lediglich als »Der Mann«, »Die Frau«, »Krieger«, »Mädchen« gezeichnet – dringen in wild sexuell gefärbter Verstrickung aufeinander ein. Ohne Handlungslogik folgen die Schreie der Verzweifelten aufeinander. Es ist, als hätte der Dichter OK ein modernes Mikrophon über einen Haufen antiker Antihelden gehalten, aus denen sich eine einsame, von Furcht gepeinigte männliche Gestalt löst, die am Ende von der aufschreienden Frau in noch tiefere Verzweiflung getrieben wird, bis er alles um sich hinmordet:

»Frau: Ich will dich nicht leben lassen. Du!
Du schwächst mich –
ich töte dich – du fesselst mich!
Dich fing ich ein – und du hältst mich!
Laß laß von mir – Umklammerst mich –
wie mit eisernen Ketten –
erdrosselt – los – Hilfe!
Ich verlor den Schlüssel, der dich festhielt.
Krieger und Mädchen: Der Teufel!
Bändigt ihn, rettet euch!
Rette wer kann – verloren!«

Das ist bereits reinstes *Aktionstheater*, die eigentlichen Akteure sind die *Triebe, Gefühle, Vorstellungen*, der *seelische Prozeß* ist die Handlung. Das ist schärfste Antithese gegen klassische Kompositionsprinzipien, das ist jene Dichtung, wie sie schon Novalis fordert: » . . . dem Wahnsinn verwandt . . . Erzählungen ohne Zusammenhang, jedoch mit Assoziation wie Träume.«[8]
Mit dem Aufgeben logischer Abläufe bei OK und der Tonalität bei Schönberg sind zwei wichtige Klammern, mit denen das Bewußtsein des auseinanderbrechenden Reiches noch zusammengehalten wird, bereits über Bord geworfen. Das neue Bewußtsein, von dem Kokoschka in seinem 1912 gehaltenen Vortrag »Von der Natur der Gesichte« spricht, ist ein freischwebendes Medium, in das sich die Umrisse von Bildern und Empfindungen visionär und wie von selbst einzeichnen. Er sagt: »Sein Wesen ist ein Strömenlassen und Gesichtesein, ist die Liebe, die sich darin gefällt, sich ins Bewußtsein zu betten.«[9]
Man fühlt sich bei dem Satz »Mein Geist, ES hat geredet!«[10] leicht dazu verführt, dieses Bewußtsein in der Nähe des Freudschen Unterbewußtseins oder des Freudschen ES zu suchen, wenn der Satz »Ich bin davon Gesicht, das ohne Vermittlung des Traumes eingegeben wird« nicht dem widerspräche. Ich glaube, daß man die Gestalt dieser Gesichte eher in der traditionellen Auffassung des sogenannten zweiten Gesichtes suchen muß, das schon Kokoschkas Mutter besessen haben soll und von dessen Besitz Kokoschka im Ablauf seines Lebens immer wieder erzählt.
Dazu zwei Episoden: Auf dem Plakat zu dem Vortrag »Von der Natur der Gesichte« weist die Hand OKs auf eine Wunde in der Brust, die sich angeblich genau an der Stelle befand, wo später das Bajonett an der russischen Front des Ersten Weltkrieges in Kokoschkas Körper eindrang.[11] (*vgl. Abb. 25*)
Am Heimweg von der Uraufführung des Einakters »Mörder, Hoffnung der Frauen« hat Kokoschka plötzlich die körperlich spürbare Halluzination, als ob

er, vom Boden abgehoben, horizontal in der Luft verharre. Schauplatz: der Stephansplatz in Wien, 1909, einige Schritte vor ihm geht der Schauspielerfreund Reinhold, der Regisseur und Hauptdarsteller von OKs Skandalstück gewesen ist:

»... mein eigener Körperschatten hatte sich von meinen Beinen abgelöst, als ob der Boden unter mir mitsamt den Schatten ins Rollen gekommen wäre ... Das Ganze mag Bruchteile einer Sekunde gedauert haben, daß ich gleichsam in die Höhe fahre, mit meinen Beinen vergeblich niederstrebe und eine Bewegung mit dem Körper auszuführen gezwungen bin, bis ich mich in einer waagrechten und auf meiner linken Körperseite etwas zum Boden hängenden Lage befinde.«[12]

OK berichtet, daß diese Halluzinationen identisch gewesen sind mit Gleichgewichtsstörungen, die er am Ende des Ersten Weltkrieges aufgrund der Kriegsverletzungen, welche auch das Gleichgewichtszentrum im Ohr angegriffen hatten, erdulden mußte. Uns interessieren aber mehr noch als die biographischen Entsprechungen zwischen Traum und Leben, Vision und Wirklichkeit, die visuellen Übersetzungen dieser seherischen Ahnungen im Werk.

Die von OK beschriebene waagrechte, schwebende, leicht nach vorne hängende Körperlage finden wir sowohl auf dem Bild »Die Windsbraut«, 1914 (*Abb. 9*), als auch auf dem Selbstporträt von 1915, das als »Der Irrende Ritter« (*s. Abb. 70*) bezeichnet wird. Das Schweben im Raum hat danteskes Pathos und führt visuell in jene überweltliche Dimensionen, wo der Geist noch über den Wassern zu schweben scheint. Wie weit ist plötzlich die reiche, goldverbrämte, schöne Welt Gustav Klimts, obwohl im Jahr 1915 der dreiundfünfzigjährige Klimt noch rüstig neben dem neunundzwanzigjährigen Kokoschka in den Straßen der Kaiserstadt ausschreitet ...!

Ganz konkret als Seher des Unterganges wird OK zum ersten Mal auf dem Fächer, den er für seine Geliebte, Alma Mahler, zu ihrem Geburtstag am 31. August 1914 gemalt hatte. Bei den insgesamt sechs erhaltenen Fächern zeigen der fünfte und sechste bereits Schreckens- und Untergangsvisionen des gerade ausgebrochenen Weltkriegs. Hier finden wir wieder jenes visionäre, den kommenden Ereignissen vorauseilende Element in OKs Charakter im Spiegel seiner Kunst dokumentiert.

Fünfter Fächer (*Abb. 10*), von der bukolischen Szene des ersten Bildfeldes links ausgehend:

»Der Friede, der in den unbefangenen Tätigkeiten der Mädchen auf dem Feld und den tanzenden Figuren im Hintergrund ungestört erscheint, dauert nur noch eine begrenzte Zeit. Eine Sonnenfinsternis weist voraus auf das baldige

9. OK, Die Windsbraut, 1914

Ende dieses Friedens. Angedeutet ist der Krieg durch Frauen, die allein arbeiten, während die Männer kämpfen. Der Krieg ist mit voller Vehemenz auf dem Gegenbild zur Szene des Friedens ausgebrochen. In einer zerschossenen Landschaft mit einem zerfetzten Raum, einer feuernden Kanone und einem brennenden Haus kämpfen Soldaten Mann gegen Mann. Sie sind durch ihre Uniformen als gegnerische Parteien, als Russen und Österreicher gekennzeichnet..«[13]

Der Künstler selbst »als Georgsritter, der so kindlich erscheint wie Parzival, und so naiv wie die ›träumenden Knaben‹, reitet gegen ein dreiköpfiges Ungeheuer, ein sphinxartiges Wesen mit drei Vorderkörpern; der Schwanz des Ungeheuers peitscht den Himmel.«[13]

Mir will scheinen, daß die drei clownartigen, verzerrten Sphinxköpfe Selbstporträts sind. Die traurigste von ihnen, die »Weißclown-Sphinx« wird erstochen. Der Georgsritter ersticht die bösen Spiegelbilder.

10. OK, 5. Fächer für Alma Mahler, 1914

»Die beiden Felder trennt die Gestalt einer jungen, über Flammen emporgehobenen Frau, die ein Lamm, das Zeichen des Friedens, auf dem Arm hält und mit der Rechten halb den Ritter, halb seine Lanze festzuhalten sucht . . . mit größter Wahrscheinlichkeit ist es eine Variation eines Freskos, das Kokoschka 1914 über dem Kamin von Alma Mahlers Haus am Semmering bei Wien malte.«[13]

Die Flammen des realen Kaminfeuers setzen sich in gemalten Flammen fort, darüber schwebte in gespensterhafter Heiligkeit die Figur Alma Mahlers. Wieder eine Fegefeuer- oder Höllenvision, die später ebenfalls von der Wirklichkeit eingeholt wurde, als die einmarschierenden Russen nach 1945 das Fresko zerstörten.[14]

Sechster Fächer *(Abb. 11):*

»In einer vom Krieg verwüsteten Landschaft sind eine junge Frau und zwei Kinder die einzig Überlebenden. Das Gesicht des Knaben ist ausgemergelt, dem Totenkopf ähnlich, der mit gekreuzten Knochen unter den Füßen der Frau liegt. Neben der Frau, die für die Kinder eine Schüssel bereithält, steht ein brennendes Gebäude . . . Die Flammen des brennenden Hauses schlagen durch den blauen Qualm einer feuernden Kanone, hinter der ein dunkler Kanonier kniet. Über ihm erscheinen die Köpfe einer geisterhaften Armee. Eines der Soldatengesich-

54

11. OK, 6. Fächer für Alma Mahler, 1914

ter, gelb von der grauen Erscheinung der übrigen abgehoben, ist dem Betrachter zugewendet. Zu Füßen des Kanoniers liegt ein Soldat, dem ein Bajonett in der Brust steckt.« (Über die Vorahnung der Verwundung vgl. das Plakat ›Von der Natur der Gesichte‹).

»Auf dem Bajonett kniet eine halb nackte, halb rosa bekleidete Gestalt, die einem ihr gegenüber knienden dunklen Mann mit wildem Bart an das Kinn greift. Die beiden Gesichter starren sich aus kürzester Entfernung in die Augen; die Intensität des Ansehens läßt die beiden das Toben der Schlacht vergessen. Die dunkle, verkrustet wirkende Gestalt mit zerrissenen Kleidern trägt die Züge des Künstlers. Die Bedeutung der anderen Gestalt bleibt dunkel. Wahrscheinlich ist es die Frau, die, von ihrer realen Erscheinung gelöst, den Künstler tröstet, die zugleich aber auch im Knien das Bajonett in der Brust des Verwundeten festhält. In der dunklen, nur vom Feuer der Kanone erhellten Schlachtszene erscheint die Gestalt fremd, das Licht, das sie von den Kämpfenden ringsum, von den Verwundeten neben ihr und von ihrem Gegenüber trennt, läßt sie wie den Engel einer Ölberg-Szene erscheinen, der für einen Augenblick auftaucht und dann wieder verschwunden ist. Hinter den Knienden kämpfen zwei Reiter. Eines der Pferde hat die rote Farbe des Pferdes, das Kokoschka für den Erlös der ›Windsbraut‹ kaufte, um mit der berittenen Truppe ins Feld zu können.

Das letzte Bild zeigt, was nach dem Krieg übrig bleibt: Hügel mit Kreuzen und die trauernden Frauen, von denen zwei ein Kreuz tragen. Wie auf dem ersten Bild liegt unter den Füßen ein Totenkopf, und wie neben dem anderen Totenkopf sitzt zusammengekrümmt in einem kleinen engen Feld ein ungeborenes Kind.«[13]

Dieser sechste Fächer, wahrscheinlich im Dezember 1914 gemalt, ist auch gleichzeitig das Abschiedsgeschenk an Alma vor OKs Hinausgehen an die russische Front Anfang 1915; schon 1916 wird OK schwer verwundet, und jene bösen Visionen von Bajonettstichen in der Brust werden von der Wirklichkeit des Ersten Weltkrieges bestätigt.

Das Visionäre und Halluzinatorisch-Spiritistische gilt aber nicht nur für OKs eigene Biographie und deren Spiegelungen im Werk, sondern ist auch ein Hauptmerkmal der meisten frühen Porträts zwischen 1907 und 1912. Ich versuche hier, einige davon zu einer *Ahnengalerie des Unterganges* zusammenzustellen, in die sie durch OKs ungewöhnliche Charakterisierung eingereiht wurden, teilweise durch ihr fratzenhaft gespenstisches Aussehen, ihr wie mit hypnotischer Kraft festgehaltenes »Außer-sich-Sein«, ihr puppenhaftes Eingesponnensein oder einfach durch die Tatsache, daß sie im Vortrupp der Genies als Kritiker des alten und Schöpfer des neuen Bewußtseins, das schon auf die Zeit nach dem Untergang vorausweist, Hauptakteure gewesen sind. Diese Auffassung zeigt sich exemplarisch an OKs Porträt des Schweizer Naturforschers Auguste Forel, 1910 (*Abb. 12*).

»Der scharf charakterisierte Kopf des alten Gelehrten und die als Ausdrucksträger akzentuierten Hände sind wie auf einer unterbelichteten photographischen Platte gegen die nebeligen, mit grauen Farbwischern gehöhten Umrisse des Rockes gesetzt. Grüne, blaue und rostbraune Farbflecke tanzen irrlichtartig über die Leinwand. Links bricht sich ein Strahlenbündel Bahn, das wie von einem unsichtbaren Geisterauge auszugehen scheint. Die Strahlen, wie auch viele andere Charakterisierungsmerkmale, etwa Barthaare, Augenbrauen und Ohrenformen, sind nicht mit dem Pinsel gemalt, sondern in die Farboberfläche eingekratzt, wahrscheinlich mit dem Fingernagel. Der Blick ist hypnotisch auf einen Punkt außerhalb des Bildes gerichtet. Wenn man sich einen Betrachter in der Entstehungszeit der Bilder vorstellt, mit dem Maßstab »guter Malerei«, »schönen Handwerks« davortretend, so kann dieser das alles gar nicht als »Malerei«, sondern nur als eine Art Verschmutzung der Leinwand angesehen haben ... und in diesem gebrechlichen, schwadenhaften, ungleichmäßigen und löcherigen Gespinst nun als festere Inseln und Akzente: Augen, Mund, Ohren, Stirn, Hände: Die Erscheinungsstellen, an denen Geistiges heraussieht ... Unleiblichkeit bis zum Gespenstischen.«[15]

12. OK, Auguste Forel, 1910

Über die Entstehungsgeschichte hören wir folgendes: »Der junge OK wurde bei Professor Forel in Yvorne eingeführt. Beim nächsten Zusammensein erzählte Forel seiner Familie: ›Dr. X. hat mir heute einen Maler gebracht. Der will meine Seele malen. Das wird etwas geben! . . .‹ Forel arbeitete bis zur Überanstrengung an der Fertigstellung seines Werkes über das Sinnesleben der Insekten. Er machte daher Kokoschka zur Bedingung, daß er das Bild ohne besondere Sitzungen und ohne Störung der Arbeit malen müsse . . .

Forel saß am Schreibtisch, der in der Nähe des Fensters stand. Kokoschka saß hinter seinem Rücken in der Zimmerecke und malte Forel, als sähe er ihn von der linken Seite. Forel erklärte: ›Er muß mich aus dem Gedächtnis gemalt haben, denn er konnte mein Gesicht nicht sehen . . .‹ Das fertige Bild wurde der Familie für geringes Geld (120 oder 200 Franken) angeboten, der Ankauf aber abgelehnt, da . . . die Wiedergabe zu sehr einen kranken Mann darstellte. ›Das ist nicht unser Vater‹, erklärte einstimmig die Familie, ›solch totes rechtes Auge und solch verkrampfte Hände hat er nicht!‹ . . . Etwa zwei Jahre nach der Entstehung des Bildes erlitt Forel infolge Überanstrengung beim Mikroskopieren einen Hirnschlag. Er bekam, wie er einmal sagte, ›ein Loch im Kopf‹. Die Folge

13. EGON SCHIELE, Arthur Roessler, 1910

war eine Lähmung der rechten Hand. Das rechte Auge schien seitdem verschleiert zu sein, genau wie auf dem Bild. Die rechte Hand richtete sich wie haltlos nach unten, und die linke übernahm bei Gebärden und Verrichtungen jeder Art deren Vertretung, wie das Bild es zeigt . . .«[16]
Sollten die vorhergehenden Beispiele noch Skeptiker hinterlassen haben, am Forel-Porträt, seiner Entstehungs- und Wirkungsgeschichte erkennen wir, daß der vierundzwanzigjährige Kokoschka der Schöpfer einer echt medialen Malerei gewesen ist, welche das Schlagwort »Röntgenblick« rechtfertigt. Auch dieses Bild ist ein Zeugnis des Unterganges, nicht im politischen und historischen Sinn, sondern im persönlichen. Man müßte es »Vision und Weissagung vom Leiden und Untergang des Auguste Forel« umtaufen, denn als OK das Porträt fertig hatte, war der zweiundsechzigjährige Forel noch voll leistungsfähig, und die Krankheit mit Hirnschlag und gelähmtem Augenlid lag noch in der – allerdings nahen – Zukunft.
Kokoschkas Zeitgenosse und Rivale Egon Schiele, vier Jahre jünger als OK,

14. OK, Der Trancespieler, 1908/09

malt im selben Jahr das Porträt des Kunstkritikers Arthur Roessler, 1910 (*Abb. 13*). Auch hier die Betonung auf Kopf und Hände, das alles überproportioniert und in pantomimischer Gestik gegeneinandergestellt. Das Ölbild wirkt wie eine monumentalisierte Gouache. Das aufregend Neue entsteht nicht nur durch pantomimische Kopf- und Handgestik, sondern auch durch die gewaltige Brutalität, die aus der harten Gegeneinandersetzung von scharfem Umriß und kalkweißem Hintergrund entsteht. Man denkt eher an eine holzgeschnitzte Heiligenfigur als auslösendes kreatives Anregungsmoment, als an eine seherische Meditation zum Wesen einer Persönlichkeit wie bei OK.

Im Bildnis des Schauspielers Ernst Reinhold unter dem Titel »Der Trancespieler«, 1908/09 (*Abb. 14*), tritt uns die Gestalt des Regisseurs und Hauptdarstellers von OKs Einakter »Mörder, Hoffnung der Frauen« entgegen. Wir kennen ihn schon als Begleiter OKs nach dem Kunstschau-Skandal über den nächtlichen Stephansplatz in Wien, wo er ungläubiger Zeuge der *Schwebevision* wird. Die auf verschiedenen Höhen eingesetzte Augenpartie, der weiße, nebelig verschwimmende Fleck als Andeutung der rechten Hand und, im Gegensatz dazu, die fleischige, überproportionierte rechte Hand verstärken auch hier mit ungeheurer Intensität das magisch heraufbeschworene Abbild einer Erscheinung im Gegensatz zur traditionellen Porträtauffassung, die immer versucht, den Kern der Persönlichkeit im Bild der möglichst genau erfaßten äußeren Erscheinung darzustellen.

»Man hat vor den Bildern manchmal das Gefühl, als habe sich das Wesen selber des dargestellten Menschen auf der Leinwand abgedrückt, als habe der Maler die Leinwände sich nur beschreiben lassen.«[17]

Der uneinheitliche Bilduntergrund, der die Silhouette des Abgebildeten wie vor einer flatternden Wand festhält, verstärkt außerdem noch die Vorstellung einer spiritistischen Sitzung, bei der die Erscheinung Reinholds wie heraufbeschworen erscheint, daher wohl auch der Titel »Der Trancespieler«.

Reinhold ist übrigens später in den Fernen Osten gegangen, wurde Buddhist und arbeitete nach seiner Rückkehr an der deutschen Ausgabe der Reden Buddhas mit; er hatte tibetanische Klöster besucht und war Reisebegleiter eines Maharadschas gewesen. Ob man nun das Porträt als visuelle Vorschau auf den ungewöhnlichen Lebensweg deuten will oder nicht, die medialen, von bürgerlichen Durchschnittsnormen abweichenden Aspekte hat OK blitzartig festgehalten und als gesellschaftliches Außenseiterporträt auf die Leinwand gebannt.

OK sagt darüber: »Das Porträt nannte ich später also ›Der Trancespieler‹, weil ich mir manches über ihn dachte, was ich in Worten nicht ausdrücken kann.«[18]

Zuvor hatte OK auch den Vater des Schauspielers Reinhold porträtiert; das Bild unter dem Namen »Alter Mann – Vater Hirsch« wurde wohl 1907 gemalt, (*Abb. 15*). Wir wissen dadurch, daß der bürgerliche Familienname des Schauspielers Reinhold Hirsch gewesen ist, ein häufiger jüdischer Familienname und in unserem Zusammenhang wichtig, sobald wir OKs Äußerung über seine frühen Modelle hören: »Meistens waren es Juden, die mir als Modell dienten, weil sie viel unsicherer als der übrige Teil der im gesellschaftlichen Rahmen fest verankerten Wiener und daher für alles Neue aufgeschlossener waren – viel empfindlicher auch für die Spannungen und den Druck infolge des Verfalls der alten Ordnung in Österreich. Dank ihrer geschichtlichen Erfahrungen urteilten sie hellsichtiger über Politik und auch über Kultur.«[19]

OK betont, daß zwischen Vater und Sohn ein schlechtes Verhältnis bestanden hätte und er ihn als starrköpfigen alten Mann, der leicht in Wut gerät und dann die großen falschen Zähne bleckt, gemalt hätte.[20]

Ich könnte mir vorstellen, daß Franz Kafka – als großer Vaterhasser durch seinen »Brief an den Vater« aktenkundig – der Nachwelt mit Vergnügen ein Vaterporträt im Stile von OKs »Vater Hirsch« hinterlassen hätte . . ! In rein formaler

15. OK, Alter Mann (Vater Hirsch), 1907

Hinsicht ist sicher, daß diese Porträts nicht ohne den Eindruck der Bildnisse van Goghs entstanden sein können, dessen Werke im Jahre 1906 in Wien ausgestellt waren. In van Goghs »Porträt eines Mannes«, 1888 (*Abb. 16*), finden wir denselben Porträttypus: silhouettierter Oberkörper gegen neutralen, aufgehellten Hintergrund mit Überbetonung des Kopfes und der plastisch herausgearbeiteten Gesichtszüge.

Zu den Außenseitern gesellen sich die Kranken und Gezeichneten im *Reigen* des Unterganges. Im Jahr 1909 malte OK in der Irrenanstalt Steinhof bei Wien den unheilbar erkrankten Ludwig Ritter von Janikowsky (*Abb. 17*), einen österreichischen Ministerialbeamten polnischer Herkunft, dessen außerordentlich hohes Sprachgefühl die Grundlage der Freundschaft mit Karl Kraus gewesen ist. Der Blick auf die gleichsam schon verwesende Mundpartie und auf das verzogene, fast schon vom Kopf abgelöste Ohr zeigt das Erscheinungsbild fortgeschrittener Paralyse.

Um die Jahreswende 1909/10 malt OK während seines ersten Schweizer Aufenthaltes den tuberkulösen italienischen Aristokraten Conte Verona (*Abb. 18*).

16. VAN GOGH, Porträt 1888

17. OK, Ritter von Janikowsky, 1909

18. OK, Conte Verona, 1909

19. OK, Herzogin de Rohan-Montesquieu,
1909/10

OK bewohnte eine Dachstube im Lungensanatorium Leysin, wohin er von seinem Wiener Freund und Förderer Adolf Loos empfohlen worden war, zunächst, um dessen Frau Bessie Loos und dann auch andere Patienten zu malen. Der lungenkranke Graf könnte als ein degenerierter Tischgenosse von Hans und Joachim Castorp und des Spötters Settembrini in Thomas Manns »Zauberberg« auftreten. Hier wie dort die großbürgerlich-aristokratische Gesellschaft der Lungenkranken im teuren Schweizer Sanatorium als symbolische Spielfiguren des allgemeinen europäischen Untergangs oder das Abtreten der vom Tod Gezeichneten von der morschen Bühne der alten Gesellschaft: »Morituri te salutant« nicht aus Gladiatorenmund, sondern von den Lippen einer ins Tragische übersetzten Graf-Bobby-Gestalt, aber dann auch noch ins Grotesk-Degenerierte gesteigert: Verhemmtes Kinderhändchen vor dem embryonesken Körper mit dem übergroßen Kopf in Form eines umgekehrten Pyramidenstumpfes.

Ebenfalls im Lungensanatorium malt OK die Porträts der Herzogin von Rohan-Montesquiou, 1909/10 (*Abb. 19*), und des Marquis de Montesquiou, 1909/10. Die Herzogin und der Marquis wirken wie Puppen, bei denen die Köpfe, Körperhüllen und Hände von verschiedenen Fäden bewegt werden. In der Demaskierung einer Klasse gehen sie viel weiter als die bösen Bilder der spanischen Königsfamilie von Goya, der den von seinem Spott Gezeichneten noch eigenes Leben läßt, während OK nur mehr die zu Gliederpuppen verwandelten Hüllen zeigt und sie wie Gespensterpuppen agieren läßt.

Die dritte Gruppe neben den Außenseitern und Gespensterpuppen zeigt Mitspieler und Schöpfer des »*Weltuntergangstheaters*«, wie die Schriftsteller Karl Kraus und Peter Altenberg, oder Kämpfer für neue Ästhetik, wie den Architekten Adolf Loos.

OK malt den Satiriker und Moralisten Kraus, der das Wort von der *Österreichischen Versuchsstation des Weltunterganges* geprägt hat, jenen Kraus, der die erste Nummer seiner satirischen Zeitschrift *Die Fackel* mit dem Motto versah: »Kein tönendes *Was wir bringen*, aber ein ehrliches *Was wir umbringen*« hat sie sich als Leitwort gewählt – jenen Kraus, der seinen aus Zitaten, Ironie und Majestätsbeleidigung errichteten papierenen Scheiterhaufen der Monarchie in seinem Drama »Die letzten Tage der Menschheit« auf die Bühne des Untergangs gestellt hat. In der berühmten Zeichnung OKs von Karl Kraus, um 1909 (s. *Abb. 53*), tritt er uns so gegenüber, als wären die beiden Seiten seines Wesens, die des geißelnden Satirikers und die des mitleidigen Menschenfreundes, einen Augenblick zur Ruhe gekommen, während die wild ausfahrenden Tuschstriche wie visuell umgesetzte Partiturfetzen nach Worten aus den »Letzten Tagen der Menschheit« interpretiert werden können.

»Die Front ist ins Hinterland hineingewachsen. Sie wird dort bleiben. Und dem veränderten Leben, wenn's dann noch eines gibt, gesellt sich der alte Geisteszustand. Die Welt geht unter, und man wird es nicht wissen.«[21]

Kraus könnte auch gerade seine surreale *Vision vom Wiener Leben* konzipiert haben, eine im Sinne des frühen Chagall malerisch leicht visuell übersetzbare Untergangsvision: ». . . was geht, steht. Die Pferde hängen in der Luft. Oder sie kreuzen die Beine fidel wie die Kutscher. Die Ringstraße ist von einem gut gezwirbelten Schnurrbart ausgefüllt. Man kann nicht vorbei, ohne anzustoßen. Das Leben vergeht, ehe es sich entfernt hat. Der Mann ist höher als das Haus im Hintergrund. Er verdeckt den Himmel. Das Leben rings ist tot. Ich ging durch die verlängerte Kärntner Straße. Eine Rauchwolke stieg in die Nacht. Allmählich zeigten sich Konturen. Ein Einspänner stand da und tat es mitten auf der Straße. Er fragte, ob ich fahren wolle. Ich erschoß mich.«[22]

Zum Freundeskreis um Karl Kraus gehörte auch der Schriftsteller Peter Altenberg (*Abb. 20*), dessen Seehundkopf mit dem hängenden Schnauzbart OK im Bild festhält. Das Porträt zeigt den »extremsten« Individualisten der Wiener Bohème, den Impressionisten der kleinen Form mit dem bekenntnishaft vorgetragenen »*Lolita*-Komplex«, ebenso wie OK Mitarbeiter am Kabarett »Fledermaus«. Sein kurzes Prosastück »Meine Ideale« zeigt den antiautoritären ironisch-dadaistischen Individualisten in Reinkultur:

»Die Adagios in den Violinsonaten Beethovens.
Die Stimme und das Lachen der Klara und der Franzi Panhans.
Gesprenkelte Tulpen.
Franz Schubert.
Solo Spargel, Spinat, Kipflererdäpfel.
Karolinen Reis, Salz-Keks.
Knut Hamsun.
Die Intelligenz, die Seele der Paula Sch.
Die blaue Schreibfeder ›Kuhn 201‹ etc.«[23]

Welch ein unüberbrückbarer Gegensatz zur pompösen Makartwelle der Ringstraße und zum scheinbar staatserhaltenden Pathos des Thronfolgers Franz Ferdinand! Deren Welt wird von Altenberg zu atomisierten Stäubchen persönlicher, im Großen scheinbar folgenloser Sensibilität aufgelöst.

Der Architekt Adolf Loos (*Abb. 21*) stellt sich mit dem Ruf »Ornament und Verbrechen« in die vorderste Reihe des kämpferischen Chors, der wie OK den Vorhang des schönen Scheins zerreißt. In seiner ornamentlosen, nur von der Raumvorstellung konzipierten Architektur hat er als Pionier der Moderne die Ideale des Bauhauses und Le Corbusiers vorweggenommen.

Loos ist der eigentliche Entdecker, erste Anreger und früheste Mäzen Kokoschkas gewesen. Die Mehrzahl der frühen Porträts ist durch Vermittlung Loos' zu-

20. OK, Peter Altenberg, 1909   21. OK, Adolf Loos, 1916

stande gekommen, und OK hat bis zum Ende immer wieder die »Geburtshelfer-rolle« seines Freundes betont. »Daß Loos in meinen Bildern Kunstwerke sah, habe ich kaum verstanden und faßte es als Schmeichelei auf . . .«, sagte er später in der Selbstbiographie.[24]

Kokoschkas »Stilleben mit Hammel und Hyazinthe«, 1909 (*Abb. 22*), ist das Hauptstück der allegorischen Bewältigung von Verwesung, Untergang und Verfall. Stellt man Carl Schuchs »Stilleben mit Hummer«, 1870 (*Abb. 23*), dane-ben, so ergeben sich zunächst die äußerlichen Unterschiede wie von selbst. Beim Wiener Realisten Schuch eine geschlossene Oberfläche, bei OK eine geheimnis-voll irisierende, von flackerndem Licht erhellte. Das Schuchsche Stilleben steht noch in der festen Tradition der im 17. Jahrhundert beginnenden niederländi-schen Stillebenmalerei; die gewohnten Ausstattungsstücke des bürgerlichen Dekors, wie Zinnkrug, Zinnschale und Weinglas, sind auf der weißen Tisch-decke zu einer ausgewogenen Komposition mit Vertikalen und Horizontalen vereinigt, sowohl die auf Hell-Dunkel-Effekt abgestimmte Beleuchtung als auch eine in die Tiefe gehende Raumillusion bewegt sich in traditionellen Bah-nen. Nichts von alledem bei OK. Die Objekte sind in den Bildraum geworfen, wie zufällig zusammengekommen: der abgehäutete tote Hammel mit dem er-schreckend offenen, blauen Auge, die Schildkröte, der rotbraune Steinkrug, ein scheußlich rosa-weißer Lurch in einem Aquarium, eine knabbernde weiße

22. OK, Stilleben mit Hammel und Hyazinthe, 1909

23. CARL SCHUCH, Stilleben mit Hummer, 1870

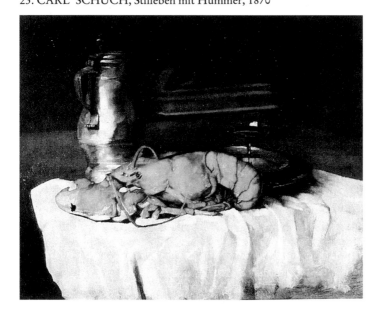

Maus, eine weiße Hyazinthe, und als einzige helle Farbakzentuierung in diesem Abbild von totem oder alptraumartigem Getier das Rot einer Tomate. Das alles gegen einen ungenau definierten Hintergrund gestellt, in dem die Verwesungsfarben Lila, Bläulichgrün und Schwarz, wie in einer Alchimistenwerkstatt kondensiert, den Geruch sonnenloser, abseitiger Halden nochmals verstärken. Kein Licht dringt von außen ein, denn das kalte Mondlicht kommt von den weißen, aus Hammelkörper, Lurch, Maus und Hyazinthenblüte gebildeten Flächen.

Über die Entstehungsgeschichte erzählt OK:

»Der Hausherr hatte mich zum kommenden Ostersonntagsbraten eingeladen; er hatte am Markt ein Lamm eingekauft und wollte es mir in der Küche zeigen. Gewöhnlich kümmere ich mich den Teufel um das, was ich esse, aber wie könnte ich etwas in den Mund nehmen, was mich so vorwurfsvoll mit offenen Augen anblickte, nachdem es geschlachtet worden war. Der Hausherr ließ mich eine Weile allein in der Küche. Auf dem Tisch lag die Leiche, und weil es Karfreitag war, dachte ich an den Menschensohn, dem es nicht anders ergangen ist. Jeden Sonntag in der heiligen Messe speisen die Gläubigen seinen Leib, und Gott sei gedankt, daß auch Christus es nicht länger fühlt, auch das Mitgefühl nicht.

Ich hatte den Eindruck, als ob die Augen des Lammes sich verschleierten und dann erst richtig leblos wurden. Aber der Gedanke, daß dieses tote Ding nun gebraten und verzehrt werden sollte!

Als der Hausherr es an den steifen Beinen emporzog, um es mir recht zu zeigen, tropfte Blut aus dem Maul des Tieres . . . Wenn ich sofort mit dem Stilleben begänne, wäre Zeit genug bis zum Sonntag. Man konnte alles Beiwerk im Spielzimmer des Sohnes finden: eine alte Schildkröte und in einem Aquarium einen Axolotl, einen rosaroten Lurch, der es schwer hat, ans Licht zu kommen, weil er in den unterirdischen Grotten in Kärnten nicht sehen kann.

Auch eine weiße Maus war noch da, die der Knabe so dressiert hatte, daß sie von einem Stückchen Käse, mit der Hand gereicht, knabberte, ohne wegzulaufen.

. . . etwas mußte ich finden, was dem Ganzen ein Licht aufsetzte. Selbst die Tomate als Farbfleck ganz vorne hätte es nicht getan, auch nicht der Stein von außen her gegen die alte verräucherte Mauer und den ramponierten, antiken Ölkrug . . . Es war alles so grau, traurig, seelenlos, wie im Reich der Vergessenen, der Schatten im Hades, ja wie auf einem Friedhof . . . eifrig herumsuchend . . . fanden wir im Zimmer des Dienstmädchens auf dem Fensterbrett eine weißleuchtende Hyazinthe im Topf voller Blüte. Eine Blume wie aus Wachs, wie künstlich gemacht. Sie leuchtet wie das Ewige Licht selber im Dunkel . . . ihr Duft erinnerte mich an das Zimmer, wo ich früher ein totes Mädchen gezeichnet hatte. Die Hyazinthe duftete im fröstelnden Vorfrühling, wenn man alles noch für ausgestorben hält. Sie zeigt wie ein Finger gen Himmel und besänftigt die ewige Furcht, daß alles eitel ist . . .«[25]

Das Stilleben mit Hammel und Hyazinthe ist wie eine Messe der Verwesung, wie eine religiöse Feier des Untergangs – die Elemente sind sowohl Kokoschkas eigener Beschreibung zu entnehmen: das Reich des Vergessens, die Schatten des Hades, der süßliche Hyazinthenduft, der an das tote Mädchen erinnert – als auch aus den erstaunlichen Entsprechungen in der zeitgenössischen Lyrik, vor allem im Werk der Expressionisten Georg Trakl aus Salzburg und des Kokoschka-Freundes Albert Ehrenstein.

> » . . . Dein Leib ist eine Hyazinthe,
> In die ein Mönch die wächsernen Finger taucht.
> eine schwarze Höhle ist unser Schweigen
> Daraus bisweilen ein sanftes Tier tritt.
> Und langsam die schweren Lider senkt.«
> (Georg Trakl, »An den Knaben Elis«)

Oder:

> »Aufruhr. In verfallener Hütte
> Aufflattert mit schwarzen Flügeln die Fäulnis . . .
> Erscheinung der Nacht: Kröten tauchen aus silbernen Wassern.«
> (Georg Trakl, »Am Moor«)

»Trakls Themen und Motive sind weitgehend die gleichen wie die Hofmannsthals«, sagt Walter Muschg, »aber er erlebt, was Hofmannsthal nur dichtet . . . der Sinn seiner Kunst ist dieses Zerbrechen der Schönheit.«[26]

Die Entsprechungen der durchgreifenden Neuinterpretierung im Visuellen bei oft gleichbleibender Thematik konnten wir auf dem Weg von Schuch über Klimt zu Kokoschka feststellen.

Die Bewegung, Dramatisierung und der unruheerweckende Blick von oben ist auch hier ohne van Gogh nicht denkbar. Man vergleiche etwa van Goghs »Stilleben mit Äpfeln, Trauben und Birne«, 1887 (*Abb. 24*). Als Hintergrundmusik können wir uns bei Schuch noch die Kammermusiktöne von Brahms, Grieg oder Debussy vorstellen – schon bei van Gogh müßte man die Rhythmik Strawinskys und bei OKs Stilleben die Dissonanzen Schönbergs wählen.

Für Albert Ehrenstein, den Wiener Dichter jüdischer Herkunft, hat OK 1911 die Erzählung »Tubutsch« in Kreidlithographie illustriert (*s. Abb. 28*). Im zweiten Absatz findet sich schon der bezeichnende Satz: »Daß meine Seele ihr Gleichgewicht verloren hat, etwas in ihr geknickt, gebrochen ist, ein Versiegen der inneren Quellen ist zu konstatieren.«

24. VAN GOGH, Stilleben mit Äpfeln, Trauben und Birne, 1887

Ehrenstein beschreibt hier dadaistisch eine Miniapokalypse, »ein Apokalyp-
serl«, wie der Kritiker Otto Basil sagt, »halb Diletto, halb Harakiri . . . in sche-
herazadischem Tonfall mit Anklängen an die Anekdotik der galizischen Juden . . . hatscht Tubutsch mit zwei linken Füßen durch die zerfallende Zeit, deren Schatten ihn anfallen wie Fleischerhunde.« Ehrenstein widmet sein Gedicht
»Tiberias« Oskar Kokoschka, und die folgenden vier Zeilen könnten auch als
Paraphrasen zum Hammelstilleben aufgefaßt werden:

»Tief blühen wüste, blau erglühte Blumen und sterben faulend in der Blüte.
. . .
Hier stinkt die Seligkeit nach müdem Mist
Weil dies der Garten des Verwesens ist.«[27]

OK hat in der Gerümpelkammer eines Wiener Bürgerhauses diese Bühne der
Verwesung aufgebaut, zu der Trakl und Ehrenstein als Rhapsoden des Unterganges die Worte gefunden haben.
Kokoschka ist aber mehr als Kassandrastimme und Kassandrablick des Welt-
endes, er darf nicht nur im Chor der anderen Stimmen des Weltunterganges ne-

ben Musil, Trakl, Karl Kraus, Schiele, Kubin und Schönberg gesehen werden. Wie alle genialen Werke, sind diese mehr als die Summe aller Zeittendenzen. Das Talent beschreibt und illustriert seine Zeit, das Genie aber schließt sie in der transzendent gewordenen Form ein: das Werk ist dann zum Diamanten im Reich des Geistes geworden, dessen makelloser, zeitloser Glanz immer stärker ist als die eingeschmolzenen Strahlen aus der Epoche seiner Entstehung.

* * *

P.S. (Juli 1986)
Der Vortrag »OK als Seher des Unterganges« wurde erstmals anläßlich der von Werner Hofmann zusammengestellten Ausstellung »Experiment Weltuntergang« in der Hamburger Kunsthalle gehalten (1981). Im OK-Jubiläumsjahr 1986 haben sich durch zahlreiche Ausstellungen, Publikationen und vor allem durch die beiden OK-Symposien in Wien (März 1986) und London (Juni 1986) vielfältige neue Perspektiven ergeben. Die eigentliche »Doppelbiographie« OKs, bestehend aus der von OK selbst genial ausgesponnenen »Kokoschka-Legende«, welche von zahlreichen Hagiographen kritiklos übernommen wurde, und der historisch nachvollziehbaren, aber in vieler Hinsicht noch ungeprüften Biographie, muß erst noch geschrieben werden. Dichtung und Wahrheit, Legende und Wirklichkeit im langen Leben des Malers, Dramatikers, Essayisten, Bühnenbildners, Lehrers und politisch stets engagierten OK bieten einem mutigen Biographen ein weites Betätigungsfeld. Notwendige Korrekturen von OKs späteren Selbstinterpretationen sind im Ansatz bereits vorhanden (vgl. z. B. Dieter Ronte »Zur Geschichte von Kokoschkas Wien-Bildern oder vom Groll auf die geliebte Stadt« im Katalog OK »Städteportraits«, Wien 1986, und Frank Whitfords neue OK-Biographie, London 1986), bedürfen aber noch einer ausgedehnten quellenmäßigen Sicherung.

ANMERKUNGEN

1 Oskar Kokoschka, Aus der Jugendbiographie, in: Hans M. Wingler, Oskar Kokoschka, Schriften 1907–1955. München 1956, S. 40–41.
2 W. G. Fischer, Wohnungen. München 1972, S. 5.
3 Hugo von Hofmannsthal, Ein Brief, 1901/02, in: Gesammelte Werke, Prosa II, Frankfurt 1951, S. 7 ff.
4 Hugo von Hofmannsthal, Prolog zu dem Buch »Anatol«, 1892, in: Gesammelte Werke, Gedichte, Lyrische Dramen. Frankfurt 1952, S. 43.
5 Hugo von Hofmannsthal, Manche freilich . . ., in: Gesammelte Werke, Band: Gedichte, Lyrische Dramen. Frankfurt 1952, S. 19.
6 Robert Musil, Die Verwirrungen des Zöglings Törless, in: Prosa, Dramen, späte Briefe. Hamburg 1957, S. 25.
7 Carl Schorske, Explosion in the Garden: Kokoschka and Schoenberg, in: Fin-de-Siècle Vienna, Politics and Culture. New York 1980, S. 322 ff.
8 Joseph Spaengler, Kokoschka, der Dramatiker, 1922, in: Hans M. Wingler, Oskar Kokoschka, ein Lebensbild. München 1956 und 1966, S. 6 ff.
9 Oskar Kokoschka, Von der Natur der Gesichte, in: Hans M. Wingler, Oskar Kokoschka, Schriften 1907–1955. München 1956, S. 339.
10 Oskar Kokoschka, a. a. O., S. 341.
11 Heinz Spielmann, Oskar Kokoschka – Die Fächer für Alma Mahler. Hamburg 1969, S. 29.

12 Oskar Kokoschka, Vom Erleben, in: H. M. Wingler, Oskar Kokoschka, Schriften 1907–1955. München 1956, S. 51–52.

13 Heinz Spielmann: Oskar Kokoschka – Die Fächer für Alma Mahler. Hamburg 1969, S. 26 und S. 29 f.

14 Alma Mahler-Werfel, Mein Leben. Frankfurt 1980, S. 56: »Notiz von 1955: Ja, die Fresken existieren noch. Ich mußte mein Haus am Semmering an eine russische Gewerkschaft vermieten, denn sie drohte mir, wenn ich es nicht gutwillig hergebe, es sich einfach zu nehmen. Da die Russen die Fresken aber nicht schön fanden, ließen sie sie übermalen. Ich tue von hier – New York – aus alles was ich kann, um sie zu retten. Später: sie sind verloren – noch später: sie sind endgültig verloren.« Nach dieser, nicht immer verläßlichen Quelle aus der Hand Alma Mahler-Werfels waren die »Bilderstürmer« nicht russische Soldaten, sondern »russische Gewerkschafter«. Es wird sich aber kaum um »russische« Gewerkschafter, sondern eher um die Belegschaft sogenannter USIA-Betriebe (unter Leitung der russischen Besatzungsmacht stehende ehemalige österreichische Betriebe, sogenanntes »Deutsches Eigentum«) handeln, jedenfalls hat nach dieser Darstellung das OK-Fresko bis 1955 existiert.

15 Fritz Schmalenbach, Oskar Kokoschka, in: Die blauen Bücher. Königstein 1967, S. 6 ff.

16 Karl Gruber, Mediale Kunst, 1949, in: H. M. Wingler, Oskar Kokoschka. München 1956 und 1966, S. 25–27.

17 Wie Anm. 15, S. 7.

18 Oskar Kokoschka, Mein Leben, a. a. O., S. 69.

19 Ebda., S. 73.

20 Ebda., S. 73.

21 Karl Kraus, Die letzten Tage der Menschheit, V. Akt, 49. Szene, 659.

22 Hans Weigel, Karl Kraus. Wien 1968, S. 128.

23 Peter Altenberg, Das Glück der verlorenen Stunden. München o. J., S. 3907.

24 Oskar Kokoschka, Mein Leben, a. a. O., S. 77.

25 Ebda., S. 89–91.

26 Walter Muschg, Von Trakl zu Brecht. München 1963, S. 113.

27 Albert Ehrenstein, Gedichte und Prosa. Neuwied 1961, S. 250.

EDITH HOFFMANN

Kokoschka – ein später Symbolist

Kokoschka liebte es nicht, mit anderen Künstlern seiner Zeit verglichen zu werden, und die großen Namen der Kunstgeschichte, die er mit Bewunderung erwähnte, gehörten fast alle der Vergangenheit an. Die Ausnahmen waren Max Klinger, über den er 1916 in einem Brief an seine Schwester schrieb, noch nie hätte ihn ein Mensch mit solcher Ehrfurcht erfüllt;[1] Edvard Munch, dem er 1952 einen Aufsatz widmete;[2] und der Bildhauer George Minne, dessen Werke einen großen Eindruck auf ihn machten, wie wir aus seinen Erinnerungen wissen.[3] Alle drei gehörten einer älteren Generation an als er, aber sie waren doch seine Zeitgenossen. Daß sie einen Einfluß auf sein Werk ausgeübt hatten, hätte er wahrscheinlich trotz aller Bewunderung nicht anerkannt. Wir haben jedoch heute den Abstand, der uns zu sehen erlaubt, daß nicht nur diese drei Künstler durch ihre Arbeiten auf seine Entwicklung eingewirkt haben, sondern daß der Symbolismus, dem ein großer Teil ihres Werks angehört, überhaupt eine große Bedeutung für ihn hatte. Man kann zwar annehmen, daß er wenig von den Theorien der Symbolisten wußte und vom Manifest des Symbolismus, das Jean Moréas in Kokoschkas Geburtsjahr im *Figaro* veröffentlichte, nie gehört hatte. Aber er kannte symbolistische Kunstwerke, und von ihnen bezog er viele seiner Ideen.

Der Symbolismus hatte in den letzten Jahren des 19. Jahrhunderts den größten Einfluß auf die europäische Kultur gewonnen, und die Ideen der Symbolisten waren auch nach der Jahrhundertwende auf den Gebieten der Dichtung, des Theaters und der bildenden Kunst noch sehr verbreitet. Gewisse symbolistische Künstler hatten in Wien einen großen Namen: Segantini war seit 1898 Mitglied der Secession; Klinger war berühmt, seit er 1902 seine Beethovenstatue gezeigt hatte; Werke von Gauguin wurden 1903 in der Secession ausgestellt, und 1904 folgte ihm dort Munch. Kokoschka sah Werke von Gauguin, Hodler, Toorop, Munch und Minne spätestens auf der zweiten »Kunstschau« (1909), manchen war er aber schon früher begegnet. Die Kunstzeitschriften jener Jahre trugen natürlich sehr viel dazu bei, ein weites Publikum mit ihnen bekannt zu machen.

Von der symbolistischen Literatur scheint Kokoschka zumindest Maeterlinck gekannt zu haben, der damals internationalen Ruhm genoß. In den Theaterstücken des belgischen Dichters waren Zeit und Ort unbestimmt, Liebe und Tod eng verbunden, und die Sprache war oft naiv oder altertümlich. Diese Züge cha-

72

rakterisieren auch die Schauspiele des jungen Kokoschka. Besonders sein Drama »Mörder, Hoffnung der Frauen«, das 1908 entstand, erinnert in mancher Hinsicht an des Belgiers »Monna Vanna«: in beiden findet man das gleiche Stammeln und die gleiche Raserei; so spricht Monna Vanna von der »schrecklichen Liebesnacht«, deren Spuren die blutigen Wunden der Liebenden sind.

Auf dem Gebiet der bildenden Kunst war es offenbar die Tendenz der Symbolisten, nicht nur Gesehenes oder Sichtbares wiederzugeben, sondern vor allem Gedanken und Gefühle auszudrücken,[4] was den jungen Kokoschka ansprach. Ihre Neigung anzudeuten, was hinter der Erscheinung der Dinge verborgen war, entsprach seinem eigenen Drang, hinter die Maske seiner Modelle zu blicken. In jedem seiner Bildnisse bemühte er sich, den inneren Menschen darzustellen, und sein ungewöhnliches Einfühlungsvermögen half ihm dabei. So kam es, daß seine frühen Bewunderer sagten, er arbeite mit Röntgenstrahlen.

Im Mittelpunkt der symbolistischen Kunst stand jedoch der Künstler, der seinen eigenen *état d'âme* – seinen Seelenzustand – wiedergeben wollte. Auch für Kokoschka war die Kunst von Anfang an ein Mittel, sich mitzuteilen. Dies führte sowohl bei ihm wie bei den Symbolisten zu einer ungemein subjektivistischen Kunst. Jede Landschaft und jedes Bildnis drückte vor allem eine Stimmung aus, und zwar die Stimmung des Künstlers. Damit hängt es auch zusammen, daß gewisse Symbolisten eine große Anzahl von Selbstbildnissen hinterlassen haben. Der bekannteste von diesen ist Gauguin, aber auch Ensor und Munch haben immer wieder ihr eigenes Porträt gemalt. Das gleiche trifft auf Kokoschka zu, dem man übrigens häufig vorwarf, er gebe allen seinen Modellen seine eigenen Gesichtszüge. Und alle diese Selbstbildnisse enthalten eine Anklage: sie sprechen von der Isolierung des Künstlers innerhalb einer Gesellschaft, die ihn nicht versteht. Munch malte sich im Jahr 1895 »in der Hölle«. Sowohl Gauguin als auch Ensor haben sich mehrfach mit Christus identifiziert, dessen Passion für sie den Inbegriff des Leidens symbolisierte. Gauguin hat ein Selbstbildnis aus dem Jahr 1889 »Gethsemane« genannt, und ein anderes aus dem Jahr 1896 »Auf dem Weg nach Golgatha«; und Ensor hat sich in einigen seiner Selbstbildnisse eine Dornenkrone aufgesetzt. Bei Kokoschka ist der Vergleich mit Christus nur angedeutet. Im Jahr 1910, als er ein Plakat für den *Sturm* entwarf (*Abb. 25*), stellte er sich selbst mit der Hand auf eine Wunde in seiner Brust weisend dar. Er sagt davon in seinen Erinnerungen, die Wunde sei als an die Wiener gerichteter Vorwurf gedacht gewesen. Eine solche Wunde erweckt aber ganz bestimmte Assoziationen: man denkt an den Lanzenstich, mit dem der römische Soldat Christus am Kreuz verletzte. So eine Wunde kommt auch bei Munch vor, und zwar in einer Zeichnung, die er 1897 für den Umschlag der Zeitschrift *Quickborn* entworfen und auch als Holzschnitt ausgeführt hatte.

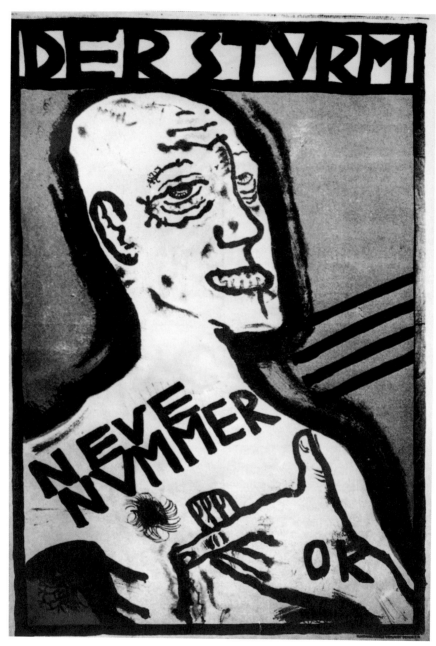

25. OK, Selbstbildnis, Plakat für »Der Sturm«, 1910

26. EDVARD MUNCH, Schmerzensblume, 1897

Munch nannte dieses Bild »Die Schmerzensblume« (*Abb. 26*), weil ein Blut-strom, der aus der Wunde quillt, eine wachsende Blume nährt, wie das Herzblut des Künstlers die Kunst ernähre. Bei Munch befindet sich die Wunde auf der linken Körperseite und bei Kokoschka auf der rechten, aber in beiden Fällen ist es die linke Hand, die auf sie weist. Kokoschka verwendete sein *Sturm*-Plakat mit verändertem Text noch einmal im Jahr 1912 für einen Wiener Vortrag. Wir werden nie wissen, ob er den Holzschnitt von Munch gekannt hat, aber an die Wunde Christi muß er doch wohl gedacht haben. Allerdings begegnet man einer Brustwunde bei ihm schon 1908 auf einer Zeichnung für »Mörder, Hoffnung der Frauen« (*s. Abb. 48*), aber dort ist es die Frau, die sie dem Mann beibringt, und deshalb kann von einer Assoziation mit der Passion Christi nicht die Rede sein. Auch in den gemalten Selbstbildnissen aus den Jahren 1913 und 1917 weist der Künstler mit der linken Hand auf seine Brust, aber eine Wunde ist nicht sichtbar, und die Geste ist nur noch ein Hinweis auf die eigene Person oder auf den leidenden Menschen.

Unbestreitbar ist Kokoschkas Selbstidentifizierung mit Christus in seinem Ge-mälde »Der Irrende Ritter« aus dem Jahr 1915 (*s. Abb. 70*). Daß er in diesem merkwürdigen Selbstbildnis, in dem er sich in einer öden Landschaft auf dem Boden liegend dargestellt hat, an Christus erinnern wollte, beweisen die Buch-staben ES: sie stehen für das hebräische »*Eli lama sabachthani* – mein Gott, warum hast du mich geopfert« (oder »*lama asavthani* – warum hast du mich verlassen«). In diesen Zusammenhang gehört auch jene Zeichnung, die Gethsemane darstellt und in der der kniende Christus die Züge des Künstlers trägt. Dies ist eine Vorzeichnung für eine der sechs Lithographien, die Kokoschka 1916 der Passion gewidmet hat (*Abb. 27*).

»Der Irrende Ritter« ist ein symbolreiches Bild, denn es enthält außer der Hauptfigur noch eine kleine Sphinx, die Alma Mahler ähnlich sieht, und ein kleines Skelett. Die Sphinx ist natürlich ein Symbol der *femme fatale*, das in symbolistischen Werken unzählige Male auftritt: man denke an Gustave Moreau, Félicien Rops, Fernand Khnopff, Jan Toorop, Franz von Stuck und Edvard Munch. Kokoschka hat schon sein erstes Stück »Sphinx und Strohmann« genannt, und auch auf einem der Fächer, die er Alma Mahler schenkte, hat er eine Sphinx dargestellt. Das Skelett war ebenso beliebt; besonders häufig findet es sich bei Rops, Ensor und Munch. Kokoschka benützte diese traditionellen Symbole ganz bewußt: sie geben Aufschluß über den Sinn des »Irrenden Ritters«, den er malte, als es zwischen ihm und Alma Mahler zum Bruch gekommen war. Er machte sie für seine Einsamkeit verantwortlich und dachte an die Möglichkeit des Todes.

Der Tod hat in der Kunst des 19. Jahrhunderts, und besonders bei den Symbolisten, eine große Rolle gespielt. Er war ein zentrales Thema im Werk Klingers, mit dem der junge Kokoschka vertraut war. Wie sehr er Klinger verehrte, wissen wir aus jenem Brief aus dem Jahr 1916,[5] in dem er von dem »großen ehrwürdigen Max Klinger« spricht. Solche Bilderserien wie Klingers »Ein Leben« oder »Vom Tode« haben ihn zweifellos dazu ermutigt, selbst graphische Serien zu unternehmen. Und auch in seinen eigenen graphischen Werken erscheint häufig der Tod. In den Illustrationen für Ehrensteins »Tubutsch« aus dem Jahr 1911 schaut das Skelett dem Dichter über die Schulter (*Abb. 28*). In der lithographierten Serie »Der gefesselte Kolumbus« umarmt der triumphierende Tod einen Sarg. In einer der Illustrationen für »Die chinesische Mauer« von Karl Kraus, die er 1914 entwarf, tanzt der Tod neben einem ruhenden Liebespaar. In der »Bachkantate«, die aus demselben Jahr stammt, wandern Mann und Frau durch eine Landschaft, die mit Totenköpfen besät ist (*Abb. 29*).

In der Kunst der Symbolisten führt auch die Liebe zum Tod. Die Frau wurde als Verführerin dargestellt, die den Mann herabzieht und ins Verderben bringt. Der Kampf der Geschlechter ist eines der Hauptthemen Strindbergs und Munchs. Kokoschka machte es sich zu eigen, als er im Alter von einundzwanzig Jahren »Sphinx und Strohmann« und »Mörder, Hoffnung der Frauen« schrieb. Man kann kaum annehmen, daß er damals schon eigene Erfahrungen verarbeitete, aber er kannte Kleists »Penthesilea«, vielleicht auch Strindberg oder Wedekinds

27. OK, Die Agonie im Garten, 1916

28. OK, Ehrenstein mit Skelett

29. OK, aus dem Zyklus
»O Ewigkeit – du Donnerwort«

30. MAX KLINGER, Verworfene Schlußplatte aus dem Zyklus »Ein Leben«, 1883

»Lulu« und gewiß solche Kunstwerke wie Stucks »Sünde«, Klingers »Salome«, und Munchs Graphik und Gemälde. Sein Plakat für die erste »Kunstschau« erinnert sehr an Munchs »Vampir«, obwohl er es immer als Pietà beschrieben hat (*s. Abb. 47*). Tatsächlich hatte die Frau für ihn zwei Gesichter: sie war Mutter und Vampir. Aber in seiner Jugend war es besonders die *femme fatale* und die Beziehung zwischen Mann und Frau, die ihn immer wieder beschäftigten. 1911 schrieb er das kurze Stück »Der brennende Dornbusch«, das diese Zeilen enthält: »Ird'sche Liebe ist nur ein' Pein, Ein Rosendorn am Pfad zum Gartentor von Golgatha.« Seine Beziehung zu Alma Mahler, die wahrscheinlich nie problemlos war, bestärkte ihn in diesem Pessimismus, der auch zum Symbolismus gehört. Eine seiner Illustrationen für »Die chinesische Mauer« wiederholt ein Motiv, das er bei Baldung Grien oder Lukas van Leyden gefunden und schon im »Tubutsch« verwendet hatte: den Aristoteles, der seiner Frau Phyllis als Reittier dient.

Im gleichen Jahr wie »Die chinesische Mauer«, 1914, entstand auch »Die Windsbraut« (*s. Abb. 9*). Dieses Bild eines Paares, das in einem Boot ruht, ist gewiß das Denkmal einer großen Liebe; aber das bewegte Meer und der Titel des Gemäldes deuten auch auf den stürmischen Charakter dieser Leidenschaft. In seinen Erinnerungen sagt Kokoschka, das Bild stelle einen Schiffbruch dar. Jedenfalls ist es durch seinen Inhalt ein symbolistisches Werk. Außerdem geht seine Komposition auf eine Radierung des Symbolisten Klinger zurück, der auf einer nie verwendeten Schlußplatte für seine Serie »Ein Leben« ein ähnliches Liebespaar in einer Muschel dargestellt hat (*Abb. 30*).

Daß Liebe sich in Haß verwandelt, statt zum Glück zu führen, ist die Botschaft des Dramas »Orpheus und Eurydike«, das Kokoschka zwischen 1916 und 1918 schrieb. Dieses Werk, das die Zerstörung einer Liebe durch Eifersucht behandelt, ist zweifellos die bittere Frucht persönlicher Erfahrung, denn es stellt noch einmal die Geschichte von Kokoschka und Alma Mahler dar. Daß man bei diesem besonderen Thema an Munchs Gemälde »Eifersucht« denkt, beweist nur, wie zeitgemäß solche Gefühle waren.

Die Gestalt der Frau, deren Liebe den Mann zerstört, hat Kokoschka noch lange begleitet, aber sie trug später die Züge anderer Frauen. Im Jahr 1919 schrieb er »Briefe aus Dresden«, in denen er seine Begegnung mit einer Frau namens Gela schildert. Er beschreibt sich selbst als ein »willenloses Tier, das Männchen der Mantis Religiosa, nur darauf wartend, in ihren unnachsichtlichen Fangarmen Hochzeit zu feiern.«[6] Und noch in der Erzählung »Ann Eliza Reed«,[7] die er erst 1931 verfaßte, schneidet am Ende die Heldin dem Geliebten die Kehle durch, um danach mit Mann und Kind ein normales Leben zu beginnen.

Wenn diese seltsame Geschichte überhaupt noch mit dem Symbolismus zusammenhängt, so war es das letzte Mal, daß Kokoschka ein solches Motiv behandelte. In den Jahren nach dem Weltkrieg befreite er sich vom Einfluß des Symbolismus, der ihn vielleicht so lange beeinflußt hatte, weil er ja vor allem eine literarische Bewegung war, und der junge Kokoschka sich ebenso von der Literatur wie von der Kunst angezogen fühlte. Allmählich verlor er aber das Interesse an der introvertierten und oft morbiden Einstellung der Symbolisten und wandte sich mehr der Außenwelt zu. Er gewann einen neuen Abstand zu den Menschen, Landschaften und Dingen, die er darstellte, und identifizierte sich nur noch in wenigen Fällen mit ihnen. Er erfand jetzt seine eigenen Symbole: Gegenstände, die er den Modellen seiner Bildnisse beigab, um etwas über sie auszusagen, wie es die alten Meister getan hatten, und politische Symbole in gewissen Bildern der späteren Jahre. Im hohen Alter malte er noch einmal eine biblische Szene, der er eine persönliche Bedeutung gab: »König Saul hört dem Spiel des Knaben David zu« (*Abb. 31*). Von diesem Bild hat Kokoschka gesagt, es drücke den schmerzlichen Neid aus, den der alternde Mensch der Jugend gegenüber empfindet. Er sah sich in dem alten König, wie er sich einst mit Christus identifiziert hatte. Und so zeigt dieses Gemälde, daß in dem gealterten Meister noch etwas vom Symbolismus seiner jungen Jahre weiterlebte.

Natürlich folgte Kokoschka auch in seinen frühen Jahren den Symbolisten nicht auf allen Wegen. So spielte die Welt des Traumes, die manchen von ihnen so

31. OK, Saul und David, 1966

wichtig war, in seinem Werk keine Rolle. Auch war seine Malerei weder andeutend oder verschleiert noch vieldeutig, wie die gewisser Symbolisten, sondern zumeist eine direkte Aussage, die eine bestimmte Reaktion hervorrufen wollte. Aber er hatte doch so viel mit ihnen gemein, daß es berechtigt scheint, direkte Zusammenhänge zu vermuten. Kokoschka selbst betonte gerne seine Zugehörigkeit zur Kunsttradition Europas. Wenn man ihn als Nachfolger der Symbolisten betrachtet, wird dadurch sein Platz innerhalb dieser Tradition bestimmt: gedanklich und ikonographisch war sein Werk in der Kunst seiner Vorgänger verwurzelt, aber seine Art zu sehen war die seiner Generation, und seine Darstellungsweise war völlig unabhängig. So gehörte er weder der Vergangenheit an, noch ging er den ganzen Weg mit seinen Zeitgenossen. Er blieb ein Einzelgänger, der sich zwischen den Zeiten bewegte.

ANMERKUNGEN

1 Oskar Kokoschka, Briefe I (1905–1919), hg. v. Olda Kokoschka u. Heinz Spielmann. Düsseldorf 1984, S. 258.
2 Oskar Kokoschka, Der Expressionismus Edvard Munchs, Vorträge, Aufsätze, Essays zur Kunst (Das schriftliche Werk. Band III), S. 162–180.
3 Oskar Kokoschka, Mein Leben, Kapitel I.
4 Maurice Denis schrieb in »Théories« (1912): »Ne plus reproduire la nature et la vie . . . mais au contraire reproduire nos émotions et nos rêves.«
5 Wie Anm. 1.
6 Oskar Kokoschka, Erzählungen. Hamburg 1974.
7 Ebda., S. 361.

PATRICK WERKNER

Kokoschkas frühe Gebärdensprache
und ihre Verwurzelung im Tanz

Wenn man die Schöpfungen des frühen österreichischen Expressionismus mit denen der Fauves oder der deutschen Expressionisten vergleicht, so wird unter anderem ein wesentlicher Unterschied deutlich: das in Österreich bei weitem stärkere Beharren auf den Erscheinungsformen der Wirklichkeit. Im besonderen findet dabei der menschliche Körper vielfältige Gestaltung. Ausdruckskunst bedeutet bereits in dieser frühen Phase der österreichischen Moderne zu einem guten Teil: Körperkunst. Die Beschäftigung mit der eigenen, aber auch der fremden Körperbefindlichkeit bildet einen ihrer Hauptwesenszüge. Die häufigen Selbstdarstellungen in diesem Bereich spiegeln dabei sowohl den Versuch einer Vergewisserung des Selbst als auch das selbstquälerische Sezieren der eigenen Identität. Sie weisen viele Bezüge zu philosophischen und wissenschaftstheoretischen Untersuchungen der Wiener Jahrhundertwende auf.[1] Das radikale In-Frage-Stellen der personellen Identität führte mit zu einer beständigen Auseinandersetzung mit dem Selbst, das Bewußtes und Unbewußtes, Physisches und Psychisches verklammert. Die Beschäftigung mit den ausdrucksgesteigerten Erscheinungsweisen des menschlichen Antlitzes und der menschlichen Figur im österreichischen Expressionismus entspricht der Faszination durch diese Zusammenhänge.

Für Karl Kraus war die Sprache unmittelbarer Ausdruck der Lebensform; für Adolf Loos hatte der geistige Raum des Menschen im gebauten Raum seine Entsprechung; für eine Hauptströmung im österreichischen Expressionismus war der menschliche Körper eine Artikulationsform alles Existentiellen.

In besonderer Weise werden im österreichischen Expressionismus dabei auch die Möglichkeiten der darstellenden Kunst miteinbezogen. Die prägende Rolle, die dem Theater wie dem Tanz, ganz allgemein dem Schauspiel – auch im weiteren Sinn – in der Wiener Kultur zukommt, hat wohl auch Anteil an dem verstärkten Bewußtsein für den menschlichen Körper als einen geistig-seelischen Ausdrucksträger. Das Einbeziehen der darstellenden in die bildende Kunst hängt zum einen mit der Dominanz des Theaters in der österreichischen Kultur zusammen, zum anderen entspricht es aber auch der Entdeckung der schöpferischen Kraft des Kabaretts und des Varietés zur Jahrhundertwende. Schon 1896 hatte Oskar Panizza in seiner Schrift »Der Klassizismus und das Eindringen des

Varieté« eine Erneuerung der Kunst aus dem Geiste des Varieté gefordert.[2] Implizit trat auch Alfred Roller 1909 für das Kabarett ein, als er in der Wiener Musikzeitschrift *Der Merker* seinen Aufsatz »Bühnenreform« veröffentlichte. Dort schrieb er – aus seiner eigenen Erfahrung als Leiter des Ausstattungswesens der Wiener Hofoper – über die Schwierigkeiten des Repertoire-Theaters und sprach sich für eine flexible Bühne aus.[3]

Im Kabarett gelangten die explosiven Stücke Frank Wedekinds erstmals zur Aufführung, im Kabarett wirkte Arnold Schönberg bei seinem frühen Berliner Aufenthalt, im Kabarett fand Alfred Kubin halluzinatorische Inspiration. Im Kabarett schließlich konnte Kokoschka sein »Märchen in farbigen Lichtbildern«, »Das getupfte Ei«, zur Aufführung bringen, ebenso seine beiden ersten Dramen, die er nachträglich »Sphinx und Strohmann« und »Mörder, Hoffnung der Frauen« betitelt hat. In Wien wurde das Kabarett »Fledermaus« zum Schnittpunkt der aufbruchsgestimmten österreichischen Kunst und Kultur. Nicht nur hatte es die Wiener Werkstätte zu einem Gesamtkunstwerk im Geiste der Secession gestaltet – für eine ebenso kurze wie schöpferische Zeit war es der Treffpunkt von Literaten, Künstlern und Kritikern, für die die Grenzüberschreitung der Medien eine Selbstverständlichkeit bildete: Chanson und Literatur, Tanz und Pantomime, Drama und Musik gingen dort eine fruchtbare Synthese ein – in einem architektonisch und bildnerisch durchgestalteten Rahmen, für den auch Kokoschka Dekorationen lieferte.

Diese Wechselbezüge gilt es im Auge zu behalten, wenn man sich mit dem frühen Schaffen Oskar Kokoschkas beschäftigt. Der zeitgenössische Betrachter ist gewohnt, Kokoschkas bildnerisches Frühwerk eindimensional unter dem Aspekt der bildenden Kunst wahrzunehmen. Das Bezugsfeld dieses Frühwerks erweitert sich jedoch beträchtlich, wenn man die Vielfalt der Kokoschka beeinflussenden Impulse ebenso berücksichtigt wie seine eigenen Unternehmungen im Bereich der Bühnenwerke. Die Kunstgeschichte hat erst spät damit begonnen, die zahlreichen Grenzüberschreitungen von Künstlern zu untersuchen. Der österreichische Frühexpressionismus liefert hier besonders faszinierendes Material: Man denke, abgesehen von Kokoschkas Dramen und Texten, an Kubins Roman »Die andere Seite«, an Schönbergs Malerei, an sein Drama mit Musik »Die glückliche Hand«, an die Doppelbegabung Albert Paris Güterslohs – eines glühenden Vorkämpfers des österreichischen Expressionismus –, und nicht zuletzt an die Gedichte Egon Schieles.

Zu den auffallendsten Eigenheiten von Kokoschkas Frühwerk zählt die Gebärdensprache seiner Figurenbilder und -zeichnungen. In einem Zyklus wie den Lithographien der »Träumenden Knaben« bildet die Körpergebärde einen der wichtigsten Ausdrucksträger. Charakteristisch sind vielfach die Arm- und

32. OK, Titelvignette zu »Die träumenden Knaben«, 1907/08

84

33. OK, Einbandvignette zu »Die träumenden Knaben«

34. OK, Detail aus »Das Mädchen Li und ich«, aus »Die träumenden Knaben«

Handhaltungen mit den gespreizten und angewinkelten Fingern und jene hageren, halbwüchsigen Figuren mit den verschränkten Posen. Es ist bekannt, daß Kokoschka dabei Anregungen aus der Kunst George Minnes aufnahm (*Abb. 32, 33*), der in den Ausstellungen der Wiener Secession so prominent vertreten war. Mit der verhaltenen, in sich versunkenen Gestik seiner Jünglingsskulpturen hat Minne ebenso auf Klimt und Schiele wie auf Kokoschka gewirkt. Vergleichbares gilt auch von der Kunst Ferdinand Hodlers und seiner eurhythmischen Figurensprache. Zu diesen und ähnlichen Anregungen sollte in unserem Bewußtsein aber noch ein weiterer künstlerischer Bereich treten, dessen Bezug zu Kokoschkas frühem Schaffen bisher noch nicht deutlich gemacht wurde: der freie Ausdruckstanz, und dabei insbesondere die Tänzerin Grete Wiesenthal.

Die Publikation von Kokoschkas frühen Briefen ermöglicht das Herstellen dieses Bezugs zu seiner Gebärdensprache ebenso wie ein Blick auf die Begeisterung der Wiener Künstler der Jahrhundertwende für die Ausdrucksmöglichkeiten des neuen Tanzes. Seit 1907 zählte Kokoschka zu den Bewunderern Grete Wiesenthals. Im Januar 1908 trat sie vor einem enthusiasmierten Publikum im

35. OK, Detail aus »Die Schlafenden«, aus »Die träumenden Knaben«

36. OK, Detail aus »Das Schiff«,
aus »Die träumenden Knaben«

Kabarett »Fledermaus« auf, nachdem sie mit der Wiener Balletttradition gebrochen und das Hofopernballett verlassen hatte. An Erwin Lang, den Bruder Lilith Langs – des Mädchens »Li« aus den »Träumenden Knaben« –, schrieb Kokoschka Ende 1907 ironisch: »Mit der Lilith Lang und Wiesenthal komme ich fast nicht zusammen, weil ich noch keinen Smoking und Manieren habe.«[4] (Abb. 34–36)

Lang gegenüber, dem Freund und späteren Mann Grete Wiesenthals, bekannte Kokoschka auch, wohl im Februar oder März 1908: »Ich möchte heulen, daß die Wiesenthal wegfährt . . . (Sie) hat in jedem Tanz fünf-sechs Momente, die ich immer fast mit dem ganzen Körper erwartet habe, ich glaube, sie soll sich von dem bewußten Ausdrückenwollen des Stofflichen enthalten – es wird dann so wie die Strauß-Programmusik – und immer mehr diese Tanzornamente suchen wie im weißen Beethoven das dumpfe Schleichen, was mir wie von einem stummen Tier vorkommt, oder das Auseinanderfalten der Glieder im Donauwalzer, das der Finger oder das Zittern der Schenkel, wenn sie horcht, oder im Beethoven der furchtbare Verdruß mit dem gebogenen Körper, das Dämpfen eines Tones mit tiefer Hand usw. Diese Stellen wirken auf mich mit einer dunklen Wärme, die von der furchtbaren Reaktionsfähigkeit meiner Empfindlichkeit kommt. Ich habe meine ganze Innigkeit immer nur auf solche Dinge richten dürfen, die nicht antworten konnten und mein Gleichgewicht wieder hergestellt hätten.«[5]

Mit dem »weißen Beethoven« meinte Kokoschka offenbar einen Tanz der Wiesenthal zum Allegretto aus Beethovens F-Dur-Sonate op. 6, den sie in einem weißen, antikisierenden Gewand aufführte. Von diesem Tanz wie auch von dem hier gleichfalls erwähnten Donauwalzer brachte die Wiener Kulturzeitschrift *Erdgeist* eine Reihe von Photographien.[6] Sie zeigen, daß der freie Ausdruckstanz kaum vom Gebärden-Repertoire des Jugendstils zu trennen ist und dieses teilweise expressiv steigert. Kokoschka betont in seinem Brief weniger die Bewegung, den raumzeitlichen Aspekt des Tanzes, als vielmehr das Momenthafte und Pantomimische. Es entspricht seiner eigenen, etwa gleichzeitigen Arbeit an den Lithographien der »Träumenden Knaben« und an vergleichbaren Zeichnungen und Aquarellen. Die »Tanzornamente«, das »dumpfe Schleichen . . . wie von einem stummen Tier«, das »Auseinanderfalten der Glieder«, das »Dämpfen eines Tones mit tiefer Hand«: Diese Beschreibung des Wiesenthal-Tanzes könnte ebensogut die Figuren seiner eigenen, zu dieser Zeit entstehenden Blätter charakterisieren. (Abb. 37–41)

Daß Tanz und Pantomime im Bewußtsein Kokoschkas damals zu den wesentlichsten Ausdrucksformen zählten, wird auch aus seiner Dichtung »Die träumenden Knaben« deutlich: »erst war ich der tänzer der könige / auf dem tau-

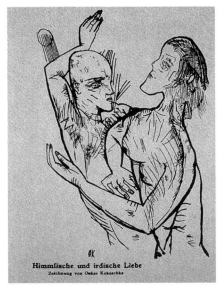

37. OK, Himmlische und irdische Liebe

38. Grete Wiesenthal, Posenphoto

39. Grete Wiesenthal, Donauwalzer

40. Grete Wiesenthal tanzt Beethoven

sendstufigen garten tanzte ich die wünsche der geschlechter / tanzte ich die dünnen frühjahrssträucher.«[7]

Den Text Kokoschkas kennzeichnet eine sehr bildhafte Sprache, immer wieder ist auch von Gebärden die Rede. Der »peruanische steinerne baum«: »seine vielfingrigen blätterarme greifen wie geängstigte arme und finger dünner / gelber figuren / die sich in dem sternblumigen gebüsch unmerklich wie blinde berühren.« Das »mädchen li«: (ich) »fühlte die geste der eckigen drehung deines jungen leibes / . . . ich stehe neben dir und sehe deinen arm sich biegen / . . . und ich will das kindliche zittern / deiner schultern erwarten und sehen.« Während diese sprachlichen Bilder noch ganz den gleichzeitigen künstlerischen Arbeiten Kokoschkas entsprechen, wirkt eine andere »pantomimische« Passage der Dichtung wie ein Vorgriff auf die im folgenden Jahr 1909 eruptiv entstehenden expressionistischen Schöpfungen: »mein abgezäumter körper / mein mit blut und farbe erhöhter körper / kriecht in eure laubhütten / schwärmt durch eure dörfer / kriecht in eure seelen / schwärmt in euren leibern.«

Im gleichen Jahr 1908, in dem Kokoschkas Buch »Die träumenden Knaben« durch die Wiener Werkstätte verlegt wurde, entwarf er ein Plakat für den Kaiser-Jubiläums-Festzug. *(Abb. 41)* Die starkfarbige Temperamalerei zeigt eine Frau und ein Kind mit Palmenblättern, zwei Büsche, die wie Leuchter wirken, und einen vom Himmel schwebenden Vogel, der an ein Heilig-Geist-Symbol erinnert. Die große Figur des Vordergrundes ist in der Haar- und Barttracht altassyrischer Könige dargestellt. Dominant sind einmal mehr die Gebärden, die an archaische Adorantenhaltungen denken lassen und den sakralen Charakter des Entwurfs verstärken. Daß seine Realisierung jenseits des Denkbaren für einen imperialen Repräsentationszug der Jahrhundertwende lag, braucht kaum näher ausgeführt zu werden.

Ein Jahr später schuf Kokoschka das Plakat für die »Kunstschau« des Sommers 1909. *(S. Abb. 47)* Es macht seinen Bruch mit der Secessionskunst offensichtlich. Auch hier leben die Figuren aus der Gebärde, die eckige Konturierung geht aus der früheren Stilisierung von Kokoschkas Figuren hervor, doch ist die Schönlinigkeit zugunsten des forcierten Ausdrucks aufgegeben. Die häufig verwendete Bezeichnung »Pietà« für dieses Plakat ist irreführend, da es gerade nicht die sich erbarmende und trauernde Zuwendung thematisiert, zumindest nicht primär, sondern den Geschlechterkampf in der exzessiven Weise vorführt, wie ihn Kokoschka damals empfand. Die schreckensverzerrten Züge der Frau und der verrenkte Körper des geschundenen Mannes entsprechen dem Gehalt seines Dramas »Mörder, Hoffnung der Frauen«, das durch diese Lithographie angekündigt und im Sommertheater der Kunstschau uraufgeführt wurde. Die Polarität der Geschlechter, die hier auch in Zusammenhang mit der Polarität von

41. OK, Plakatentwurf für den Kaiser-Huldigungs-Festzug, 1907/08

Sonne und Mond gesetzt wird, ist programmatisch für eine Reihe von Kokoschkas frühen Bühnenwerken. Einmal mehr zeigt sich in ihnen Kokoschkas Ausdruckskunst in der Form einer Gebärdensprache – vor allem in »Mörder, Hoffnung der Frauen«. (*Abb. 37*)

Der kurze Text zu diesem Drama enthält fast ebensoviel Regieanweisungen wie ›Dialog‹ – falls dieser Begriff hier angewandt werden kann. »Mörder, Hoffnung der Frauen« sollte weniger als eine literarische Schöpfung verstanden werden als vielmehr als ein vorwiegend visuell angelegtes Ereignis. Eine Sequenz ekstatischer Szenen bildet den in äußerster Verkürzung sich vollziehenden Ablauf des Dramas. Mann und Frau begegnen einander in dem Stück in einer Mischung aus Gier und Gewalttätigkeit. Der Mann, der ihr nach der ersten Begegnung sein Zeichen ins Fleisch brennen läßt, wird von der Frau schwer verwundet. Bereits im Starrkrampf, wird er in einen Turm gesperrt; die Frau wendet sich ihm wieder zu. Sie stirbt, während der Mann sich aufrichtet und »rot fortgeht«.

Die Federzeichnungen zu Kokoschkas »Mörder«-Drama zeigen Mann und Frau in komplizierten Körperhaltungen, mit ausladenden, aggressiven Gesten. In ihrer Konzentration auf das Liniengerüst der dargestellten Figuren haben sie alle Reste von Dekorativität hinter sich gelassen. Sie sind nicht mehr traumversunken, in ihrem Inneren verharrend, sondern entsprechen der ersten Phase von Kokoschkas Expressionismus. Die Gestaltung des Geschlechterkampf-Themas erfolgt dabei über die Veranschaulichung der seelisch-körperlichen Erregung. Analog dazu sind im Drama Gestik und Mimik, sind die Farben der Personen und der verschiedenen Requisiten und die Lichtregie dominanter als der ›Dialog‹. Dessen Form ist gleichfalls aufs äußerste gesteigert; er ist teilweise singend-entrückt vorzutragen.

Der Kritiker Paul Frank empfand demgemäß den Autor anläßlich der Uraufführung als »von einer bewundernswerten Rücksichtslosigkeit gegenüber seinen Akteuren. Vom ersten bis zum letzten Wort heißt er sie mit allem Stimmaufwande brüllen, ohne Erbarmen. Das Wort steht oft in gar keinem Zusammenhang mit dem Tun.«[8] Der Rezensent des *Neuen Wiener Journals* beschrieb die »gequält konstruierten Wortexzesse, das unverständliche ekstatische Gekreische, das Herumkollern von Menschenklumpen auf der Bühne«.[9] Vermutlich zeigt Kokoschkas ›Mörder‹-Stück auch die Wirkung des ekstatischen und pantomimischen Charakters von Hugo von Hofmannsthals »Elektra«. Vier Jahre vor der Kunstschau-Premiere von »Mörder, Hoffnung der Frauen« hieß es über eine »Elektra«-Aufführung, in frappant ähnlicher Schilderung: »Es geht schrecklich zu auf der Bühne. Die Frauen kreischen und heulen, und während der Hälfte des Dramas ungefähr rutschen sie auf der Erde herum.«[10]

Die Faszination durch den Ausdruckstanz bei Hofmannsthal – worauf ich

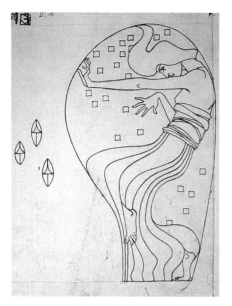

42. KOLO MOSER, Tänzerin, um 1904

43. Ruth Saint-Denis, Tanzpose

44. EGON SCHIELE, Postkartenentwurf
für die Wiener Werkstätte, 1911

92

gleich zurückkomme – wie bei Kokoschka soll nicht als Inspiration für diese Bühnenwerke reklamiert werden. Sie belegen vielmehr die ausdruckssteigernde Weiterentwicklung der Impulse des neuen Tanzes und der ihm verwandten Tendenzen.

Derartige Impulse blieben allerdings nicht auf den jungen Kokoschka beschränkt. Sie bilden einen wichtigen Bestandteil der aufbruchsgestimmten Wiener Kunst zur Jahrhundertwende, der zeigt, daß das künstlerische Ambiente Kokoschkas damals geradezu tanz›geschwängert‹ war. Es wird in diesem Zusammenhang noch zu wenig wahrgenommen, in welchem Maße sich bereits die Secessions-Künstler für die neuen Formen des Tanzes begeisterten, der, von den Vereinigten Staaten ausgehend, auch Europa in seinen Bann schlug. (*Abb. 42*) Das Gebäude der Wiener Secession war wiederholt Schauplatz tänzerischer Darbietungen. 1902 gastierte dort Isadora Duncan,[11] die 1903 auch in einem Vortrag über die neue Bewegungsform sprach und 1904 ihr Gastspiel im Carltheater wiederholte.[12] 1898 war schon Loie Fuller in Wien aufgetreten, 1906 sah man Maud Allan[13] und Mata Hari[14] in der Secession. Wenig später fanden die Darbietungen von Ruth Saint-Denis ihren Niederschlag in enthusiastischen Rezensionen, darunter Hugo von Hofmannsthals Essay »Die unvergleichliche Tänzerin«.[15] (*Abb. 43, 44*) Diese Begeisterung provozierte ihrerseits wieder die Kritik von Karl Kraus, der in der *Fackel* weniger gegen das »anmutige Schlangenhandwerk« der Künstlerin, als vielmehr gegen die »stilistische Fingerfertigkeit« der Kritiker polemisierte.[16]

Darstellungen von Tänzerinnen waren ein beliebtes secessionistisches Motiv, beispielsweise bei Kolo Moser. In vielen Schöpfungen der Secession manifestiert sich eine Gefühlskultur, die einer patriarchalisch und rationalistisch orientierten Gesellschaft die »matriarchalen« Kräfte der Seele entgegenhalten will.[17] Im Gegensatz zur dominanten Zeitströmung der Jahrhundertwende ist das Weibliche in der Kunst der Wiener Secession durchaus positiv besetzt. Natur und Gefühl verschmelzen mit dem Bild der Frau, was bei dem männerbundartigen Charakter der Künstlervereinigung bemerkenswert erscheint. Das weibliche Element, das so sehr im Vordergrund der secessionistischen Bildwelt steht, kann als Ausdruck des Selbstheilungsversuchs einer am überbetonten Rationalismus erkrankten Gesellschaft gesehen werden. Unterdrückte Lebensinhalte, Emotionelles und Irrationales können ihre Äußerung in den dynamischen vegetabilen Formen des Jugendstils suchen, in der manchmal auch wuchernden floralen Ornamentik – oder eben in Tanzdarstellungen; sie evozieren Freiheit, Emotion, Rausch und Ekstase.

Hinzu tritt noch ein weiterer Aspekt: der sakarale. Die uralte Verbindung von Ekstase und Transzendenz gewinnt im Fin de siècle neue Aktualität. Im Tanz soll diese Verbindung wiederbelebt werden. Gustav Eugen Diehl, der Herausgeber der Zeitschrift *Erdgeist*, nannte 1908, was der »fast knabenhafte, . . . schmächtige Körper der Grete Wiesenthal tanzt, . . . das, wonach uns so Erkenntnisreichen allen das Herz blutet: eine Religion.« Ihre Kunst war ihm »ein ekstatischer, besessener: ein religiöser Tanz. Religiös wie der Tanz der ersten Bacchanten.«[18] Diehl war einer der eifrigsten frühen Künder des Wiesenthal-Tanzes. *Erdgeist* brachte 1908 zweimal ausführliche bebilderte Artikel über »Die Damen Wiesenthal in Wien«. In seinem zweiten Aufsatz wiederholte Diehl seine bereits zuvor geäußerte »heiße Sehnsucht« nach einem »Tempel« für den Tanz[19] und bekannte: »Wir werden nicht aufhören, uns nach einer Kirche zu sehnen, in der unsere kleine Gemeinde selig werden kann im Anschauen der Tänze der Damen Wiesenthal.«[20]

Peter Altenberg hatte im Jahr zuvor ganz ähnlich empfunden, als er über den Auftritt Gertrude Barrisons im Kabarett »Fledermaus« schrieb: »Der Raum wird zu einer Tanzkirche durch sie.«[21] Ludwig Hevesi empfand im Secessions-Auftritt der Mata Hari von 1906 »eine Art physischer Heiligkeit.«[22] Hofmannsthal sah im Tanz von Ruth Saint-Denis im gleichen Jahr »die berauschendste Verkettung von Gebärden, deren nicht eine an eine Pose auch nur streift. Es sind . . . Emanationen . . . höchsten, strengsten, hieratischen, uralten Stiles.«[23]

Schauspiel, Musik und Kult konvergieren zu dieser Zeit für viele Künstler, Literaten und Kritiker im Tanz. Der Tanz ist ein Hauptmotiv im dichterischen Werk von Else Lasker-Schüler und steht bei ihr, wie bei vielen anderen Schriftstellern, in engem Zusammenhang mit Nietzsches Rhythmus- und Tanzbegeisterung und der zur Jahrhundertwende weit verbreiteten Lebensphilosophie.[24] Geradezu das Programm einer den Tanz ins Zentrum rückenden Kunstphilosophie enthält ein kurzer Text Karl Federns aus dem Jahr 1903. Er bildet die Einleitung zu Isadora Duncans Büchlein »Der Tanz der Zukunft«. Federn setzt darin Tanz und Leben gleich, wobei mit Leben freilich verklärtes, ein vor dem Siegeszug des Rationalismus liegendes, seiner schöpferischen Fülle noch nicht verlustig gegangenes Leben gemeint ist. Wegen eben dieses programmatischen Charakters, der den zeitgenössischen Enthusiasmus für den Ausdruckstanz weithin kennzeichnet, sei Federn hier ausführlich zitiert:

»Was ist der Tanz, der einst die Quelle, die Urform des Rhythmus und der Poesie, der Mysterien und aller religiösen Feier war, in dem alle Inspiration, alle Rauschelemente, das gesteigerte die Schöpfung fühlende Leben, einen anmutvollen oder wilden Ausdruck fanden, was ist er bei uns geworden? In jenen Zeiten, in denen es keine Theorie gab, war er ein natürliches Bedürfnis des erregten, mit allen Sinnen nach Ausdruck lechzenden Menschen. Er war der unschuldige Ausdruck sei es jugendlicher Fröhlichkeit, sei es orgiastischer Sinnlichkeit, sei es religiöser Begeisterung. Er war die Feier der Völker, deren Dichtung, deren Musik, deren Tanz Ekstase war, deren Kunst vom Leben noch nicht getrennt war, und auch nicht von der Religion, die ihr Leben erfüllte und beherrschte. Dies gab ihrer Kunst den hohen Ernst und den geschlossenen Stil. Und dabei war dieser Ernst – das befremdet uns am meisten und wird am seltensten begriffen – nicht vom Spiele getrennt und noch nicht schwerfällig geworden. Aber schließlich ward der Mensch sich der Kunst bewußt, und es kam die kritische Theorie. Damit fiel ein Gitter zwischen sie und das Leben, ein Gitter, das die Kunstgelehrten bewachten und ängstlich hüteten. Die Kunst, vom Leben, aus dem sie bisher quoll, abgeschnitten, ward zu blutloser Künstlichkeit.«[25]

Auch für die neuen Formen des Theaters war der Tanz von zentraler Bedeutung. Edward Gordon Craig, der 1905 in der Wiener Galerie Miethke ausstellte, veröffentlichte im gleichen Jahr seine Schrift »Die Kunst des Theaters«. Darin postulierte er ein grundsätzlich visuell ausgerichtetes Bühnenspiel, in dem »Faktoren wie Bewegung, Rhythmus, Linie oder Farbe« dominieren. So sollte an die Stelle des reinen Sprechstücks eine Art »sakrale(r) Tanzpantomime« treten.[26] Kokoschka und wenig später Arnold Schönberg haben diese Forderungen an das neue Theater in extremer Form verwirklicht.

In Albert Paris Güterslohs 1909 geschriebenem Roman »Die tanzende Törin« sagt Ruth, die Hauptperson, von sich selbst: »Ich will Tänzerin werden . . . Nicht Ballett. Oh nein . . . Ich will eigenartige Tänze tanzen, Tänze, die viel ausdrücken. Was Ruth St. Denis, die Sacchetto, die Mata Hari wollen.«[27] Ihr Tanzverlangen ist zugleich Ausdruck eines Selbstverwirklichungsversuchs und einer erotischen Grundproblematik, die das Buch auf mehreren ineinander verschlungenen Handlungsebenen durchzieht. Jedoch nicht im Tanz als einer Kunstform gelangt Ruth zur Erfüllung ihres Dranges, sondern in dem rauschhaften, besinnungslosen Tanz in einem Wirtshaus: »Sie tanzt mit geschlossenen Augen. Tanzt, um etwas Ungeheuerliches zu vergessen . . . Immer ärger wird ihr Tanzen, immer rasender ihr Tanzbegehren.«[28] Den Tanz hat Gütersloh zur Lebensmetapher seiner »Tanzenden Törin« erhoben. Schon in Schnitzlers Schauspiel »Der einsame Weg« will Johanna Wegrat Tänzerin werden, um der allzu geordneten Welt ihrer Familie zu entfliehen – auch hier wird der Tanz zum Symbol einer erhofften Befreiung.

Daß Gütersloh im Tanz und in der Gebärde Urformen der Mitteilung erblickte und sie in ihrer Archaik als der sprachlichen Kommunikation überlegen sah, brachte er auch in seinem »Versuch einer Vorrede« zu Egon Schiele zum Ausdruck: »Denn zu sagen wissen wir vom Kunstwerke beinahe nichts. Leute, die Gruppen stellen nach berühmten Bildern, sind seiner Urwirkung näher, als die lauten Ekstatiker, weil sie zu ahnen scheinen, daß Bilder nur Gebärden verlangen. Und wenn wir doch sprechen, sind unsere Worte nur die versetzten und zufällig tönenden Gebärden des Körpers, die man in Unkenntnis ihres Willens in der Mundhöhle zusammengedrängt hat. Irgend ein Bild entsteht, wenn die anfänglich erregte Pantomime der Einfälle beginnt in ihrem Lichte und auf dem Orte ihrer Aktion zu erstarren.«[29]

Die synästhetischen Möglichkeiten des Tanzes, vor allem in seiner Verbindung mit der Musik, mußten in Wien besonders faszinieren. Hofmannsthal nannte Ruth Saint-Denis in seinem Essay »den Tanz an sich, die stumme Musik des menschlichen Leibes.«[30] Auch Altenberg erblickte in Gertrude Barrisons Auftritt im Kabarett »Fledermaus« von 1907 »getanzte Musik«.[31] Das Interesse am Tanz als einer suggestiven Ausdrucksform trifft sich in Wien mit den neuen Wegen des Musikdramas, die an der Hofoper eingeschlagen wurden. Die Zusammenarbeit Gustav Mahlers und Alfred Rollers verwirklichte dabei die revolutionären Inszenierungsvorstellungen Adolphe Appias, die zur inneren Struktur des jeweiligen Werks hinführen sollten. Tanz und Pantomime, Licht und Farbe sind die neuen Mittel, die dazu eingesetzt werden, die innere Handlung zu veranschaulichen, in der darstellenden wie in der bildenden Kunst. Diese Veranschaulichung des Inneren wurde in der Folge auch expressionistisches Programm – in einer Form, deren Wahrhaftigkeit der Ästhetizismus der Secession zum Opfer gebracht wurde.

Mimik und Gebärdensprache bilden eine der wichtigsten Aussageweisen des grenzüberschreitenden österreichischen Frühexpressionismus: Zu den genannten Werken Kokoschkas tritt Schönbergs »Glückliche Hand«, treten die noch dem Jugendstil verpflichteten Holzschnitte Erwin Langs für das Wiesenthal-Buch von 1910[32], treten die frühen Zeichnungen Güterslohs – ganz abgesehen von seinem Roman –, tritt die Gebärdensprache in den Figurenbildern und Porträts Max Oppenheimers und tritt nicht zuletzt die Kunst Egon Schieles.

Die Figuren in Schieles frühen Bildern leben aus der Gebärde. Kaum jemals gibt es in ihnen Personen, die nicht durch irgendeine Geste gekennzeichnet wären. Der ganze Körper wird zum Gestaltungsmittel, sowohl in seiner Gesamterscheinung wie auch im Detail. Insbesondere die Gesichtsmimik und die Haltung der Hände sind Träger einer Körpersprache, deren Stilisierung eine große Anzahl auch wiederkehrender Formmittel enthält. Auch im Falle Schieles ist die Begeisterung für den Tanz überliefert, nämlich für Ruth Saint-Denis. Sie war ihm Maßstab körperlicher Gewandtheit: Bei Arthur Roessler begegnete Schiele einer Sammlung javanischer Schattenspielfiguren, mit denen er stundenlang und mit erstaunlicher Geschicklichkeit spielen konnte – wobei er meinte, daß sie dem Tanz der Saint-Denis noch überlegen wären.[33]

Einen in bezug auf seine Tanzbegeisterung kongenialen Freund hatte Schiele in

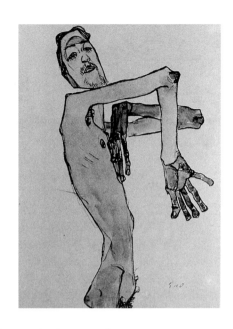

45. EGON SCHIELE, Erwin van Osen
als Halbakt, 1910

Erwin Osen, mit dem zusammen er auch 1909 in der »Neukunst«-Gruppe ausstellte. Osen, ehemals Theatermaler, trat zusammen mit der Tänzerin Moa als
Mimiker in Kabaretts auf. Gleich Schiele interessierte er sich für den Körperaus-
druck Kranker; er zeichnete unter anderem in der Landesirrenanstalt von Steinhof für einen Vortrag über den »pathologischen Ausdruck im Porträt«.[34] Mime
van Osen, wie er sich auch nannte, arbeitete zeitweise mit Schiele in Atelierge-
meinschaft. Nach Roesslers Bericht stand Schiele eine Zeitlang unter einem geradezu magischen Einfluß Osens und seiner Begleiterin Moa, einer »gerten-
schlanke(n) Tänzerin mit einem zu maskenhafter Ruhe erstarrten beinweißen
Gesicht unter blauschwarzem Scheitel, . . . (mit) gleichsam blicklosen, großen,
jettdunklen, unter braunblau beschatteten, langbewimperten und überschweren
Lidern schwermütig mattschimmernden Augen.«[35] Sowohl Moa als auch Osen
hat Schiele wiederholt gezeichnet, letzteren in einer ganzen Reihe ekstatischer
Körperhaltungen und mit übersteigerter Mimik. (*Abb. 45*) Mehrere Bildnis-
und Aktzeichnungen nach Osen von 1910 haben Entsprechungen in Selbstbildnissen Schieles und in Porträts anderer. Die überlangen, schmalen Finger und
Gliedmaßen, der gelängte Kopf, der Verzicht auf jedes weitere Requisit und auf
die Schilderung des Umraums bewirken in vielen von Schieles Bildnissen und
Selbstporträts von 1910 eine Konzentration auf die psychophysische Aussage.
Sie lebt zu einem großen Teil aus der Gebärde. (Schieles Posenphotos datieren
erst vier Jahre später.)

Diese Hinweise auf die Affinität zwischen Tanz und Gebärde in der Ausdruckskunst der frühen österreichischen Moderne ließen sich noch beträchtlich vermehren. Sie sollten das entsprechende Umfeld der frühen Kunst Kokoschkas deutlich machen. Für Kokoschka und Schiele ebenso wie für eine Reihe weiterer Künstler bot – neben etlichen anderen Impulsen – der freie Ausdruckstanz eine Anregung, die nicht länger ignoriert werden sollte. Er war vor allem für die Phase des Übergangs vom Jugendstil zum Expressionismus und für den Frühexpressionismus wesentlich. Diese Anregung erscheint heute von erneuter Aktualität: im Zeichen einer vergleichbaren Faszination durch den zeitgenössischen Tanz und im Zeichen des internationalen Interesses an der frühen österreichischen Ausdruckskunst.

ANMERKUNGEN

Grundlage dieses Beitrags bildet das Buch des Verfassers: Physis und Psyche. Der österreichische Frühexpressionismus. Wien 1986 (in Druck).

 1 Peter Weibel, Das goldene Quadrupel: Physik, Philosophie, Erkenntnistheorie, Sprachkritik, in: Wien um 1900. Kunst und Kultur. Wien 1985, S. 407–418.
 2 Vgl. Walter Schmähling, Der deutsche Expressionismus 1910–1918, in: Handbuch der Literaturwissenschaft, Bd. 19. Wiesbaden 1976, S. 268.
 3 Alfred Roller, Bühnenreform? in: Der Merker, 1. Jg., 1909/10, H. 5, S. 193–200.
 4 Oskar Kokoschka, Briefe, Bd. 1, 1905–1919, Hg. Olda Kokoschka u. Heinz Spielmann. Düsseldorf 1984, S. 6. Zu Grete Wiesenthal vgl. Kat. Die neue Körpersprache – Grete Wiesenthal und ihr Tanz. Wien, Hermesvilla 1985/86. Und: Leonhard M. Fiedler/Martin Lang, Grete Wiesenthal. Die Schönheit der Sprache des Körpers im Tanz. Salzburg 1985.
 5 Ebda., S. 8 f.
 6 Erdgeist, 4. Jg., 1909, H. 10.
 7 Oskar Kokoschka, Die träumenden Knaben. Wien 1908. Seither mehrere Ausgaben, auch abgedruckt in: Oskar Kokoschka, Dichtungen und Dramen. Das schriftliche Werk, Bd. 1, Hg. Heinz Spielmann. Hamburg 1973, S. 8–16.
 8 Paul Frank, Kokoschka, in: Wiener Allgemeine Zeitung, Jg. 30, 7. 7. 1909, S. 3.
 9 Neues Wiener Journal, Jg. 17, 5. 7. 1909, S. 4. Zit. n. Werner J. Schweiger, Der junge Kokoschka. Wien 1983, S. 111.
10 Zit. n. Georg Jäger, Kokoschkas »Mörder, Hoffnung der Frauen«. Die Geburt des Theaters der Grausamkeit aus dem Geist der Wiener Jahrhundertwende, in: Germanisch-romanische Monatsschrift, Neue Folge Bd. 32, 1982, H. 2, S. 215–233. In diesem Zusammenhang Anm. 82.
11 Vgl. Ludwig Hevesi, Acht Jahre Sezession. Wien 1906, Reprint Klagenfurt o. J. (1984), S. 368–370.
12 Ebda., S. 516–523.
13 Ludwig Hevesi, Altkunst – Neukunst: Wien 1894–1908. Wien 1909, S. 280–282.
14 Ebda., S. 279 f.
15 Ebda., S. 282–284. – Hugo von Hofmannsthal, Die unvergleichliche Tänzerin, in: Ges. Werke, Prosa Bd. 2. Frankfurt a. M. 1951, S. 256–263. Erstveröff. 1906 in »Die Zeit«.
16 Die Fackel, Nr. 216, 9. 1. 1907, S. 20 f.

17 Vgl. Michael Pabst, Wiener Grafik um 1900. München 1984.
18 Gustav Eugen Diehl, Die Damen Wiesenthal in Wien, in: Erdgeist. 3. Jg., 1908, H. 1, S. 19–21. Zitat S. 21.
19 Ebda.
20 Ebda. H. 3/4, S. 87–91, Zit. S. 91.
21 Peter Altenberg, Kabarett »Fledermaus«, in: Wiener Allgemeine Zeitung, 28. Jg., 1907, Nr. 8873, 22. 10., S. 4 f. Zit. n. Werner J. Schweiger, Wiener Werkstätte. Kunst und Handwerk 1903–1932. Wien 1982, S. 139.
22 Hevesi, Altkunst – Neukunst (wie Anm. 13), S. 279.
23 Hofmannsthal (wie Anm. 15), S. 261.
24 Vgl. Andrea Bandhauer, Die Motive der Bewegung und des Tanzes in Else Lasker-Schülers Werk, Phil. Diss. Maschinschr. Manuskr. Innsbruck 1984.
25 Beginn der Einleitung von Karl Federn zu: Isadora Duncan. Der Tanz der Zukunft/The Dance of the Future. Eine Vorlesung. Leipzig 1903, S. 5.
26 Zit. n. Richard Hamann/Jost Hermand, Stilkunst um 1900. Berlin 1967, S. 477 f.
27 Albert Paris Gütersloh, Die tanzende Törin. Wien–München 1973, S. 164.
28 Ebda., S. 280 f.
29 Albert Paris von Gütersloh, Egon Schiele. Versuch einer Vorrede. Wien 1911. Auch in: Christian M. Nebehay, Egon Schiele 1890–1918. Leben, Briefe, Gedichte. Salzburg–Wien 1979, S. 153 f., Anm. 11.
30 Hofmannsthal (wie Anm. 15), S. 260.
31 Altenberg (wie Anm. 21).
32 Oskar Bie, Grete Wiesenthal. Holzschnitte von Erwin Lang. Berlin 1910.
33 Arthur Roessler, Erinnerungen an Egon Schiele. Wien 1948 (Erweiterte Ausgabe der Erstauflage Wien 1922), S. 36.
34 Offenbar im Auftrag des Referenten Dr. Kornfeld. Vgl. Nebehay (wie Anm. 29), S. 270, Nr. 570.
35 Roessler (wie Anm. 33), S. 39.

HENRY I. SCHVEY

Mit dem Auge des Dramatikers:
Das Visuelle Drama bei Oskar Kokoschka

Wenn diese Abhandlung mit einer besonderen Haltung, einer speziellen Dringlichkeit und Pflichttreue geschrieben wurde, so kann dies auf folgende Widmung zurückgeführt werden, die Oskar Kokoschka in mein Exemplar seiner »Dichtungen und Dramen« schrieb, als meine Gattin und ich ihn und Frau Olda 1973 in ihrem Haus in Villeneuve besuchten:
»Für meinen Freund Henry I. Schvey. Falls Du dieses Buch nicht mit Interesse liest, bringe ich Dich um. Denn Du besitzt die Begabung und das Verständnis dafür.«
Ich führe diese Widmung nicht an, um meine persönliche Bekanntschaft mit Kokoschka hervorzuheben, sondern aufgrund meiner Feststellung – hier in der Hochschule für angewandte Kunst, wo er studierte, die sich auf dem jetzigen Oskar-Kokoschka-Platz befindet, mit einer neuerdings erst enthüllten Büste vor ihren Toren –, daß Kokoschka, der seine außergewöhnliche Karriere als Rebell und Bilderstürmer begann, heute als Mitglied des künstlerischen »Establishment« gefeiert wird.
Kokoschkas Widmung bringt zum Ausdruck, daß sich sein Kunstbegriff seit jeher auf das Prinzip eines militanten Individualismus stützte, eine Verwerfung alles Kollektiven, Imitativen und Institutionalisierten in der menschlichen Psyche; wie er zu mir über das Thema Künstler sagte: »Immer, selbst in der Steinzeit, gab es einige wenige, die einen Bison oder einen Elefanten zeichnen wollten, weil es sie plötzlich überkam. Nicht wegen der Jagd. Nein, nein, das ist alles Unsinn. Wir suchen immer nach der materiellen Seite, nach der Nützlichkeit. Nein, es überkam sie einfach. Und ich bin ein Steinzeitmensch.«
Indem wir mit Respekt und Verehrung seiner gedenken, dürfen wir uns nicht dazu verleiten lassen, sein Andenken aus dem tatsächlichen Kontext herauszulösen, jenen Wilden zu zähmen, der zu Beginn unseres Jahrhunderts, als er sich von der Wiener Gesellschaft als Krimineller gebrandmarkt fühlte, dadurch schockierte, daß er sich den Kopf kahl rasierte, um in der Tat wie ein Krimineller auszusehen. *(Abb. 46)*
Obgleich Kokoschka als einer der bedeutendsten Künstler dieses Jahrhunderts eine gerechte Würdigung erfährt, bleiben seine Bühnenwerke vielen gänzlich unbekannt – vielen, die ein ernsthaftes Interesse an der Entwicklung des moder-

46. OK, Aufnahme 1909

nen deutschen Dramas bezeugen, vielen, die sich mit den Beziehungen zwischen Literatur und bildender Kunst auseinandersetzen, und sogar vielen Kokoschka-Spezialisten. Tatsächlich schrieb Kokoschka, in einem Zeitraum von sechzig Jahren, sechs Bühnenwerke; die ersten (»Mörder, Hoffnung der Frauen« und »Sphinx und Strohmann«) bereits 1907, das letzte (»Comenius« – über den tschechischen Reformer) erst im Jahre 1973.

Daß diese Bühnenwerke unbeachtet blieben, ist aus zwei Gründen überraschend: zum ersten aufgrund ihrer Qualität als Drama an sich, und zum zweiten, wie ich in meinem Buch »Oskar Kokoschka: The Painter as Playwright«, ausführlich diskutiert habe, wegen ihres Stellenwertes im Gesamtwerk des Künstlers, wo sie eine nicht zu trennende Einheit mit dessen bildnerischem Schaffen darstellen – so daß niemand, der ein ernsthaftes Interesse an dem Künstler Oskar Kokoschka zeigt, es sich leisten kann, das »Auge des Dramatikers« zu ignorieren.

Nichtsdestotrotz haben viele Fachleute, die den Maler und Graphiker Kokoschka behandelten, seine Werke für die Bühne ignoriert oder aber leichthin als »kuriose Nebenprodukte eines großen Malers«[1] abgetan. Die wenigen Literaturhistoriker und Kritiker, die Kokoschkas Bedeutung als Erneuerer im dramatischen Fach erkannten, konzentrierten sich jedoch allein auf seine Anregun-

101

gen für das Theater des Expressionismus. Außer acht ließen sie jene Werke (»Hiob«, »Orpheus und Eurydike«, »Comenius«), die sich nur mit geringem Erfolg in den Rahmen einer expressionistischen Interpretation fügen ließen, deren Bedeutung aber für Kokoschka als Dramatiker unbestreitbar bleibt.

Von eminenter Wichtigkeit erscheint mir, daß bestehende Analysen der Bühnenstücke es versäumt haben, den Kern von Kokoschkas Interesse am Theater offenzulegen – seine Auseinandersetzung mit der Bühne als Medium des *Visuellen,* mit einem enormen Potential an konkreten, non-verbalen Ausdrucksmitteln, wie dem Bühnenbild, Farbe, Licht, Gestik und Pantomime. In der Vergangenheit verfielen Kritiker in ihren Diskussionen immer wieder in den Fehler, die literarischen Aspekte seines Bühnenwerks von denjenigen zu isolieren, die erst die Faszination an einem Drama Kokoschkas bewirken: die des visuellen Elements.

Schon in seiner ersten Arbeit, »Die träumenden Knaben«, die 1907 erschien, als er gerade einundzwanzig Jahre alt war, ist etwas von Kokoschkas Drang zu verspüren, den visuellen Ausdruck mit der literarischen Form zu kombinieren.

Als Kunststudent beauftragt, ein Bilderbuch für Kinder anzufertigen, schenkte Kokoschka seinen Anweisungen nur wenig Beachtung und stellte eine einzige Farblithographie her. Der Text, den er dazu verfaßte, kann als das überhaupt erste Beispiel des »stream-of-consciousness«-Stils in der deutschen Sprache gewertet werden – ein Gedicht ohne Großbuchstaben und Interpunktion, aufgebaut aus einer Folge kaleidoskopisch-wechselnder Bilder, nur lose verbunden durch das Bewußtsein des Träumenden, eines heranwachsenden Knaben, der zum erstenmal sexuelles Verlangen verspürt. Das Gedicht wurde von sieben zusätzlichen Lithographien begleitet und präsentierte sich, wie es ein zeitgenössischer Kritiker formulierte, als »ein Märchenbuch . . . aber nicht für Philisterkinder«.

Vor den »Träumenden Knaben« weisen seine Arbeiten in der Wiener Werkstätte den machtvollen Einfluß des Wiener Jugendstils auf, einen Einfluß, den die Lithographien auch weiterhin nicht leugnen (so ist das gesamte Buch Gustav Klimt gewidmet). Doch bereits mit diesem Gedicht, das eine räumliche und zeitliche Kontinuität außer acht läßt und das die Haßliebe in den zwischengeschlechtlichen Beziehungen (mit einer Ausnahme die Thematik jedes seiner Bühnenstücke) mit eindrucksvollen Bildern illustriert, manifestiert sich Kokoschkas Befähigung zum visuellen Dramatiker ganz klar.

In meiner Studie über Kokoschkas Bühnenwerke habe ich die visuelle Komponente jedes seiner Stücke bis ins Detail untersucht, ein Unterfangen, das für den gegenwärtigen Essay bei weitem zu umfangreich wäre. Daher möchte ich meine Thesen vielmehr anhand eines einzigen, des ersten Bühnenwerkes Oskar Kokoschkas, »Mörder, Hoffnung der Frauen«, erläutern. Am 4. Juli 1909, als der Autor, ein Student der Kunstgewerbeschule, erst kaum dreiundzwanzig Jahre zählte, gelangte das Stück an einer kleinen Freilichtbühne nahe der »Kunstschau« in Wien zum erstenmal zur Aufführung. Im darauffolgenden Jahr erschien es bereits in der einflußreichen »Avantgarde«-Zeitschrift Herwarth Waldens, *Der Sturm,* die damals die beachtliche Zahl von 30.000 Abonnenten aufweisen konnte.

Obwohl es Kokoschkas erstes Stück war, war das kleine Freilufttheater voll besetzt, hauptsächlich aufgrund eines aufsehenerregenden Plakats, welches er für das Stück entworfen hatte, eine sonderbare Pietà; es zeigt den blutigroten Leib eines toten Mannes, der von einer furchterregenden, todesgleichen Frau im Schoß gehalten wird, einer bleichen Gestalt mit schwarzem Haar, tiefliegenden Augen und entblößten Zähnen – ihre Haut ist völlig weiß, mit Ausnahme der roten Lippen. Die Aufführung löste einen Tumult aus, und die Verhaftung Kokoschkas konnte nur durch persönliche Intervention von Adolf Loos und Karl Kraus verhindert werden. In der Folge jedoch sah sich der »Bürgerschreck« (wie Kokoschka damals betitelt wurde) gezwungen, die Kunstgewerbeschule und kurz darauf auch Wien zu verlassen.

Das Bühnenstück ist sehr kurz gehalten (nur sechseinhalb Textseiten), es besteht aus einer einzigen, nicht weiter unterteilten Szene. Die Handlung wird von zwei namenlosen Charakteren, dem »Mann« und der »Frau«, mit einem Chor aus Männern und Frauen, den »Kriegern« und »Mädchen«, getragen. Als Zeit der Handlung wird schlicht »das Altertum« angegeben. Die Kulisse besteht aus einem Turm mit einer großen, eisernen Käfigtüre im hinteren Teil der Bühne. Sowohl 1909 als auch 1917 bei der Aufführung im Dresdner Albert-Theater malte Kokoschka den Bühnenhintergrund selbst. In der Dresdner Aufführung zeigte der Hintergrund eine aus den Wolken hervorbrechende Sonne, den Mond mit ihrer Helligkeit überstrahlend. Zur Rechten war ein Meer abgebildet, zur Linken zwei weitere turmähnliche Gebilde. Die Signifikanz dieses Hintergrundes werde ich später, im Zusammenhang mit der Hell-Dunkel-Symbolik des Bühnenwerks, behandeln. Der Bühnenraum ist düster, einzig durch die Fackeln der Krieger erleuchtet, und die schwarze Bühnenplattform steigt als schiefe Ebene zum Turm hin auf.

Die Handlung des Stückes läßt sich folgendermaßen zusammenfassen: der Mann (blaugepanzert, mit weißem Gesicht und einem Tuch, das eine Wunde auf seiner Stirn bedeckt) tritt in Begleitung seiner Krieger auf, die ihn zurückzuhalten suchen. Sie halten ihre Fackeln empor und schreien wild durcheinander. Als der Mann sich aus ihrer Umklammerung befreit, stoßen sie einen Schrei aus, dessen Tonhöhe immer mehr ansteigt. Die Frauen treten mit ihrer Anführerin von links auf. Die Frau (hochgewachsen, mit langem, blondem Haar, in Rot gekleidet) erklärt ihre sexuelle Überlegenheit über die Männer und verlangt, daß ihr der Mann vorgeführt werde. Als sie einander gegenüberstehen, keimt in der Frau Furcht auf, und der Mann erscheint durch die Vorgänge verwirrt und benommen. Der Chor stachelt ihre Leidenschaft an, und die Frau gesteht ihr Verlangen nach und zugleich ihre Furcht vor dem Mann. Plötzlich erwacht der Mann aus seiner Lethargie und befiehlt seinen Kriegern, die Frau mit seinem Zeichen zu brandmarken. Sie schreit vor Schmerz, es gelingt ihr jedoch, sich nach der Brandmarkung zu befreien, um dem Mann mit einem Dolch eine tiefe Stichwunde zu versetzen. Auf einer Bahre wird der nahezu Bewußtlose von den Kriegern in den Käfig im Innern des Turms getragen, dabei sieht man seine blutende Wunde. Die Krieger wenden sich von ihm ab und gesellen sich zu ihren Kameraden, die nun mit den Frauen am Boden rechts auf der Bühne lagern.

Bis auf ein schwaches Leuchten innerhalb des Käfigs ist es auf der Bühne vollkommen finster. Im Kreise umherkriechend, schleppt sich die alleingelassene Frau über die Bühne, dem verwundeten Manne drohend, ihn verhöhnend, verzweifelt darum bemüht, ihn zu erreichen. In dem Maße, wie der Mann sich erholt, wird sie zusehends schwächer, dennoch setzt sie ihre verbalen Attacken gegen ihn fort. Der Mann erlangt seine volle Stärke zurück, und die Frau, am Ende ihrer Kräfte, schmiegt sich trotz des trennenden Gitters an ihn. Sie gleitet zu Boden, während der Mann (nun aufrecht) die Gittertür aufstößt. Er berührt ihre ausgestreckte Hand, und sie fällt, einen langsam sterbenden Schrei ausstoßend. Im Fallen schlägt sie einem alten Krieger, der beim Käfig zurückblieb, die Fackel aus der Hand und taucht dabei die Bühne in einen Funkenregen. Der Mann entsteigt nun dem Käfig und steht über den Männern und Frauen des Chors, die in Angst und Schrecken entfliehen, während der Turm lodernd aufflammt. Er erschlägt alle und eilt durch das Feuer hinaus; in der Ferne kräht ein Hahn.

Kokoschkas erstes Bühnenwerk ist primär ein Versuch, den sexuellen Krieg zwischen Mann und Frau mit einfachsten Mitteln zum Ausdruck zu bringen. Gerade erst dem Jünglingsalter entwachsen, betrachtete der Autor das andere Geschlecht mit einer Unsicherheit, einer Art Neugier, Furcht und Begierde zugleich. Als ich ihn 1973 interviewte, sagte Kokoschka über sein erstes Bühnenstück: »Es war genau das, was ich mir über Frauen vorgestellt hatte, als ich jung war . . . Ich bin stärker! Ich würde nicht von ihr verschlungen werden.«

Im Grunde eine Veranschaulichung der permanenten Haßliebe, die in den Beziehungen zwischen den Geschlechtern vorherrscht, entlädt sich »Mörder, Hoffnung der Frauen« auf der Bühne mit der Gewalt einer chemischen Reaktion, und man versteht, weshalb dieses Schauspiel bei seiner Uraufführung einen

Skandal auslöste. Die Sprache, zu Fragmenten, Ausrufen und Schreien redu-
ziert, veranlaßte den Kritiker Bernhard Diebold, zum Ausdruck »schreiende
Bilder« zu greifen, um das Stück in der *Frankfurter Zeitung* zu attackieren: »Das
Wort wurde zur Nebensache; Schrei, Spiel und Bild überwogen.«[2]
Aber Diebold verkannte die Intention, die Essenz des Stückes, die nicht so sehr
in der Verwerfung der Sprache bestand als vielmehr im Erheben des visuellen
Spektakels auf eine Ebene, die, wie der Dramatiker Paul Kornfeld bemerkte,
eine neue Kunstform darstelle, welche am ehesten in der Oper eine Entsprechung fände: »die vom Wort gestützte Pantomime.«[3] Was Kokoschka instinktiv
gefühlt und auf der Bühne hatte entstehen lassen, formulierte dreißig Jahre später Antonin Artaud in »Le Théâtre et son Double«, seiner revolutionären Thea-
tertheorie:
»Das Theater gibt alle in unserem Innern schlummernden Konflikte und ihre
ganze Energie wieder, erfindet Namen für sie, die wir als Symbole feiern – und
siehe! vor unseren Augen wird ein Kampf der Symbole ausgetragen . . . Das
Theater wird sich niemals erneuern, es sei denn, es führt dem Zuschauer die un-
verfälschten Wahrnehmungen des Traumes vor . . . Die Domäne des Theaters
ist nicht das Psychologische, sondern das Plastische, das Physische.«[4]
Die einleitenden Regieanweisungen verdeutlichen, daß der Zuschauer, bevor
noch ein einziges Wort gesprochen wird, einem Gewirr von Farben, Lichtern,
Schreien, Gesten und Bewegungen ausgesetzt ist. Zur Steigerung dieses totalen
optischen Effekts wurden die Gesichter und Körper der Akteure bemalt. So
sagte Kokoschka in unserem Gespräch: »Ich habe die Bühne in einer neuen Art
entdeckt. Ich war der erste, der ein mobiles Bühnenbild einsetzte, und Licht,
farbiges Licht, das sich bewegt wie Musik, die das Schauspiel illustriert. Ich habe
die starre Bühne abgeschafft.«
Dominant im Bühnenbild zu »Mörder, Hoffnung der Frauen« ist der Turm mit
der riesenhaften Käfigtüre. Für die Gestaltung des Stückes ist er von vitaler Bedeutung, das Stück selbst kann als Summe der Metamorphosen dieses Bildes angesehen werden. Vom Autor wurde diese Tatsache hervorgehoben, indem er in
seinen Regieanweisungen festlegte, daß die Bühnenplattform auf den Turm hin
ausgerichtet werde.
Dieses zentrale Bild stellt eine Verbindung zweier opponierender Elemente dar:
der Turm als phallisches, der Käfig als vaginales Symbol. Der erste Teil des
Schauspiels findet seinen Höhepunkt darin, daß der verwundete Mann in den
Käfig geschafft wird, eine Handlung, die mit visuellen Mitteln akzentuiert, wie
er von der Frau verschlungen wird. Als ihre Kraft wegen der Abwesenheit des
Mannes schwindet, wird der Mann zusehends stärker, er richtet sich im Käfig
auf, und trotz trennender Gitterstäbe schmiegt sich die Frau an ihn. Das Bild

präsentiert sich nun als präzise Metapher auf das Paradoxon, welches dem Schauspiel zugrunde liegt: die Geschlechter ziehen sich gegenseitig an, streben aber zugleich, einander zu beherrschen und zu zerstören. Als die Frau sich an den Mann schmiegt, beobachten wir einen seltenen Moment der Balance, die Kräfte des erstarkenden Mannes und die der niedersinkenden Frau halten sich die Waage – doch selbst nun weist uns das trennende Gitter auf die grundsätzliche Unvereinbarkeit der Geschlechter hin. Schon im nächsten Moment, als der Mann das Tor aufstößt, gerät die Balance, die für einen flüchtigen Augenblick Bestand hatte, ins Schwanken. Der Mann ermordet die Frau, und im Fallen legt sie Feuer an jenes Objekt, welches den gesamten Konflikt optisch repräsentierte – der Turm geht in Flammen auf. Auf diese Weise wird der zwischengeschlechtliche Konflikt, von der Einkerkerung des Mannes bis zu dessen Befreiung und Triumph, durch die Manipulation des zentralen Bildobjektes auf der Bühne illustriert.

Zusätzlich zum Einsatz szenischer Bilder verwendet Kokoschka die Farbe als Mittel zur visuellen Verdeutlichung des im Stück behandelten sexuellen Konflikts. Vordergründig wird durch die Verwendung der Farben Rot und Blau eine Gegenüberstellung bewirkt; das Gewand der Frau ist rot (die Farbe des Bluts und traditionellerweise ein Symbol des Fleischlichen), der Panzer des Mannes ist blau (die Farbe des Himmels, ein ebenfalls geläufiges Symbol für das Geistige). In frühen Versionen des Stückes ist diese Farbsymbolik noch eindeutiger festgelegt: die Käfigtüre war rot zu streichen, und während der Mann eingekerkert war, sollte nach den Regieanweisungen ein schwacher blauer Lichtschein vom Käfig aus die ansonsten dunkle Bühne beleuchten.

Die Farbsymbolik wirkt ebenfalls auf einer subtileren Ebene. Nach den einleitenden Regieanweisungen ist das Gesicht des Mannes weiß. Vom Beginn des Stückes bis zu seiner Gefangenschaft und darüber hinaus wird er fortwährend mit den Begriffen »weiß« und »bleich« assoziiert; »Führ uns, Blasser! . . . Wer ist der bleiche Mann? . . . Er ist ganz weiß . . . Bleich wie eine Leiche ist er«.[5] Zum Schluß jedoch, als der Mann erstarkt und die Kraft der Frau nachläßt, ist sie es, zuvor mit dem Farbattribut Rot belegt, die nun als »ganz weiß« beschrieben wird. (51)

Für Kokoschka gilt Rot als die Farbe des Lebens, Weiß als diejenige des Todes,[6] so daß der Farbwechsel, der auf der Bühne vonstatten geht, darauf hinweist, daß der Kampf der Geschlechter als eine kontinuierliche Bewegung vom Leben zum Tod und vom Tode zum Leben anzusehen ist, ein Zustand von fortwährendem Vampirismus, der sich in der vom *Sturm* veröffentlichten Version des Stückes verbatim aus dem Dialog ablesen läßt:

47. OK, Plakat für »Mörder, Hoffnung der Frauen«, 1909

Mann: Ich fraß Dein Blut, ich verzehre
       Deinen tropfenden Leib.
Frau: Du Vampir, frißt an meinem Blut,
       Du schwächst mich. (40)

Kokoschka führt den sexuellen Konflikt auch als Kampf zwischen Licht und Dunkelheit vor. Als die Frau mit ihren Attributen, dem Mond, der Nacht und der Dunkelheit, die finstere Bühne betritt, geht der Stern ihrer Macht auf, um die Kraft des Mannes, der mit der Sonne, dem Tag und dem Licht gleichgesetzt wird, in Schatten zu hüllen; »Mit einem Atem erflackert die blonde Scheibe der Sonne«. (45) Der Mann, andererseits, wird von dem Chor der fackeltragenden Krieger (die Sonnenstrahlen symbolisierend) in Vergangenheitsform vorgestellt, eine weitere, verbale Verdeutlichung der herrschenden Finsternis; »wir waren das flammende Rad um ihn«. (45)

Eingangs wird die Szene nur durch die Fackeln der Krieger erleuchtet, und als der Mann nun verwundet, eingekerkert und von seinen Kameraden verraten wird, gewinnt die Dunkelheit vollkommen die Überhand, es ist finster, bis auf einen schwachen Lichtschein im Innern des Käfigs. Umgekehrt, als die Frau ihrem Verlangen nachgibt und sich dem Manne annähert, ist ein Hahnenschrei zu vernehmen, ein stetig wachsender Lichtschein tritt zutage, und die Macht des Mannes wächst. Dieser Prozeß wird auf dem gemalten Bühnenhintergrund für die Dresdner Aufführung des Jahres 1917 sichtbar: eine aufsteigende Sonne, die langsam den Mond überstrahlt.

Als der Mann mit dem Heraustreten aus dem Käfig seine Freiheit wiedererlangt, weisen seine Worte mit Nachdruck auf die Entsprechung der sexuellen Polarität und der symbolischen Verwendung von Licht und Dunkelheit hin:
»Sterne und Mond! Frau! Hell leuchten im Träumen oder Wachen sah ich ein singendes Wesen . . . Atmend entwirrt sich mir Dunkles.« (50) Augenblicke später nimmt er »eine Spanne scheues Licht« wahr, während die Frau in Verzweiflung die Rückkehr der Nacht erfleht. Als der Mann der brennenden Szene entflieht, kündigt der dritte Hahnenschrei der dunklen Welt die Wiederkehr des Tageslichts an. Ähnlich wie in zwei späteren Bühnenwerken Kokoschkas, »Der brennende Dornbusch« und »Orpheus und Eurydike«, kommt den Flammen, die das Ende des Stückes bezeichnen, eine zweifache Funktion zu: sie sind Ausdruck der selbstzerstörerischen Leidenschaft zwischen Mann und Frau und Mittel zur Läuterung dieser Leidenschaft in Erwartung der geistigen Dämmerung, die der Nacht sexueller Qual folgen wird.

Nachdem ich festgestellt habe, in welchem Ausmaß »Mörder, Hoffnung der Frauen« als »Schauspiel« von visuellen Elementen dominiert wird, ist es interessant, sich einigen Graphiken und Gemälden derselben Schaffensperiode zuzuwenden, in der Absicht, die enge Beziehung zu verdeutlichen, die zwischen Kokoschkas bildnerischem und dramatischem Schaffen herrscht. *(Abb. 47)*

Betrachten wir das Pietà-Plakat, welches Kokoschka zur Ankündigung der Uraufführung seines Stückes in Wien anfertigte, so sehen wir, daß nicht allein das Sujet des Stückes abgehandelt wird, wir verspüren auch einen Nachklang des grellen Stils und der ausdrucksstarken Symbolik. Die Abbildung zeigt die kreidebleiche Figur der Frau, die den scharlachfarbenen Körper des Mannes in ihren Armen hält, während vor einem tiefblauen Hintergrund Sonne und Mond gleichzeitig scheinen. Diese eigenartige, deformierte Pietà bietet in exakter Weise ein Äquivalent zu dem zentralen Paradoxon, welches in Kokoschkas Stück zum Ausdruck gebracht wird; die lebende Frau hält den toten Mann in ihren Armen, doch ist sie es, die das weiße Farbattribut des Todes trägt, während der tote Mann rot dargestellt wird, in der Farbe, die für den Künstler das Lebendige symbolisiert. Mit dieser offensichtlichen Umkehrung der im Stück verwendeten Farbsymbolik beschreibt Kokoschka die sexuelle Dominanz der Frau über den Mann und, damit verbunden, ihre Leblosigkeit ohne ihn.

Für Kokoschka besteht darin eine Grundeigenschaft des sexuellen Konflikts, die eine der möglichen Interpretationen des nicht ganz unzweideutigen Titels in sich birgt: der Mann, Träger des Geistigen, wird durch seinen Körper versklavt, die Frau hingegen, die ihn besitzt, kann nur durch die geistigen Kräfte des Mannes, den sie selbst unterjocht, erlöst werden; wie der Titel vorschlägt: die einzige »Hoffnung« der Frau kann es sein, daß sie ihrem »Mörder« begegnet und damit durch den Mann zur geistigen Erlösung findet.

Daß sich dieser Konflikt für beide Seiten tragisch äußert, im Stück wie auch auf dem Plakat, manifestiert sich in der Anspielung auf das »Martyrium Christi«, repräsentiert durch die »Pietà«. Die Hell-Dunkel-Symbolik kommt auf dem Plakat ebenfalls zum Ausdruck: Sonne und Mond erscheinen gleichzeitig, als Sinnbild des Kampfes um die Vorherrschaft, der von den männlichen und weiblichen Kräften ausgetragen wird.

Ebenso wie das Plakat dienen die vier Zeichnungen, die Kokoschka zu seinem Bühnenwerk erstellte (und die im Jahre 1910 gemeinsam mit dem Text im *Sturm* erschienen), nicht einer bloßen »Illustration« der einzelnen Handlungsphasen, sie trachten vielmehr den Grundtenor des Geschehens graphisch festzuhalten. *(Abb. 48)*

Die elementare Gewalt des Schauspiels wird durch ein Geflecht scharfer, stachelartiger Linien symbolisiert. Diese Linien gehen von den Figuren des Mannes und der Frau aus, die einander in Szenen eines primitiven Zweikampfs gegenüberstehen. Zusätzlich zu diesen »Kraftlinien« deutet Kokoschka, ebenso wie in der Bühnenfassung, Muskeln und Adern auf den Körpern seiner Figuren

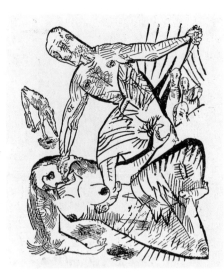

48. OK, Zeichnung zu »Mörder, Hoffnung der Frauen«, 1910

an. Das Gewirr der gezackten, ineinander verflochtenen Linien erzeugt eine Atmosphäre wilder, unkontrollierbarer Energie, die von den Widersachern ausströmt und sie zugleich einhüllt.

Neben der von ihm angewandten Technik, die Haut seiner Gestalten, im Stück wie in den Zeichnungen, zu bemalen, ist es in den Illustrationen Kokoschkas Bestreben, eher elementare Typen denn Individuen zu schaffen. Orientierte er sich beim Entwurf seiner Bühnenmasken noch an Vorbildern aus der polynesischen Volkskunst, so verzichtete Kokoschka hier auf jede überflüssige Verzierung, indem er die Gesichter seiner Figuren zu knochigen Schädeln mit klaffenden Augenhöhlen reduzierte. Diesen elementaren Gestalten verlieh er durch eine Kombination von Profildarstellung und frontalem Anblick einen noch verstärkt barbarischen, beinahe tierähnlichen Ausdruck.

Da Kokoschka während dieser Periode vollkommen von der Ausführung der »schwarzen« Porträts in Anspruch genommen wurde, findet sich nur ein einziges Bild aus dieser Zeit, bei dem sich Gelegenheit bot, die ihn obsessiv beschäftigende Idee des sexuellen Konflikts in ähnlicher Weise wie im Drama auszudrükken. 1909, nur vier Monate nach der gescheiterten Aufführung seines Stückes in Wien, bot sich jene Möglichkeit, als er gebeten wurde, ein Porträt des Kunsthistorikerehepaares Hans und Erika Tietze zu schaffen. (*Abb. 49*)

Es wird eine subtile Spannung zwischen den Figuren erzeugt, indem Kokoschka die Gestalten von Dr. Tietze und seiner Gattin im rechten Winkel zueinander

110

49. OK, Ehepaar Tietze, 1909

anordnet, so daß wir die Frau frontal, den Mann im Profil sehen. Sie starrt mit einer Traurigkeit des Ausdrucks gleichsam ins Leere, der Mann hingegen ist energischer, er fixiert die Bewegung ihrer Hände, die einander zustreben, und lenkt den Blick des Betrachters ebenfalls dorthin. Die Behandlung der Hände bildet den bemerkenswertesten Teil des Gemäldes; obwohl die Frau wie in Trance starr nach vorne blickt, erhebt sie ihre linke Hand, um die gestikulierenden Hände ihres Gatten zu treffen, die ihrerseits streben, ihre Hand zu erfassen. Die Hände stehen kurz vor der Berührung, welche allerdings nicht vollzogen wird. Mit dieser eindrucksvollen Pose schafft Kokoschka eine Atmosphäre des gegenseitigen Anziehens und Abstoßens, dem nahen Körperkontakt der Bühnenfiguren, über das Gitter hinweg, vergleichbar, oder auch dem Tode der Frau, der durch die bloße Berührung des Mannes herbeigeführt wird. Das Gefühl der Unruhe in dieser Konfrontation, der potentiellen Gewalt sogar, zeigt sich in der Ausführung der Hände: die Hände des Mannes sind rauh und von rötlicher Färbung, während die der Frau weiß und glatt sind – ein Nachhall der symbolischen Farbinterpretation von Rot und Weiß, der wir bereits im Bühnenstück begegnet sind.

Dieses Gefühl eines einsetzenden Konflikts wird noch durch Kokoschkas Farbwahl unterstrichen: Rot, Gelb und zornige Orangetöne hinter dunkel gewandeten Figuren, als Anspielung auf die feurige Leidenschaft, die dem sexuellen Konflikt innewohnt – eine Parallele zum Feuer, mit dem das Bühnenstück endet.

Durch eine Unzahl feiner Linien, die der Künstler in die Leinwand einritzte, wird in dem Bild diese konfliktgeladene Atmosphäre geschaffen. Wie die Linien eines Kraftfeldes strahlen sie von den einander zustrebenden Händen aus, um die Gewalt zu betonen, die dem Konflikt innewohnt, genau wie es in den zuvor beschriebenen Illustrationen der Fall war, die Kokoschka zu seinem Bühnenstück geschaffen hat.

Dieses Liniengeflecht, welches man leichthin als bedeutungsloses Gekritzel abtun könnte, liefert uns allerdings den Schlüssel zum Verständnis des Gemäldes. Eingeritzt in die Leinwand, sehen wir hinter dem Mann eine zerberstende Sonne, in der oberen rechten Ecke zeigt sich neben der Frau ein Gebilde in Form einer Mondsichel – erneut finden wir, als Beleg für die enge Wechselwirkung zwischen den verschiedenen Gebieten seines Schaffens, Kokoschkas Interpretation des Männlichen und Weiblichen als elementare Kräfte, die sich kämpfend gegenüberstehen.

Kokoschka »spitzt das Individuelle auf das Typische hin zu«,[7] so daß wir mit seinem Porträt des Ehepaares Tietze abermals in dieselbe explosive Welt des sexuellen Konflikts hineingerissen werden, der wir schon in »Mörder, Hoffnung der Frauen« begegnet sind.

Ich habe »Mörder, Hoffnung der Frauen« als ein Beispiel für Oskar Kokoschkas visuelle Verwendung der Bühne ausgewählt. Spätere Bühnenwerke, wie »Der brennende Dornbusch« (1911), »Hiob« (1917) und »Orpheus und Eurydike« (1918), nutzen die Bühne in derselben, ebenso eindrucksvollen wie effektiven Weise, wobei das visuelle Element einem höchst anspruchsvollen literarischen Ausdruck die Waage hält. Somit sollten die Bühnenwerke von Oskar Kokoschka, weit davon entfernt, nur »kuriose Nebenprodukte eines großen Malers« zu sein, als signifikante Beiträge zur Entwicklung des modernen Dramas angesehen werden, in denen die Betonung des visuellen Ausdrucks einen idealen Ansatz zur »wechselseitigen Erhellung der Künste« bietet.

Schauen wir von unserer heutigen Warte, seinem 100. Geburtstag, auf seine lange und oft bewunderte Karriere zurück, dürfen wir ihn nicht zähmen wollen, diesen Tiger in der Kunst des 20. Jahrhunderts, dessen Wesen ein Funke, die Vision des solitären, auf sich gestellten Künstlers zugrunde lag. Vergessen wir nicht, indem wir sein kreatives Genie feiern, diesen rebellischen und oft antagonistischen Geist, der zuerst mit seinen schwarzen Porträts und frühen Bühnenstücken Aufsehen in der Wiener Kunstszene erregte. Es war etwas, das Kokoschka selbst niemals vergessen hatte; ich möchte daher mit folgender Bemerkung schließen, die er bei unserem Gespräch in Villeneuve von sich gab und die einen besonderen Aspekt seines Genies zum Ausdruck bringt:

»Als ich ein Junge war, wagte ich nicht, ins Museum zu gehen. Ich bevorzugte die anthropologische Sammlung. Sie fühlten die Trommel, die Tätowierung, das Tabu, die primitiven Völker. Ich bin ebenso ein primitiver Mensch. Ein Maori. Ich würde es nicht wagen, einen Tizian anzusehen.«

ANMERKUNGEN

1 Edith Hoffmann, Der Sturm: A Document of Expressionism, Signature, 18 (1954), S. 50.
2 Aus Gunther Rühle, Theater für die Republik, 1917–1933. Frankfurt 1967, S. 66.
3 Paul Kornfeld, Theaterzettel der Uraufführung von Oskar Kokoschkas Dramen, in: Expressionismus, Literatur und Kunst, 1910–1923, Katalog der Ausstellung im Schiller-Nationalmuseum, Marbach. München 1960, S. 40.
4 Antonin Artaud, The Theatre and its Double, übers. Mary Caroline Richards. New York 1958, S. 28, 93, 71.
5 Oskar Kokoschka, Dichtungen und Dramen. Hamburg 1973, S. 45, 46, 49. Nachfolgende Verweise beziehen sich auf diese Ausgabe und werden nach dem Zitat in Klammern gesetzt.
6 Oskar Kokoschka, Mein Leben. München 1971, S. 64.
7 Fritz Schmalenbach, »Kokoschkas malerische Entwicklung«, Katalog der Ausstellung im Haus der Kunst, München 1958, S. XIV.

WERNER J. SCHWEIGER

Zwischen Anerkennung und Verteufelung

Zur Rezeptionsgeschichte von Kokoschkas Frühwerk

Kokoschkas Debüt in Wien war von Ruhm und Skandal begleitet, die ersten Ausstellungen seiner Arbeiten, die ersten Aufführungen seiner dramatischen Werke markierten den frühen Beginn des expressionistischen Jahrzehnts und reizten Publikum und Presse bis aufs Blut. Die entscheidenden Entwicklungsjahre dieser überragenden und umfassenden Begabung, von der wichtige Impulse für die künstlerische Entwicklung am Beginn unseres Jahrhunderts ausgegangen sind, waren begleitet von zögernder Anerkennung und ersten Erfolgen, mehr aber noch von höhnischer Ablehnung und wütendem Unverständnis. Die rücksichtslose Durchschlagskraft, wie sie nur Jugend- und Erstlingswerken eigen ist, entsprang der Unbekümmertheit des Künstlers gegenüber den Bedürfnissen und Ansichten seiner Mit- und Umwelt.

»Wie ein Maniak springt er in die Kunst« formulierte 1917 Kokoschkas erster Biograph Paul Westheim, und Hans Tietze schrieb: »Seine frühen Bilder, die uns zuerst faszinierten, zuckten von einer gespannten Lebendigkeit und gesteigerten Sensibilität, die auch die Ablehnenden nicht leugneten.«

Kokoschkas vom Lärm umtobte erste Auftritte in der Öffentlichkeit bereiteten vielen eine rechte Verlegenheit; selbst die wohlwollendsten Kritiker, die das unleugbare Talent konstatierten, konnten mit der Form nur wenig anfangen und waren ratlos. Wie nur wenige seiner Zeitgenossen hat Kokoschka gerade die frühe Biographie stilisiert und das Bild vom verfolgten und unverstandenen Künstler kultiviert. Kokoschkas Autobiographie – 1971 unter dem Titel ›Mein Leben‹ erschienen – ist zwar als Entwicklungsgeschichte interessant zu lesen und sehr lehrreich, der Großteil der darin enthaltenen Fakten und Daten – die Frühzeit betreffend – ist aber ungenau bis falsch.

Es ist keine Besonderheit – und daher auch nicht auf OK zu beschränken – wenn Künstler ihre eigene Biographie mystifizieren und bewußte Legendenbildung betreiben, aber: bei Kokoschka setzte diese Selbststilisierung schon sehr früh ein, und bereits die erste Kokoschka-Monographie von Paul Westheim aus dem Jahre 1918 – die, was die äußeren Daten betrifft, auf Kokoschkas Aussagen beruht – ist voller Ungenauigkeiten – und das nicht einmal zehn Jahre nach dem Debüt des Künstlers.

Das Gros der nachfolgenden biographischen Kokoschka-Literatur fußt beinahe ausschließlich auf Aussagen und Schriften des Malers. Diese Tatsachen führten zu einer bequem-klischierten, durch Jahrzehnte immer weitergeschriebenen – ist gleich: festgeschriebenen – Einschätzung von Kokoschkas Frühwerk bis etwa 1913. Einmal festgesetzte Datierungen – in nicht seltenen Fällen recht willkürliche Festsetzungen ohne jedes Augenmaß – wurden immer wieder übernommen, ohne daß sich jemand der Mühe unterzogen hätte, sich auf die Quellen zu besinnen.

Dabei gab es schon sehr früh Probleme mit der Datierung von Kokoschkas Werken. Einer der ersten, die versucht haben, etwas Ordnung in die Chronologie der Werke zu bringen, war Wilhelm Wartmann, Direktor des Kunsthauses Zürich, der anläßlich von Kokoschkas Personale 1927 in Zürich im Katalogvorwort schrieb:

»Die Anekdote, die seine Figur schon jetzt, eigentlich von jeher, mit ihren Schnörkeln umspielt, meldet als Grund für die ehemalige frühe Ansetzung dieses und verwandter Bilder das Bemühen von Freunden Kokoschkas, ihm gegenüber Ansprüchen des Malers Max Oppenheimer und seiner Freunde für diese Art der Bildnisauffassung die Priorität zu wahren. Freundschaftlicher Eifer, ihn möglichst früh überhaupt als Meister vor der Welt erscheinen zu lassen, mag wohl im Spiel gewesen sein.«[1]

Daß es nicht nur freundschaftlicher Eifer war, sondern OK selbst schon sehr früh daranging, seine Arbeiten vorzudatieren, wird ja auch durch die neueste Literatur hinlänglich belegt. In diesem Zusammenhang stehen die Namen Egon Schiele, vor allem aber Max Oppenheimer[2] für ein eher dunkles Kapitel in Kokoschkas Biographie. Die Probleme mit den Datierungen wurden nach späten Auffindungen mancher Frühwerke keineswegs erhellt, da nachträgliche Gefälligkeitssignierungen und vom Künstler selbst im Sinne der Legende erfolgte Einordnungen die Problematik nur vergrößerten und gleichzeitig zementierten. Nur umfangreiche und quellenkritische Studien ermöglichten hier, ein wenig Licht in das mythische Dunkel des jungen Kokoschka zu bringen und ohne Rücksichtnahme auf liebgewordene Klischees und festgeschriebene Überlieferungen ein neues Bild zu zeichnen. Eines der wesentlichen Hilfsmittel auf diesem Wege war die Rezeptionsforschung.

Um ein Beispiel zu nennen: Einer der wichtigsten – und augenfälligsten – Indikatoren der Rezeptionsgeschichte ist die Beteilung eines Künstlers an Ausstellungen.

Selbstverständlich kannte man Kokoschkas Beteiligung an der legendären »Kunstschau Wien 1908« und die große, 1911 erfolgte Ausstellung im Hagenbund, aber sonst war die Forschung eher mager: insgesamt 14 Ausstellungen und Ausstellungsbeteiligungen zwischen 1908 und 1918. Derzeitiger und vorläufiger Stand: 54 Ausstellungen und Beteiligungen zwischen »Kunstschau Wien 1908« und der großen OK-Personale im Salon Cassirer in Berlin 1918. Das ist eine Vervierfachung des bisher bekannten Materials, und das stolze Verweisen auf diese 54 Ausstellungen steht keineswegs für den Vorzeigegestus des Sammler- und Forscherfleißes, sondern zeigt einfach, noch ohne besondere Interpretation, wie interessant der junge Künstler im ersten Jahrzehnt seines künstlerischen Schaffens für die Ausstellungs-Veranstalter war.

Da vor die mögliche Rezeption des Publikums in einer Ausstellung erst die Rezeption des Ausstellungs-Machers treten muß, sagt auch die einfachste Ausstellungsbeteiligung – ganz gleich wie und aus welchem Grunde sie zustande gekommen ist – schon etwas über seine Rezeption aus, besonders wenn es sich um den Beginn einer Künstlerkarriere handelt. Später – nach der ›Anerkennung‹ – pflegen sich diese Ausstellungen dann zu verselbständigen und folgen wohl anderen Gesetzmäßigkeiten.

So spannend es wäre, sich in diesem Zusammenhang mit den Ausstellungs-Gestaltern und den Programmen ihrer Vereinigungen, Galerien oder Museen zu beschäftigen, müssen wir doch darauf verzichten, da es – wiewohl zur Rezeptionsgeschichte gehörend – in eine andere Richtung führen würde.

Als Beispiel für eine Ausstellungsrezeption möchte ich die legendäre »Kunstschau Wien 1908« heranziehen:

Betrachten wir nun die Rezipienten im einzelnen und beginnen wir mit den Ausstellungsgestaltern: Obwohl wir es nicht mit einer Einzelperson zu tun haben, dürfen wir doch aus dem fünfzehn Personen umfassenden Ausstellungskomitee zwei Personen herausgreifen, nämlich Josef Hoffmann und Bertold Löffler. Beide Künstler waren Lehrer an der Kunstgewerbeschule, beide auch Mitglieder der Wiener Werkstätte: Josef Hoffmann als Mitbegründer und damals alleiniger künstlerischer Leiter der 1903 gegründeten Werkstättengemeinschaft, Bertold Löffler als freier Mitarbeiter. Löffler war zu diesem Zeitpunkt auch Kokoschkas Lehrer an der Kunstgewerbeschule und hatte – durch eine enge Verbindung von Kunstgewerbeschule und Wiener Werkstätte seit 1907 – vor allem seine Schüler für künstlerische Aufgaben innerhalb der großen Produktionspalette der WW herangezogen; Beispiele: Die Bilderbögen, die Postkartenserie, szenische Aufgaben sowie Programmhefte für das Kabarett »Fledermaus«.

Bei allen diesen künstlerischen Aufgaben war Oskar Kokoschka mitbeteiligt, und da sowohl die Wiener Werkstätte als auch die Kunstgewerbeschule federführend an der »Kunstschau« beteiligt waren, so schien es nur selbstverständlich, daß auch Kokoschka teilnahm, und zwar, unabhängig voneinander, sowohl innerhalb der Wiener Werkstätte als auch innerhalb der Kunstgewerbeschule.

Genaugenommen waren es vor allem diese beiden Künstlerpersönlichkeiten, die Kokoschkas erste Rezipienten überhaupt waren, da sie es ermöglicht hatten, daß Kokoschka schon seit knapp einem Jahr *vor* der »Kunstschau Wien 1908« seine ersten Arbeiten innerhalb der Wiener Werkstätte veröffentlichen konnte, nämlich die bereits angesprochenen Bilderbögen, Postkarten, Programmheftillustration und Ausstattung für das Kabarett »Fledermaus«.

Dem Ablauf folgend, kommen wir nun zu den nächsten Rezipienten, den Kritikern. Die Wirkungsgeschichte von Künstlern, vor allem am Beginn ihrer Laufbahn, läßt sich relativ noch am einfachsten aus den Zeitungs- und Zeitschriftenkritiken der Zeit belegen. Vorweg ein paar Worte zur Wiener Kunstkritik der Jahrhundertwende:

Nie wurde in Wien so viel über Kunst geschrieben, nie vorher hatte sich die aktuelle Tageskritik so intensiv mit Kunst auseinandergesetzt wie seit der Gründung der Secession. Sieht man von den reinen Kunstzeitschriften ab, die ja nur einen äußerst begrenzten Wirkungsbereich besaßen, so war es vor allem die Zeitungkritik, die das Publikum mit den Programmen und Ideen der neuen Kunstrichtungen vertraut machte.

Die traditionelle Kunstkritik hatte sich bisher meist auf das Deskriptive beschränkt und ›Katalogdienste‹ versehen, indem sie die Objekte aufzählte und beschrieb. Die neue Kunst aber forderte eine neue Kunstkritik; das Verständnis der Bevölkerung konnte mit der raschen Entwicklung nicht mehr Schritt halten, das Publikum brauchte den Kunstkritiker nicht mehr nur als Vermittler, sondern vor allem als Dolmetsch. Die fortschrittliche Kritik, wie sie beispielsweise von Hermann Bahr, Ludwig Hevesi oder Berta Zuckerkandl verstanden wurde, sah ihre Aufgabe darin, den Abstand zwischen Künstler und Publikum abzubauen, einen aktiven Kontakt herzustellen. »An uns ist es, den Laien für die Künstler zu erziehen«, schrieb Bahr anläßlich der 1. Ausstellung der Secession und sah seine Tätigkeit als Prozeß der Geschmacksbildung, der Erziehung. Damit wurde die (fortschrittliche) Kunstkritik unversehens (und manchmal sogar ganz unverhohlen) zur Kunstpropaganda; die Kritiker nahmen Partei für die Künstler und schrieben, vor allem anfangs, gegen das Publikum. Die Kritik selbst griff in das Kunstgeschehen aktiv ein und nahm, unter dem Schlagwort ›Kulturpolitik‹, mit publizistischen Mitteln Einfluß auf die Einstellung des Publikums, popularisierte und unterstützte die Entwicklung einer neuen Kunstvorstellung und trug Ideen und Bildung an die Konsumenten heran. Hatte sich die Kritik bisher meist mit der Meinung des Laienpublikums gedeckt und den Künstler belehren wollen, so versuchte die neue Kritik, vom Künstler zu lernen und wandelte sich von referierender zu kommentierender und analysierender Betrachtung.

Eine der wesentlichsten Kritikerpersönlichkeiten bis 1910 war Ludwig Hevesi. Er war »einer jener Agenten des Künstlers beim Publikum, der die Absicht der Schaffenden den Betrachtenden«[3] zu vermitteln suchte. Seine kritischen Aufsätze sind meisterhafte Essays, zusammengesetzt aus Wissen, Verstehen, Lebenserfahrung und Liebenswürdigkeit, seine »Empfänglichkeit schien ebenso unbegrenzt wie seine Vorurteilslosigkeit«,[4] daneben von einer Sprachgewalt und einer stilistischen Delikatesse mit einem großen Schuß gesunden Humors. Bevor wir später nochmals zu Hevesi zurückkehren, noch ein kleiner Einschub: Die gigantische Größe dieser Kunstschau-Ausstellung – 179 Künstler stellten in 54 Räumen mehr als tausend Kunstwerke aus – überforderte die Tageskritik (würde sie wohl auch heute überfordern), weshalb sie auf dem ihr üblicherweise zur Verfügung stehenden Platz (nur wenige Zeitungen brachten mehr als einen Artikel) nur allgemeine Eindrücke wiedergeben konnte.

Die prominentesten Aussteller, wie Gustav Klimt, Otto Wagner, Josef Hoffmann, Koloman Moser, Otto Prutscher und Karl Witzmann, wurden zwar erwähnt, aber man ging – mit Ausnahme von Gustav Klimt – nicht näher auf ihr Werk ein.

Der einzige der jungen Nachwuchskünstler – und es waren ihrer mehr als hundert –, der in den Kritiken der Tageszeitungen Erwähnung fand, war Oskar Kokoschka; wohl deshalb, weil er am meisten zu irritieren schien – und verwirrt waren die Kritiker fast alle in irgendeiner Form, nur haben sie dieser Irritation verschieden Ausdruck verliehen: die aufgeschlossene und fortschrittliche Kritik mit dem – teilweisen – Erkennen eines – noch unfertigen – Talents, die reaktionäre und konservative Kritik mit Unverständnis, höhnischer Ablehnung und Verunglimpfung.

In diesem Zusammenhang muß auf eine besondere Situation in der bisherigen Kokoschka-Forschung hingewiesen werden: In der vorliegenden Literatur über Kokoschkas Anfänge, insbesondere über die legendäre »Kunstschau Wien 1908« wurde – und wird – immer wieder eine Aussage Ludwig Hevesis zitiert: »Auch an einem wilden Kabinett fehlt es nicht. Der Oberwildling heißt Kokoschka und man verspricht sich viel von ihm in der Wiener Werkstätte . . . für seine drei wandgroßen Skizzen zu Gobelins für ein Tanzzimmer wird er in der Luft zerrissen werden, aber das wird ihm und der Luft gut tun.«[5] Soweit das Zitat. Abgesehen davon, daß eine mangelhafte Kenntnis von Hevesis Eigenart und eine oberflächliche Rezeption das Zitat *immer* falsch respektive mißverständlich lesen ließen, hat es auch eine besondere Bewandtnis damit: Hevesi hat einen Teil seiner im Wiener *Fremdenblatt* veröffentlichten Kunstkritiken 1909 in dem Sammelband »Altkunst–Neukunst« veröffentlicht. Diese Auswahl wurde bisher als Quelle, als *einzige* Quelle benutzt – zum Teil wohl auch deshalb, weil es bequemer ist, einen Sammelband aufzuschlagen, als sich die Mühe zu machen, die tatsächliche Quelle – in diesem Falle die Tageszeitung – heranzuziehen.

Das große Problem dabei scheint mir zu sein – und dafür ist das Hevesi-Beispiel nur zufälliges Synonym –, daß ein Urteil, aufgenommen in solch eine Sammlung, allein schon dadurch gültiger und grundsätzlicher wirkt, als es als Tagesaktualität in einem Zeitungsaufsatz gewesen ist, und auch grundsätzlicher, als es sein wollte. Das gilt selbstverständlich für die meisten Tagesäußerungen, die, einmal aufgespürt, Dokumentcharakter erhalten, den sie in dieser Form nie hatten.

Hevesis Zitat stand und steht heute noch als Beispiel für *Ablehnung*, dabei ist es – wenn man Hevesi richtig zu lesen versteht – eine, wenn auch ironisch gefärbte Anerkennung. Ein zweites Hevesi-Zitat in einer anderen Besprechung belegt dies: »Auch einen wilden Mann hat die Kunstschau, den jungen Oskar Kokoschka, dessen verworrene Malerträume (bereits angekauft) nur den Durchgangspunkt eines gärenden Talents bedeuten, aber jedenfalls eines Talents.«[6] Hevesis Zustimmung blieb keineswegs die einzige, doch hören wir zuerst, wie die Kritik reagierte, die sich als ›Sprachrohr‹ des Publikumsgeschmacks gerierte: Die *Österreichische Volks-Zeitung* verglich die Kunstschau wegen ihrer Größe mit einer »›Greatest Show of the World‹ auf dem Kunstgebiet, bei der ›Freaks‹- Mißgeburten natürlich auch nicht fehlen durften«.[7] Kokoschka ist hier wie im nächsten Zitat zwar nicht angesprochen, aber sicher gemeint. Die *Arbeiter-Zeitung* warnte ihre Leser, daß die »Ausstellung auch etliche ›Bomben‹ enthält, die den Philister reizen sollen«.[8]

Einer, der den modernen Strömungen im Wien der Jahrhundertwende schon seit der Gründung der Secession spöttelnd-ablehnend gegenüberstand, war der Kunstkritiker des *Neuen Wiener Tagblattes*. Bezeichnenderweise leistete sich diese sonst durchaus angesehene Zeitung keinen Kunstkritiker, sondern hielt sich – wienerischer geht's nicht mehr – einen Humoristen als Kunstrichter: Eduard Pötzl. Was er von den »Traumtragenden« hielt und wofür er mehr oder minder feine Umschreibungen benötigte, läßt sich mit einem Wort ausdrücken: Häuselmalereien.

Pötzl schreibt: »Gerade inbrünstige Sezession aber sind Kokoschkas ›Die Traumtragenden. Entwürfe für Gobelins‹. Ein im ersten Augenblick rätselhaftes Gemenge von stümperhaft gezeichneten Scheußlichkeiten. Nach längerem Besinnen erst erinnert man sich an die schlichten Darbietungen volkstümlicher Kunst, wie wir sie in den verschwiegenen Stätten antreffen, wo der durch den Stoffwechsel angeregte Menschengeist oftmals primitive Szenen aus diesem Naturvorgange selbst oder andere einschlägige Impressionen und Vorstellungen mit Bleistift, zuweilen auch in Farben, die gerade zur Hand sind, auf die Wände zaubert. Es ist nun wohl denkbar, daß ein bemittelter Kunstfreund in seinem Heim den entsprechenden Raum nebst Wasserkünsten sybaritisch auch mit Gobelins ausstatten will, welche das Gepräge der angedeuteten naiven Volkskunst in sich tragen.«[9]

Aber nicht nur der Humorist als Kunstrichter hatte seine Schwierigkeiten, auch für die meisten anderen Kritiker blieb der »gegenständliche Inhalt ein Rätsel«.[10] Der Kritiker des *Deutschen Volksblattes*, Hermann Feigl, interpretierte auf seine Weise: »›Die Traumtragenden‹ heißen diese Entwürfe, sollten aber ›Aegyptische Erinnerungen‹ genannt werden, da sie, in ägyptischer Perspektive gezeichnet, auch ägyptische Motive darstellen. Da sieht man die heilige Familie, Osiris und Isis mit dem kleinen Horus auf dem Schoße und man fühlt sich zu dem schmerzlichen Ausrufe gedrängt: O ihr Armen, wie sehr habt ihr euch verändert – sehr zu eurem Nachteile.«[11]

Andere Rezensenten ließen es sich angelegen sein, das Publikum zu warnen oder ihm zu raten, an den Kunstwerken vorbeizugehen. So schrieb Adalbert Franz Seligmann in der *Neuen Freien Presse*: »Ein Nebenraum mit angeblich ›dekorativen‹ Malereien von Kokoschka ist mit Vorsicht zu betreten. Menschen von Geschmack sind hier einem Nervenchoc ausgesetzt.«[12]

Das *Illustrirte Wiener Extrablatt* schrieb: »Was aber der Herr Kokoschka mit seinen Fresken will, das weiß Niemand. Suche es auch Niemand zu ergründen. Das geht wirklich schon über den Spaß. Gauguin und Van Gogh scheinen ihm zu Kopfe gestiegen sein. Schaudervoll, höchst schaudervoll . . .«[13]

Um die konservative Kunstkritik aber nicht allzusehr zu desavouieren, sei festgestellt, daß auch die fortschrittlicheren Kräfte ihre Probleme mit Kokoschka hatten. So äußerte sich beispielsweise Paul Stefan: »In dieser Kunstschau sah man zum ersten Mal Arbeiten von Oskar Kokoschka, einem ganz jungen Menschen. Er war uns anfangs eine rechte Verlegenheit. Klimt sagte, daß er begabt sei. Man wollte es erst aber gar nicht glauben, und meinte, ein Wilder habe das gemalt.«[14]

Berta Zuckerkandl hat sich seltsamerweise 1908 nicht zu Kokoschka geäußert, anläßlich der Hagenbund-Ausstellung von 1911 aber Interessantes über die Kontroversen innerhalb der Organisation der Kunstschau berichtet: »Gar mancher Kunstschau-Abend ist mir in Erinnerung, an dem im engsten Künstlerkreis der ›Fall Kokoschka‹ zu stürmischen Kontroversen führte. Ihr habt euch beim Publikum geschadet, sagten die Vorsichtigen und Zaghaften, indem ihr diesen Unverständlichkeiten Raum gabt. Wir haben unsere Pflicht getan, das allein kümmert uns, riefen die jedem Opportunitätsgefühl energisch Widerstrebenden. Wir alle spüren an diesem Jungen eine außergewöhnliche Begabung, wir kennen seine meisterhafte Art zu zeichnen. Ob er aus seinen abstrusen, inkohärenten Anfängen herausfinden, ob er sich weiterentwickeln oder zugrunde gehen wird, das hat uns nicht zu kümmern.«[15]

Sowohl Hermann Bahr als auch Karl M. Kuzmany erkannten in ihren Besprechungen das aufkeimende Talent; Kuzmany schrieb: »Kokoschkas ›Note‹ ist eine Neigung zum Grausamen und Verrenkten, die gegenwärtig nur neugierig machen kann, ob und wie sie sich nach einer Edelgärung die unleugbare Begabung klären wird.«[16] Und Hermann Bahr notierte: » . . . das zuckende Talent des jungen Kokoschka, das neugierig macht, wohin wohl eigentlich es noch geraten mag.«[17]

Daß zwischen den Kritikern der einzelnen Lager selbst eine gewisse Rivalität bestand und man einander wechselseitig desavouierte, gehörte damals zur Kunstkritikerszene. Man denke dabei nur an die wechselseitigen Anwürfe zwischen Berta Zuckerkandl (*Wiener Allgemeine Zeitung*) und ihrem ›Erzrivalen‹ Adalbert Franz Seligmann bei der *Neuen Freien Presse*. Anläßlich der Eröffnung der Kunstschau ätzte Friedrich Stern im *Neuen Wiener Tagblatt*: »Hier, im Raum 14, der erste ausgesprochene Greuel: Kokoschkas ›Die Traumtragenden‹ . . . Wir freuen uns heute schon auf die bewundernden Kommentare der ›Unbedingten‹.«[18]

Zum Abschluß des Teiles über die Kunstkritik sei einer dieser ›Unbedingten‹ zitiert: Richard Muther, der Kunstkritiker der Tageszeitung *Die Zeit*, der sonst eher gemäßigt für die ›Moderne‹ eintrat, schrieb: »Das Enfant terrible ist hier Kokoschka. Da ein verfrühter Erfolg (er hat alles, was er ausstellt, am ersten Tage verkauft) schon manchem Jungen geschadet hat, ist es pädagogisch richtig, zu bremsen. Also Herr Kokoschka, Ihre Gobelinentwürfe sind abscheulich: Oktoberfestwiese, rohe Indianerkunst, ethnographisches Museum, verrückt gewordener Gauguin – was weiß ich. Und trotzdem kann ich mir nicht helfen: Ich habe seit Jahren kein interessanteres Debüt erlebt. Dieses Enfant terrible ist nämlich wirklich ein Kind, absolut kein Poseur, nein, ein guter Junge. Er hat mir selbst mit einer Naivität, die gar nicht von heute ist, den Sinn seiner Bilder erklärt . . . Den Namen Kokoschka aber muß ich mir merken. Denn wer mit zweiundzwanzig Jahren sich so kannibalisch gebärdet, kann möglicherweise mit dreißig ein sehr origineller, ernstzunehmender Künstler sein.«[19]

Im Anschluß an die Kunstkritik seien noch ein paar Äußerungen aus dem Publikum, aus dem privaten Bereich, in Form von Briefen und Tagebuchaufzeichnungen zitiert, da gerade die spontan geäußerten Meinungen von großem Reiz sind und darüber hinaus die Rezeptionsgeschichte im so selten dokumentierten Bereich des Publikums ergänzen.

Der Salzburger Gymnasiast Erhard Buschbeck schrieb seinem Freund Anton

Moritz: »Vor Venedig war ich aber einen Tag in Wien. Zur Klimtausstellung ›Kunstschau 1908‹. Sie hat meine Erwartungen noch übertroffen. Ein Erlebnis, das man Unbeteiligten nicht beschreiben kann.«[20]

Marie Egner, die bedeutende österreichische impressionistische Malerin, schrieb unter dem Datum 3. Juni 1908 in ihr Tagebuch: »Am 3. 6. habe ich noch die Klimt-Gruppe Ausstellung erwischt. Von außen sah es noch blöd aus. Aber innen wurde ich allmählich gefangen genommen, trotz vieler und aufreizender Narretei und Gigerltums . . .«[21]

Josefine Winter, eine kunstsinnige reiche Aristokratin mit vielerlei Interessen (sie malte, schrieb und hatte einen berühmten Salon in der Oppolzergasse), war der ›Moderne‹ gegenüber eher reserviert und schrieb anläßlich des Kunstschau-Besuches lapidar ihre Eindrücke in ihrem Tagebuch nieder: »Kinderzeichnungen (Schüler Cizeks) sehr gut, Plakate teils gut, teils (Festzug) unerhört! . . . Metzner mit einem ganzen Saal genial und übertrieben wie immer . . . Landschaft und Interieur von Moll sehr gut . . . Kurzweil unerhört; Radler zum Lachen, Kupka zum Ohrfeigen, ebenso Kokoschka ›Die Traumtragenden‹.«[22]

Die wohl interessanteste private Quelle stellen die Briefe Fritz Waerndorfers an Carl Otto Czeschka dar. Waerndorfer, als finanzieller Leiter der Wiener Werkstätte mitten im Geschehen stehend, berichtet seinem ehemaligen Mitarbeiter in der WW und Freund (und ehemals Kokoschkas Lehrer an der Kunstgewerbeschule) einige Tage nach der Eröffnung der Ausstellung nach Hamburg: »Alsdann Freund, die Schinderei vor der Eröffnung war groß. Bis zum letzten Moment nicht fertig waren Witzmann, Prag-Rudniker und Löffler . . . Klimt hat eine Menge neuer Sachen. Eine Danae in der ein Goldstrom wie ein endloser Mordsschwaf steckt, was ihr äußerstes Behagen verursacht, ein paar herrliche Landschaften und der Liebesgarten . . . Ansunsten ist Kokoschka der Krach der Kunstschau. Mir gefallen die drei Bilder in der Ausstellung noch viel besser, und haben wir sie ihm um bare 200 Kronen abgekauft . . . Seine Zeichnungen kauften sich Orlik, Moser und Metzner, kannst Dir den Effect vorstellen, wie am Eröffnungstag unter allen seinen Werken die Zettel ›verkauft‹ prangten.«[23]

Bis auf den konkreten Bericht von Fritz Waerndorfer geben die als Publikumsäußerungen zitierten Stellen natürlich nicht sehr viel Konkretes her, sie sind aber doch – auch in ihrer Lapidarität – Zeugnisse, die das Verständnis oder Unverständnis bei der Erstpräsentation von Kokoschkas Werken in einer Ausstellung belegen. Für sehr viele Künstler wären wir froh, wenigstens solche Belege zu besitzen.

Zur Abrundung der Kunstschau-Rezeption möchte ich noch ein ganz besonderes Beispiel dafür bringen, wie lange der ›Schock‹ Kokoschka von 1908 gewirkt hat. Das Besondere dabei ist, daß diese Rezeption mitbeteiligt daran war, Kokoschkas Tätigkeit als Zeichenlehrer in der Schwarzwald-Schule nach kurzem wieder zu beenden.

Im Herbst 1911 kam OK an das private Liceum von Eugenie Schwarzwald und unterrichtete eine Mädchenklasse im Zeichnen. Eine Überprüfung seiner Unterrichtsmethode durch den k. k. Fachschulinspektor Josef Langl erbrachte, daß er sich nicht an den Lehrplan hielt. Im schriftlichen Bericht an seine vorgesetzte Behörde schrieb der Schulinspektor: »Zunächst hat sich der junge Mann um den Lehrplan gar nicht gekümmert und hat die Mädchen nach der Methode der ›Übermodernen‹ zeichnen lassen, was sie wollten, und zwar ›illustrierend‹. Seit September v. J. (die Inspektion erfolgt im Jänner 1912) wurden nur Phantasiebilder mit Figuren: Straßenszenen, Gesellschaftsbilder etc. gezeichnet und zugleich illuminiert, ein Chaos von kindlichen Patzereien, zumeist nur halbfertige Schmieragen, ganz im Stile der Kunst, welche er selbst sinn- und gedankenlos zur Zeit der Kunstschau ausgestellt hatte.«[24]

Das Urteil – in des Wortes zweifacher Bedeutung – führte zur Entfernung Kokoschkas vom Posten eines Zeichenlehrers und ist nicht nur einfach mit der Rückständigkeit eines beamteten Zeichenlehrers als Schulinspektor zu erklären – immerhin war Josef Langl nicht nur selbst Absolvent der Akademie und ausübender Künstler, sondern auch lange Jahre Kunstreferent verschiedener in- und ausländischer Kunstzeitschriften.

Wie reagiert nun der Künstler selbst vor allem auf die vom Publikum ausgehende weitgehende Ablehnung?

Da es nur bedingt mit der Art der bisher vorgetragenen Rezeptionsgeschichte zu tun hat, mögen einige Hinweise genügen.

Kokoschka reagierte auf die Ablehnung auf der »Internationalen Kunstschau 1909« mit einer Selbst-Stigmatisierung, indem er sich wie ein Verbrecher den Kopf kahl scheren ließ. Er übertrug die Schmach, die man seinen Werken angetan hatte, auf das Äußere seiner Person: Der Künstler als Gezeichneter.

Die ins künstlerische Werk wirkende logische Fortsetzung waren dann seine Illustrationen zu »Mörder, Hoffnung der Frauen«, die er – wohl an der Jahreswende 1910 – für die Berliner Zeitschrift *Der Sturm* schuf. Der Mörder hatte nun des Künstlers Physiognomie, und als Stigmatisierter stellte er sich auch im Selbstporträt für das *Sturm*-Plakat dar: roh, brutal, fiebrig, besessen, aggressiv. Die linke Hand zeigt auf die offene Wunde in der Brust: Der Künstler als Schmerzensmann.

Eine weitere Stigmatisierung finden wir auf dem Blatt »Amokläufer« aus dem Jahr 1909: Der Künstlersignatur am Bildrand sind zwei weitere OK-Signaturen beigegeben, und zwar als Tätowierungen am linken Unterarm: der Künstler als Verbrecher.

Die Verstörungen und Verletzungen, die nach innen gingen, waren wohl größer und langwieriger und hielten sich – pendelnd zwischen Haßtiraden auf Wien und sein Publikum und vereinzelter, zögernder Wiederannäherung – bis an das Lebensende des Künstlers. Die Briefe, beispielsweise an die Mutter oder an Carl Moll, geben davon dramatisch-beredtes Zeugnis und bedürfen – wie der gesamte eingeschobene Kurzexkurs – einer eingehenden, analytischen Betrachtung, deren wesentlichster Ausgangspunkt aber nur wieder die Ergebnisse von Rezeptionsforschung sein können und müssen.

Zum Abschluß, und damit zur Schließung der Kette von möglichen Rezipienten, möchte ich noch ein paar Äußerungen von Porträtierten zitieren: Ab Mitte 1909 vermittelte Adolf Loos seinem jungen Schützling und Freund eine große Anzahl von Porträtaufträgen.[25] Bei den Dargestellten handelte es sich durchwegs um Freunde und Auftraggeber des Architekten. Loos sicherte ihnen jeweils zu, daß sie das OK-Porträt nur dann bezahlen und behalten müßten, wenn ihnen die fertige Arbeit gefiele, denn sonst würde er selbst die Bilder übernehmen und bezahlen.

Die Pointe der Geschichte ist kurz und in einem Satz erzählt: Loos wurde – unfreiwillig – zum größten Kokoschka-Sammler seiner Zeit. Er besaß ingesamt nachweisbar 29 Bilder, der Großteil davon waren Porträts seiner Kunden.

Karl Kraus reagierte auf das von ihm gemalte Bild mit einem fein geschliffenen Aphorismus: »Kokoschka hat ein Porträt von mir gemacht. Schon möglich, daß mich die nicht erkennen werden, die mich kennen. Aber sicher werden mich die erkennen, die mich nicht kennen.«[26]

Und allgemein zu Kokoschkas Porträtkunst: »OK malt unähnlich. Man hat keines seiner Porträts erkannt, aber sämtliche Originale.«[27]

Wer Karl Kraus zu lesen versteht und auch seine mehr als gestörte Beziehung zur modernen Kunst kennt, weiß, daß diese Zitate nicht so sehr sein Einverständnis mit seinem Kokoschka-Porträt manifestieren, als vielmehr *gegen* das landläufige Unverständnis von Kokoschkas Porträts polemisieren.

Kraus sagte auch: »Ich bin stolz auf das Zeugnis eines Kokoschka, weil die Wahrheit des entstellenden Genies über der Anatomie steht und weil vor der Kunst die Wirklichkeit nur eine optische Täuschung ist.«[28]

Das Kraus-Porträt hing übrigens nicht in der Wohnung des Dargestellten, sondern befand sich in der Sammlung von Adolf Loos.

Eine der Porträtierten, die sich nicht selbst erkannte – erkennen wollte –, war die Schriftstellerin Karin Michaelis. OK zeichnete sie 1911 im Hause Schwarzwald kurz vor der Abreise: »Ich packte, er zeichnete. Wenn ich mich bückte, kroch er auf dem Fußboden herum, um das Gesicht nicht aus den Augen zu verlieren. Das Bild war in zwanzig Minuten fertig – aber was für ein Bild! Drei Monate Gefängnis wären nicht zuviel gewesen für die ›Schädigung an gutem Namen und Ruf‹, die er mir dadurch verursachte. Die Zeichnung wurde nämlich im ›Sturm‹ publiziert. Von der Zeit an habe ich einen kleinen Haß auf Herwarth Walden gehabt. Es vergingen ein paar Jahre, ich befreundete mich mit Kokoschka, konnte ihm aber schwer das ›Sturm‹-Verbrechen verzeihen, nicht zum mindesten, weil er dauernd behauptete, mein ›inneres Gesicht‹ sei glänzend getroffen!«[29]

ANMERKUNGEN

1 Wilhelm Wartmann, Vorwort zum Katalog der Ausstellung Oskar Kokoschka, Kunsthaus Zürich 1927, S. III–IV, Zitat S. IV.
2 Werner J. Schweiger, Der junge Kokoschka. Leben und Werk 1904–1914. Wien–München 1983, Kapitel: Der ›Nachahmer‹ S. 202–208.
3 Zit. n.: Werner J. Schweiger, Wiener Werkstätte. Kunst und Handwerk 1903–1932. Wien–München 1982, S. 9–10.
4 Wie Anm. 3.
5 Ludwig Hevesi, Altkunst–Neukunst. Wien 1894–1908. Wien 1909, S. 313.
6 Ludwig Hevesi, Kunstschau 1908, in: Kunst und Kunsthandwerk. Wien, Jg. 11, 1908, S. 395–396, Zitat S. 396.
7 Kunstschau Wien 1908, in: Österreichische Volks-Zeitung, Wien, Jg. 54, 1908, Nr. 152 v. 2. 6., S. 4.
8 Kunstschau Wien 1908, in: Arbeiter-Zeitung, Wien, Jg. 20, 1908, Nr. 152 v. 2. 6., S. 8.
9 Eduard Pötzl, Kunstschau. Eindrücke eines Laien, in: Neues Wiener Tagblatt, Jg. 42, 1908, Nr. 157 v. 7. 6., S. 1–3, Zitat S. 2–3.
10 Karl M. Kuzmany, Kunstschau Wien 1908, in: Die Kunst, München, Bd. 18, 1908, S. 513–546, Zitat S. 521.
11 Hermann Feigl, »Kunstschau«, in: Deutsches Volksblatt, Wien, Jg. 20, 1908, Nr. 6976 v. 2. 6., S. 1–2, Zitat S. 1.
12 Adalbert Franz Seligmann, Die Kunstschau 1908, in: Neue Freie Presse, Wien, Nr. 15727 v. 2. 6. 1908, S. 13–14, Zitat S. 14.
13 Klimt und seine Leute (»Kunstschau 1908«), in: Illustrirtes Wiener Extrablatt, Jg. 37, 1908, Nr. 152 v. 2. 6., S. 6.
14 Paul Stefan, Das Grab in Wien. Eine Chronik 1903–1911. Berlin 1913, S. 108.
15 Berta Zuckerkandl, Junge Künstler, in: Wiener Allgemeine Zeitung, Jg. 33, 1911, Nr. 9859 v. 11. 2., S. 3–4, Zitat S. 4.
16 S. Anm. 10.
17 Hermann Bahr, Tagebuch, in: Morgen, Berlin, Nr. 37 v. 11. 9. 1908, S. 1202–1207, Zitat S. 1204.
18 Friedrich Stern, Wiener Kunstschau 1908 (Eröffnung), in: Neues Wiener Tagblatt, Jg. 42, 1908, Nr. 152 v. 2. 6., S. 15.
19 Richard Muther, Die Kunstschau, in: Die Zeit, Wien, Jg. 7, 1908, Nr. 2049 v. 6. 6., S. 1–2.
20 Erhard Buschbeck, Brief an Anton Moritz, Salzburg, 5. 7. 1908 (Lotte Tobisch von Labotyn, Wien).
21 Martin Suppan/Erich Tromayer, Marie Egner. Eine österreichische Stimmungsimpressionistin. Wien 1981, S. 73.
22 Josefine Winter, Tagebucheintragung vom 7. 6. 1908 (Conny Nechansky, Wien).
23 Fritz Waerndorfer, Brief an Carl Otto Czeschka, Wien, 5. 6. 1908 (Privatbesitz Hamburg).

24 Bericht über den Zustand des Zeichenunterrichtes am Mädchenlyzeum der Frau Dr. Eugenie Schwarzwald, 1. Kohlmarkt 6. (Verfaßt von k. k. Regierungsrat Josef Langl im Jänner 1912). (Österreichisches Staatsarchiv, allgemeines Verwaltungsarchiv, Wien).

25 Werner J. Schweiger, Der junge Kokoschka. Leben und Werk 1904–1914. Wien–München 1983, Kapitel: Wie der Geisterkönig in einem Raimund-Märchen. Adolf Loos, der väterliche Freund und Mäzen, S. 116–123.

26 Die Fackel, Jg. 11, 1909/10, Nr. 300 v. 9. 4. 1910, S. 25.

27 Die Fackel, Jg. 12, 1910/11, Nr. 315/16 v. 26. 1. 1911, S. 33.

28 Die Fackel, Jg. 15, 1913/14, Nr. 374/375 v. 8. 5. 1913, S. 32.

29 Karin Michaelis, Der tolle Kokoschka, in: Das Kunstblatt, Berlin, Jg. 2, 1918, S. 361–366, Zitat S. 361–362.

LITERATUR ALLGEMEIN

Werner J. Schweiger, Der junge Kokoschka. Leben und Werk 1904–1914. Wien–München 1983, Sonderausgabe zum 100. Geburtstag Oskar Kokoschkas 1986.

LEO A. LENSING

Gesichter und Gesichte:
Kokoschka, Kraus und der Expressionismus

In einer 1912 verfaßten Besprechung von *Pro domo et mundo,* der zweiten Aphorismensammlung von Karl Kraus, charakterisiert Alfred Döblin den Satiriker durch einen bemerkenswerten Hinweis auf die Malerei:
»Mehr wie den Dichtern ist diesem Sprachvirtuosen das Wort plastisches Material. Er erinnert mich an die Verwegenheiten der Futuristen und jener sonderbaren Maler, die beherzt auf die ›naturalistische‹ Wirklichkeit pfeifen, und die widernatürlichen Eigenwerte ihrer Kunst stolz auf die Leinwand setzen.«[1]
Zu diesen »sonderbaren Malern« hätte Döblin sicher auch Oskar Kokoschka gezählt, dessen Kunst in *Pro domo et mundo* besondere Aufmerksamkeit geschenkt wird. Mit Kraus zusammen hatte Kokoschka die ästhetische Richtung der frühexpressionistischen Zeitschrift *Der Sturm* anfangs stark geprägt. Die Titelseite der allerersten Nummer brachte Kraus' Essay »Die Operette«, und 1910, im ersten Jahrgang, erschienen sowohl fünfundzwanzig Reproduktionen von Kokoschkas Zeichnungen als auch neun weitere Beiträge von Kraus.[2] Döblins Rezension, die vielleicht von Herwarth Walden angeregt und jedenfalls für den *Sturm* vorgesehen war,[3] ist dann doch nicht erschienen, wohl weil Kraus inzwischen Waldens »Literaturpolitik« zurückgewiesen und sich von der brutalen Ästhetik der Futuristen entschieden distanziert hatte:
»Ich habe mit Berliner literaturpolitischen Bestrebungen, mit Futuristen, Neopathetikern, Neoklassizisten und sonstigen Inhabern von Titeln ebensowenig zu schaffen wie mit Wiener Kommerzial- oder Sangräten . . . Ich halte das Manifest der Futuristen für den Protest einer rabiaten Geistesarmut, die tief unter dem Philister steht, der die Kunst mit dem Verstand beschmutzt.«[4]
Man hat diesen plötzlichen Verzicht auf eine enge finanzielle und redaktionelle Zusammenarbeit zwischen der *Fackel* und dem *Sturm* als das erste Zeichen einer kategorischen Ablehnung der neuen expressionistischen Sehweise verstanden.[5] Dieser Ansicht unkritisch beizupflichten, hieße aber Döblins aufschlußreichen Vergleich ignorieren und die Wirkung von Kraus' Begegnung mit der Person und der Kunst Kokoschkas unterschätzen. In der sinnreichen Analogie zwischen dem Futurismus und Kraus' sprachlicher Virtuosität liegt die Erkenntnis, daß die bildende Kunst, insbesondere die Malerei, zum »Paradigma der Moderne« geworden war.[6] Um die wichtigsten literarischen Neuerungen zu erklären, wird daher ab 1910 immer wieder auf die neuen Kunstbewegungen hinge-

wiesen. Ein dem Fall Kraus verwandtes Beispiel gibt es in Max Brods 1914 publizierter Bemerkung über *Betrachtung*, die erste Sammlung von Kafkas Erzählungen: »Die Unmittelbarkeit, mit der Kafka statt der Realität die ihm eigentümliche Formsprache setzt, macht ihn der expressionistischen Richtung heutiger Malerei verwandt.«[7] Wegen der in der Kraus-Forschung vorherrschenden Betonung der Sprachkritik und -thematik hat man größtenteils übersehen, daß auch Kraus die Wechselbezüge zwischen der Literatur und der Kunst beobachtet und literarisch verwertet hat.

Im Gegensatz zur üblichen Feststellung eines einseitigen Einflusses, das heißt des Satirikers auf den Maler, möchte ich die Indizien einer komplizierteren, gegenseitigen Einwirkung vorlegen.[8] Kokoschka war nicht der erste Maler, mit dem sich Kraus in der *Fackel* befaßte. Der junge Kritiker hatte zwischen 1899 und 1903 Ausstellungen der Secession besucht, besprochen oder besprechen lassen und, durch Hermann Bahrs journalistischen Einsatz für die Gruppe provoziert, sogar an der Polemik gegen Klimts Fakultätsbilder teilgenommen.[9] Bezeichnenderweise ließ sich Kraus nicht irremachen oder zu einem entsprechenden Angriff reizen, als Bahr Kokoschkas Debüt in der »Kunstschau 1908« begrüßte.[10] Außerdem lernte Kraus Kokoschka zu einer Zeit kennen, in der er schon begonnen hatte, auf Bilder und Plakate satirisch zu reagieren. Beispielhaft für diese neue Tendenz war »Die Welt der Plakate« (F 283, 1909, 19–25), die tragikomische Vision einer Welt, die von den überlebensgroßen Gesichtern der Plakatwerbung überflutet wird. Sowohl Kraus als auch Kokoschka versuchten, die korrupte bürgerliche Kultur zu demaskieren: Kraus, indem er die literarische Ornamentik des feuilletonistischen Journalismus anprangerte; Kokoschka, indem er in seinen frühen Porträts den von der schönen Oberfläche des Jugendstils verdrängten gesellschaftlichen Verfall sichtbar machte. Beide suchten eine neue künstlerische Ausdrucksweise, angedeutet in dem von beiden öfters doppeldeutig verwendeten Begriff »Gesicht«, in der Dialektik also zwischen »Gesichtern« und »Gesichten«. Im folgenden werden vor allem die ersten beiden von Kokoschka gemachten Kraus-Porträts und ihre Wirkung auf das Werk des Satirikers untersucht. Es wird versucht, zu zeigen, daß die Beziehung zu Kokoschka Kraus zu einer wirksameren satirischen Gestaltungsweise verholfen hat, in der das Visuelle immer wesentlicher wurde.

Aus dem noch unveröffentlichten Briefwechsel zwischen Kraus und Herwarth Walden geht hervor, daß Kokoschka schon im Sommer 1909 einen festen Platz in dem Kreis um Kraus und Loos erworben hatte.[11] Überdies läßt sich durch einige Briefstellen die Entstehungsgeschichte des ersten Ölporträts von Kraus genau rekonstruieren. Am 23. September 1909 schreibt Kraus: »Wenn er [Peter Altenberg] hört, daß mich Kokoschka malt, explodiert er endgültig«; am

50. OK, Karl Kraus I, 1909

27. September heißt es: »Ich werde jetzt von Kokoschka gemalt, ich glaube, die Sache wird ganz bedeutend«; und dann am 11. Oktober: »Seit gestern hängt bei mir das Kokoschka-Porträt.« (Alle Zitate St.-A)[12] Es gibt in diesen Äußerungen keinen Hinweis darauf, daß das Bild Kraus nicht gefallen habe, wie man in der Kokoschka-Forschung immer wieder behauptet hat.[13] Im Juni 1910 wurde das Porträt (*Abb. 50*) im Salon Cassirer in Berlin zum ersten Mal ausgestellt. Walden, der die Ausstellung organisiert hatte, teilte Kraus mit: »Besonders Ihr Bild wird gerühmt« (KKA, I. N. 147.735). Else Lasker-Schülers Äußerung, »Das Gerippe der männlichen Hand . . . ist ein zeitloses Blatt, seine gewaltige Blume ist des Dalai Lamas Haupt«,[14] verdeutlicht trotz ihrer poetischen Eigenwilligkeit, daß man das Gemälde als eine Ikone des Schutzheiligen auffaßte, der Kraus ebenso rasch wie flüchtig für den *Sturm*-Kreis wurde. Kraus selber fand Lasker-Schülers Beschreibung der Kokoschka-Bilder »erstaunlich schön« (St.-A, Brief an Walden vom 23./24. 7. 1910), obwohl er sich später über den »Dalai-Lama-Ton« (St.-A, Brief an Walden vom 22. 1. 1912) beschwerte. Die Beobachtungen von Kurt Hiller, die, wie der Text von Else Lasker-Schüler, 1910 im *Sturm* erschienen, bestätigen die starke Ausstrahlungskraft des Porträts:
»Auch Karl Kraus schaut mich an; er sitzt ruhig und gefährlich, mit schmaler, intellektueller Hand und spitzem Mündchen und unglaublichen Aquamarin-Augen; der Stoff des zu zerspottenden Universums strömt auf ihn ein; er sitzt zierlich und amüsiert-lächelnd da, irgendwie von hinten still auf dem Sprung; aber um sein Haupt tanzen blitzgelbe Tupfen.«[15]
Diesen dynamischen gelben Hintergrund betonen auch Edith Hoffmann, die die vorherrschende Farbe in dem Porträt ein »vivid yellow« nennt,[16] und J. P. Hodin, der behauptet, »das aufregende Gelb« besitze einen symbolischen Eigenwert.[17] Sowohl Hiller als auch E. Hoffmann beschreiben den Eindruck, daß der Hintergrund des Bildes die porträtierte Figur zu erdrücken drohe. Indem Kokoschka das Modell in eine pulsierend-chaotische Umgebung setzt, untergräbt er die Konventionen eines präzise gezeichneten und dekorativ gestalteten Hintergrunds, der die späteren Porträts Klimts kennzeichnet. Kurt Hiller und Else Lasker-Schüler weisen auf diesen wichtigen Gegensatz im expressionistischen Kontext des *Sturm* hin. Beide loben Kokoschka als den Antipoden von Klimt, als einen Künstler, der die Tiefen der Persönlichkeit erforscht, anstatt ihre ornamentale Oberfläche zu gestalten.[18]
Weil das erste Ölporträt von Kraus im Zweiten Weltkrieg verlorengegangen ist, muß man bei jedem interpretatorischen Ansatz behutsam vorgehen. Jedoch läßt die genaue Datierung des Bildes eine Vermutung über Kokoschkas Konzept für die farbliche Dominante zu. Vielleicht besteht ein Zusammenhang mit dem Essay »Die chinesische Mauer«, der am 27. Juli 1909 in der *Fackel* erschien, etwa

drei Wochen, nachdem Kraus und Loos bei der durch Unruhen gestörten Uraufführung von »Mörder, Hoffnung der Frauen« sich für Kokoschka eingesetzt
hatten.[19] »Die chinesische Mauer«, deren Anlaß ein von einem Chinesen an einer weißen Frau verübter Mord war, greift die Heuchelei der von der männlichen Sexualität geprägten Doppelmoral an. Diese Satire, die Else Lasker-Schüler
»ein historisches Wortgemälde« nennt,[20] wurde zu einem von der jungen expressionistischen Generation sehr geschätzten Schlüsseltext. In einer für Kraus
ungewöhnlichen Weise bestimmt eine Farbe die Metaphorik des Essays. Am
Anfang verkündet die satirische Stimme: »Ringsum ist alles gelb. Wie der Tag,
an dem der alte Gott sein Gericht hält. Gelb wie eine Chinesenhand und rot wie
das Blut einer Christin.« (F 285, 1909, 1) Und gegen Ende wird das bösartige
Klischee von der »gelbe(n) Gefahr« (ebda., S. 14) in eine apokalyptische »gelbe
Hoffnung« (ebda., S. 16) verwandelt, die den Kulturchauvinismus und Rassis-
mus des Abendlandes zerstören soll. Vielleicht wurde Kokoschka durch die
Lektüre dieses Textes, dessen Thematik das eigene Interesse am Kampf der Geschlechter in so eindringlicher Weise berührt, zu einer Farbensymbolik für das
Porträt angeregt. Jedenfalls steht fest, daß er ein paar Wochen vor Arbeitsbeginn
Kraus gelesen hat und zwar *Sprüche und Widersprüche* (1909), die erste Apho-
rismensammlung, wie aus einem Brief (9. 9. 1909) von Loos an Kraus hervor-
geht: »Kokoschka las Ihre Sprüche. Er ist sehr erstaunt über die Wucht dieses
Buches.« (KKA, I. N. 138.844) Schließlich sprechen auch die von Kraus schon
1911 erwähnten Illustrationen zu einer Sonderausgabe der »Chinesischen
Mauer« dafür,[21] daß dieser Essay mit Kokoschkas erstem Verständnis der
künstlerischen Persönlichkeit des Satirikers eng verbunden war.[22]
Nicht jeder Kritiker hat wohlwollend auf das Porträt reagiert. Als es 1911 in der
Hagenbund-Ausstellung zum ersten Mal in Wien gezeigt wurde, fällte der
Kunstprofessor Josef Strzygowski ein Urteil, das wohl auch dem Modell galt:
»Welch ekelhafte Pestbeule präsentiert uns der Maler in diesem Karl Kraus!«[23]
Rückblickend fühlte sich Kokoschka dazu verpflichtet, in seiner Autobiogra-
phie darauf zu bestehen, daß das Kraus-Porträt »nicht seine Entlarvung, wie die
Kritik sagte, sondern die der Wiener-Gesellschaft« darstellte.[24] Ein Vergleich
mit einer der bekanntesten Photographien von Kraus, einem Porträt (*Abb. 51*)
aus dem Studio D'Ora-Benda von 1908, läßt Kokoschkas Bild wie eine kritische
Auflockerung der »›klassischen‹ Sitzpose«[25] der Porträtaufnahme erscheinen.
Das gestellte Profil wird zu einer konfrontierenden En-face-Stellung, und die
aufeinander ruhenden Hände werden durch eine symbolisch wirkende Gebärde
in Bewegung gebracht. Trotz dieser Abweichungen zeigt das Porträt Spuren
von der selbstzufriedenen, fast süffisanten Miene der photographierten Figur.
Man darf von seiten Kokoschkas zumindest eine unbewußte Zurückhaltung ge-

51. Karl Kraus, Aufnahme von Madame D'Ora, 1908

genüber der satirischen Persona und dem öffentlichen Auftreten Kraus' vermu-
ten. Eine ähnliche Unsicherheit, was die Persönlichkeit des Porträtierten be-
trifft, charakterisiert Paul Stefans Erwähnung des Bildes in seiner Einleitung zu
Kokoschkas »Dramen und Bilder« (1913): »Es entstand ein Bildnis von Karl
Kraus ... er schien gebrechlich, aber hart und unerbittlich, ein Wesen, dessen
Augen, dessen Hände aus einer Fläche von fahlen Flecken, aus einer unbegreifli-
chen in eine unbegreifliche Welt herausragen.«[26]
Es ist bemerkenswert, daß Kraus gerade in dieser Zeit anfing, durch die gezielte
Veröffentlichung von Porträtphotographien sein Gesicht bekannter zu machen.
Eine andere, ausgesprochen konventionelle Photographie (*Abb. 52*), die wahr-
scheinlich auch von Madame D'Ora stammt, erschien zuerst als Titelbild zu Ro-
bert Scheus Broschüre über Kraus aus dem Jahre 1909 und wurde im gleichen
Jahr dem *Literarischen Echo* überlassen, das es mit einer Aphorismenauswahl
publizierte.[27] Kraus wollte das gleiche Bild im vorübergehend von Herwarth
Walden herausgegebenen *Theater* reproduzieren lassen, aber Walden riet davon

132

52. Karl Kraus, Titelbild zu Robert Scheu,
Karl Kraus, 1909

ab: »Das Bild giebt eine völlig falsche Vorstellung von Ihnen.« (Brief vom
22. 9. 1909, KKA, I. N. 147.659) Daß Kraus mit der Unterstützung von Loos
die Publikation des Bildes trotzdem durchsetzen wollte, scheint auch heute ver-
fehlt, verrät aber sein Bedürfnis nach einem selbstbestimmten Selbstbildnis und
macht seine ambivalente Haltung den frühen Kokoschka-Porträts gegenüber
verständlich. Es ist bezeichnend, daß Franz Pfemfert gerade diese Neigung zur
bildlichen Selbstdarstellung als Angriffspunkt wählt, als er sich auf die Seite Alfred Kerrs stellt und 1911 gegen Kraus in der *Aktion* polemisiert:
»In dem von ihm jetzt so gehaßten Café des Westens ließ Kraus vor einer Zeit,
um auch bildnerisch zu wirken, Ansichtskarten mit seinem Porträt verkaufen,
und es war neckisch zu beobachten, wie sich dann das Original neben dem An-
sichtskartenständer wohl fühlte.«[28]
Ob man in dem Ölporträt eine nervöse intellektuelle Kraft oder einen pathologischen Egoismus erblickte: es wurde jede konventionelle Ähnlichkeit in einem
mit Tuschfeder und Pinsel gezeichneten Porträt (*Abb. 53*) überwunden. Die

53. OK, Bildnis Karl Kraus, um 1909/10

Zeichnung erschien im *Sturm* vom 19. Mai 1910 als Mittelpunkt einer beinahe nur Kraus gewidmeten Nummer.[29] Sie zeichnet sich, im Vergleich zu dem Öl-bild und zu der Zeichnung von Loos für die gleiche Serie,[30] durch eine ausge-sprochene Deutung der Persönlichkeit aus. Besonders die Gestaltung der sensi-blen Hände, die in die Mitte des Bildes verlegt und in einem religiös anmutenden Gestus festgehalten werden, vermittelt einen selbstbewußten und zugleich her-ausfordernden Eindruck des Satirikers. Kokoschka hielt diese Zeichnung für eine der besten dieser Jahre und bestand in verschiedenen Briefen an Walden auf deren Aufnahme in Ausstellungen und Mappen.[31] Die Porträtzeichnung wurde ab 1913 als Kunstdruck des Verlags »Der Sturm« verbreitet und erschien 1916 in dem Band »Menschenköpfe«, der Sammlung von Kokoschkas *Sturm*-Por-träts.[32]

1909 setzte sich Kraus zum ersten Mal für Kokoschka ein, indem er durch eine Anzeige in der *Fackel* einen Verleger für den »Weißen Tiertöter« suchen ließ (F 292, 1909, nach S. 32). Bis 1912 machte *Die Fackel* dann immer wieder auf

Kokoschkas Veröffentlichungen aufmerksam.[33] Der Kokoschka-Forschung ist es schon lange bekannt, daß die erste wichtige Würdigung des Malers, Ludwig Erik Tesars »Oskar Kokoschka. Ein Gespräch«, in der *Fackel* (F 298, 1910, 34–44) erschien. Kraus' maßgebliche editorische Beteiligung an diesem Beitrag ist allerdings erst vor kurzem klargestellt worden.[34] *Die Fackel* brachte auch einen zweiten Essay von Tesar, »Der Fall Kokoschka und die Gesellschaft« (F 319, 1911, 31–39)[35] und einen Aufsatz des jungen Kunsthistorikers Franz Grüner.

Tesars erster Beitrag liest sich wie ein expressionistisches Manifest. Kokoschkas Bevorzugung der »Idee« vor der »Beschreibung« (F 298, 1910, 37) wird hervorgehoben, seine Ablehnung der »Natur« (ebda., S. 41) als Modell für die Kunst verteidigt. In seinen Porträts treffe man nicht »unser leibliches Ich«, sondern unser »zweites und mehrfaches Ich« (ebda., S. 38). Besonders in dem zweiten Aufsatz wird außerdem betont, daß Kokoschka der Öffentlichkeit gezeigt habe, »daß das Bildnis nicht das Bedürfnis nach der photographischen Ähnlichkeit habe« (F 319, 1911, 35). Auch in Franz Grüners Essay »Oskar Kokoschka« (F 317, 1911, 18–23) werden das Prinzip der »Unähnlichkeit« und andere expressionistische Motive hervorgehoben. Ohne die schockierende Pathologie der Porträtkunst Kokoschkas zu leugnen, behauptet Grüner, daß es bei dem Porträt wichtiger sei, die Einheit von Farbe und Linie zu gewährleisten, als die Schönheit des Modells wiederzugeben. Sowohl Tesar als auch Grüner weisen die von der impressionistischen Perspektive geforderte analytische Distanz zurück und befürworten eine für den Expressionismus typische synthetische Theorie der ästhetischen Darstellung. Danach soll der Beobachter sich in das Bild vertiefen und mit ihm eine Einheit bilden. Wenn auch aus anderen Gründen, teilt Kraus die expressionistische Vorliebe für Form und Abstraktion und nimmt deren Tendenz vorweg, die naturalistische Beschreibung herabzusetzen. In einem vielleicht auch schon vor der Bekanntschaft mit Kokoschka verfaßten Aphorismus heißt es: »Auf den Bildern derer, die ohne geistigen Hintergrund gestalten und den Nichtkenner durch eine gewisse Ähnlichmacherei verblüffen, sollte der Vermerk stehen: Nach der Natur kopiert . . .« (F 259, 1908, 37) In anderen Texten dieser Zeit werden die Malerei und die Prosa nicht nur ästhetisch, sondern auch satirisch verglichen. Kraus findet zum Beispiel, daß es schwieriger sei, eine »Kunst des Satzes« als eine »Farbenkunst« (F 256, 1908, 29) zu vermitteln, und kommt zu dem witzigen Schluß, daß die »Journalisten der Malerei . . . eben Anstreicher« (F 256, 1908, 28) heißen.

Die Begegnung mit seinem Selbst, wie es Kokoschka in den beiden ersten Bildnissen dargestellt hat, veranlaßt Kraus zu einer gründlicheren Auseinandersetzung mit der künstlerischen Eigenart des Malers. Vor allem die erste Porträtzeichnung dürfte einen tiefen Eindruck auf den Satiriker gemacht haben. Dem Brief, in dem Kokoschka Walden Anweisungen zur Reproduktion des Bildes gibt, fügt Kraus ein lapidares Urteil über die Zeichnung hinzu: »Ein Meisterwerk«.[36] Kurz bevor das Porträt im *Sturm* erscheint, veröffentlicht Kraus die beiden folgenden Aphorismen in der *Fackel:*

»Kokoschka hat ein Porträt von mir gemacht. Schon möglich, daß mich die nicht erkennen werden, die mich kennen. Aber sicher werden mich die erkennen, die mich nicht kennen.«

»Der rechte Porträtmaler benützt sein Modell nicht anders, als der schlechte Porträtmaler die Photographie seines Modells. Eine kleine Hilfe braucht man.« (F 300, 1910, 25)

Diese Aphorismen gehören zu einer Gruppe von insgesamt fünf, die unter der Rubrik »Vom Künstler« in *Pro domo et mundo* zusammengestellt und deutlich als Anerkennung von Kokoschkas Malerei beabsichtigt sind.[37] Durch die einfache Variation der Bedeutungen von *erkennen* und *kennen* bestätigt Kraus im ersten Aphorismus, daß Kokoschka das künstlerische Wesen statt der Akzidenzien seiner Person offenbart hat. Der zweite Aphorismus rechtfertigt die Abweichung von einer photographischen oder naturalistischen Wiedergabe. In dem dritten Aphorismus – er erschien etwas später in der *Fackel* – dehnt Kraus die Anerkennung des eigenen Bildnisses auf die gesamte Porträtkunst Kokoschkas aus: »O. K. malt unähnlich. Man hat keines seiner Porträts erkannt, aber sämtliche Originale« (F 315, 1911, 33). Hier befürwortet Kraus das Prinzip der Unähnlichkeit, das nicht nur von Tesar in der *Fackel* ausgesprochen worden war, sondern auch wenig später im *Sturm* im »Manifest der Futuristen« verlangt werden sollte: »Wir erklären zum Beispiel, daß ein Porträt nicht seinem Modell ähnlich sein darf.«[38] Obwohl Kraus sich zu Kokoschka und damit zur expressionistischen Entstellung bekennt, darf man nicht daraus schließen, daß er sich doch noch der amoralischen, anarchistischen Subjektivität der Futuristen nähert. Der Schlüsselbegriff in diesen Aphorismen, der in dem vierten wieder hervorgehoben wird, »An einem wahren Porträt muß man erkennen, welchen Maler es vorstellt« (F 333, 1911, 7), ist *erkennen*, das heißt die Förderung der kritischen Erkenntnis. Daß diese auch den aggressiven Akt des Demaskierens erfordern kann, kommt in einem späteren, der *Pro domo et mundo*-Gruppe nicht zugehörigen Aphorismus zum Ausdruck: »O. K. malt bis ins dritte und vierte Geschlecht. Er macht Fleisch zum Gallert, er verhilft dort, wo Gemüt ist, dem Schlangendreck zu seinem Rechte.« (F 360, 1912, 23) Diesen und den noch weiter unten zu erläuternden fünften Aphorismus aus *Pro domo et mundo* hat die Kokoschka-Forschung bisher kaum beachtet.

Der Bemühung um eine aphoristische Würdigung der Kunst Kokoschkas entspricht der enge persönliche Kontakt mit dem jungen Maler, der vor allem in Kraus' Briefen an Walden belegt werden kann. Dieser Korrespondenz ist zu entnehmen, daß Kraus und Kokoschka Briefe gewechselt haben, die alle offenbar verlorengegangen sind. Die Briefe an Walden belegen außerdem, daß Kraus Kokoschkas *Sturm*-Beiträge mehrmals erwähnte und kommentierte. Am 3. September 1910 schreibt er über die 27. Nummer: »Besonders schön diesmal Lasker-Schüler und das Porträt von Kokoschka« (St.-A), das letztere eine Anspielung auf die Porträtzeichnung von Paul Scheerbart.[39] Als Kraus sich schließlich verpflichtet fühlt, die literaturpolitischen Absichten Waldens zu mißbilligen, verteidigt er auch das, was er für Kokoschkas Interessen hält. So wird zum Beispiel der Wiederabdruck der Illustrationen zu Ehrensteins »Tubutsch« scharf getadelt:

»Mit der Übernahme der Kokoschka-Bilder aus Ehrensteins Buch haben Sie ein Unrecht gegen Kokoschka, gegen Ehrenstein und gegen den Verleger Jahoda begangen . . . Überdies glaube ich, daß Kokoschka mit Reproduktionen seiner Sachen in einer *Zeitschrift* – deren Leser nie lesen, geschweige denn Bilder lesen können – kein Dienst erwiesen wird.« (29. 4. 1912, St.-A)[40]

Wo Kraus früher Kokoschkas eigenen Unwillen mitteilte, daß man ihn in die gleiche Nummer wie Pechstein gezwungen habe (4. 2. 1911, St.-A),[41] engagiert er sich jetzt parteiisch für den Maler: »Der letzte Holzschnitt des Herrn Morgner hat Leute, die für Kunst offen sind, zu fragen gezwungen, ob Sie's denn mit dem Einsetzen für einen *Kokoschka* ernst gemeint haben.« (22./23. 6. 1912, St.-A)[42] Auch wenn man vermuten darf, daß Loos hier mitredet, läßt Kraus' Ton keinen Zweifel aufkommen, daß er aus eigener Überzeugung schreibt.

Zu Kraus' publizistischen Diensten für Kokoschka gehört die in der *Fackel* geführte Polemik gegen Max Oppenheimer, den Kokoschka als opportunistischen Imitator gebrandmarkt haben wollte. In »Kokoschka und der andere« (F 339, 1911, 22) und weiteren Notizen und Glossen kam Kraus diesem Wunsch nach, indem er das »Genie« Kokoschka gegen den »Nachahmer« Oppenheimer ausspielte. Dieser Standpunkt entbehrt nicht einer gewissen Ironie, da der Nachahmer ein Porträt von Kraus früher gemalt hat, das 1908 in der Kunstzeitschrift *Der Erdgeist* reproduziert worden war, etwa ein Jahr bevor das Genie ihn porträtierte.[43] In einem Brief an Kurt Wolff vom 9. Dezember 1913, in dem Kraus auf die Annullierung eines Vertrags mit dessen Verlag besteht, erklärt er seine Haltung den jungen Expressionisten gegenüber mit einem Hinweis auf den Gegensatz Kokoschka/Oppenheimer:

»Ich sprach den Wunsch aus, in meiner Nähe lieber nichts zu sehen als die Mißgeburten des jüngsten Deutschland und ich führte Ihnen als Beispiel meine An-

54. KARL KRAUS, Bildnis Oskar Kokoschka

sicht vor, daß tausend Rezniceks einem Kokoschka weniger hinderlich seien als ein Oppenheimer . . .«[44]
Angesichts dieser wiederholten Solidaritätserklärungen mit Kokoschka verwundert es nicht, daß zumindest österreichische Expressionisten die Beziehung zwischen Kraus und Kokoschka für eine Wesensverwandtschaft hielten. Robert Müller zum Beispiel schreibt am 17. Februar 1912 an Ludwig von Ficker, der sich wohl ein Exemplar des Bilderbuchs »Die träumenden Knaben« erbeten hatte:
»Jeder Kokoschka-Interessent ist willkommen. Und gerade dieses Buch ist, wie Sie ganz richtig bemerken, zur ersten Bekanntschaft am Besten (sic!) geeignet. Das Dichterische darin ist prägnant auch für seine bildende Kunst. Wortkultus – Farbenfetischismus. Vision, Groteske . . . Seine Ideen liegen im Mittel. Ähnlich wie bei Kraus, dem konsequentesten *Formdenker*.«[45]
Die Beschreibung einer verzerrenden Ästhetik, die einem fast fetischistischen Ringen mit dem Stoff des Kunstwerks entspringt, ob Sprache oder Farbe, erin-

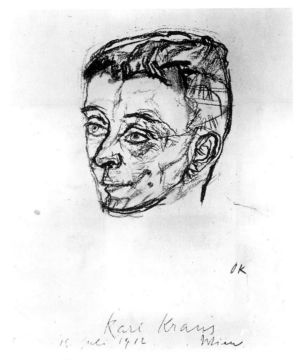

55. OK, Bildnis Karl Kraus, 1912

nert an Döblins Analogie zwischen dem Sprachdenker Kraus und den futuristischen Malern. Albert Ehrenstein spielt auf eine ähnliche Übereinstimmung zwischen der satirischen und der malerischen Vision an, als er Kraus schreibt, daß dessen aphoristische Sätze über »Tubutsch« in der *Fackel* »Kokoschka-Bilder« seien (Brief vom 4. 1. 1912).[46]

Trotz solcher Zeugnisse der künstlerischen Verwandtschaft, die durch Kraus' Bestätigungen von Kokoschkas Werk untermauert werden, gibt es Indizien dafür, daß Kraus mit den beiden ersten Porträts literarisch nicht zurechtkam. In dem letzten der fünf Aphorismen in *Pro domo et mundo* heißt es: »Er malte die Lebenden, als wären sie zwei Tage tot. Als er einmal einen Toten malen sollte, war der Sarg schon geschlossen.« (F 315, 1911, 35)[47] Hier klingen Vorbehalte an, die vor einer manierierten Entstellungskunst zu warnen scheinen. Vielleicht gehört auch Kraus' flüchtig skizzierte Porträtzeichnung (*Abb. 54*) von Kokoschka, die eher einer Totenmaske als einem Gesicht ähnelt, zu einem Versuch, sich mit dem Schöpfer dieser kontroversen Bildnisse seines Selbst auseinanderzusetzen.[48] Es ist jedenfalls zu vermerken, daß es wohl Kraus war, der sich ein drittes Porträt gewünscht hat. In einem Brief an Alma Mahler schreibt Kokoschka am 20. Juli 1912, also fünf Tage nachdem er die zweite Porträtzeichnung (*Abb. 55*) fertiggestellt hat, folgendes:

»Den Kraus mußte ich zeichnen, weil ich für das Theater seine Notizen brauche und weil er im Verkehr mit mir einer meiner ergebensten Anhänger ist, der mir deshalb notwendig war, weil ich mit der Gesellschaft und der Zeitung nichts zu tun haben will. Er hat auch als Schriftsteller das mir wichtigste, daß er die Leute geißelt und die Anschauungen, die ich leidenschaftlich hasse, und daß er sein Augenmerk auf manche Fälle hinlenken kann, die mir wichtig erscheinen.«[49]

Vielleicht hängt es mit der hier geäußerten Übereinstimmung mit Kraus' satirischen Absichten zusammen, daß das dritte Porträt eine verhältnismäßig geschlossene, fast malerisch wirkende Darstellung ergibt. Indem Kokoschka sich auf ein Kopfbild beschränkt und damit auf die Theatralik von Pose und Geste verzichtet, fällt das Ikonenhafte weg, das die ersten beiden Porträts auszeichnet.[50] Eine Äußerung von Kraus zu dieser zweiten Porträtzeichnung ist meines Wissens nicht bekannt, sie wird lediglich als die begleitende Illustration zu einer französischen Übersetzung einiger Aphorismen einmal in der *Fackel* erwähnt (F 389, 1913, 26).

Daß Kraus auf die frühen Kokoschka-Porträts auch unbewußt eingegangen ist, könnte seine seltsame Pose in einem um 1913 photographierten Porträt (*Abb. 56*) erklären.[51] Die gespannte Körperstellung und besonders die ungewöhnliche Haltung der Hände, die in keiner anderen Porträtphotographie vorkommt, erinnern deutlich an die Gestik der ersten beiden Porträts. Es gibt auch andere prominente Beispiele für die Erforschung der eigenen Persönlichkeit durch photographische Bildnisse. Schiele hat, zusammen mit dem Photographen Anton Trčka, photographische Selbstporträts geschaffen, die auf die eigene Malerei anspielen und sie kommentieren.[52]

Daß die Kokoschka-Porträts Kraus tatsächlich weiterhin beschäftigten, zeigt eine Stelle in der *Fackel*, wo er die Wirkung einer häßlichen Karikatur entkräften will:

»Meine Eitelkeit, die sich nicht auf meinen Leib bezieht, würde sich gern in einer Mißgeburt erkennen, wenn sie in ihr den Geist des Zeichners erkennte, und ich bin stolz auf das Zeugnis eines Kokoschka, weil die Wahrheit des entstellenden Genies über der Anatomie steht und weil vor der Kunst die Wirklichkeit nur eine optische Täuschung ist.« (F 374, 1913, 32)

Trotz der erneuten Würdigung von Kokoschkas Kunst und der wiederholten Rechtfertigung der expressionistischen Entstellung entscheidet sich Kraus für eine »photographische Entgegnung des Sachverhalts« (ebda.), und zwar für

56. Karl Kraus, Aufnahme um 1913/14

eine, die Walden nicht zu Unrecht schon getadelt hatte, als eine, die eine falsche Vorstellung vermittelt (*vgl. Abb. 52*). Diese Wahl läßt auf eine unverändert zwiespältige Beziehung zu den Porträts schließen und unterstreicht zugleich Kraus' Bedürfnis, das eigene Image zu bestimmen. Am Ende hat er sich von diesen Bildnissen wohl nicht ganz befreien wollen. Auf einer 1936 aufgenommenen Photographie seines Arbeitszimmers (*Abb. 57*) sieht man Reproduktionen der ersten beiden Porträts und entweder das Original oder eine Reproduktion der zweiten Porträtzeichnung.[53] Man darf Kraus' Ambivalenz aber auch positiv auslegen. Genau wie Kokoschka die Wunde seiner Kunst zum Zeichen der Anklage in dem aggressiven Selbstporträt für das *Sturm*-Plakat (*vgl. Abb. 25*) verwandelt, läßt Kraus die von den Beschimpfungen der Presse inspirierte Figur des »Nörglers« als sein dramatisiertes Alter ego in den »Letzten Tagen der Menschheit« auftreten.

Ein anderes, radikaleres Experiment dürfte ebenfalls in Zusammenhang mit Kokoschka stehen. Am 14. Mai 1914 zeigt Kraus in einer Wiener Vorlesung die

57. Karl Kraus' Arbeitszimmer (Ausschnitt), Aufnahme um 1936

photographischen Illustrationen der jüngsten Jahrgänge der *Fackel* als Projektionen mit gesprochenem Kommentar. In der »Einleitung zu den Lichtbildern« kündigt er eine erweiterte satirische Methode an, die sich ausdrücklich die Dialektik zwischen Gesichtern und Gesichten zunutze macht:
»Vor dem Totenbett der Zeit stehe ich und zu meinen Seiten der Reporter und der Photograph. Ihre letzten Worte weiß jener und dieser bewahrt ihr letztes Gesicht. Und um ihre letzte Wahrheit weiß der Photograph noch besser als der Reporter . . . Ich habe Geräusche übernommen und sagte sie jenen, die nicht mehr hörten. Ich habe Gesichte empfangen und zeige sie jenen, die nicht mehr sahen. Mein Amt war . . . zu zitieren und zu photographieren.« (F 400, 1914, 46) Diese programmatische Aussage zeigt ein geschärftes Sensorium für die zunehmende Manipulation der öffentlichen Meinung durch die Pressephotographie und verlangt die Ergänzung des satirischen Wortes durch die satirische Photo-

graphie. Die von Diapositiven begleitete Vorlesung läßt sich aber auch als eine kritische Revision von Kokoschkas im Januar 1912 gehaltenem »Vortrag« verstehen, dessen Titel richtig »Das Bewußtsein der Gesichte« lautet.[54] Man weiß, daß Kraus diesem Vortrag beiwohnte und daß er, von Kokoschka darum gebeten, die Aphorismen aus *Pro domo et mundo* vorlas. Loos, der auch zugegen war, soll eine spontane Rede über Kokoschkas »Gabe des Zweiten Gesichts« gehalten haben.[55] In Kokoschkas Text geht es aber weniger um eine mystische Fähigkeit als um die provisorische Kongruenz zwischen der erhöhten Wirklichkeit des künstlerischen Porträts und der Wahrnehmung von Visionen. Die Wendung »Bewußtsein der Gesichte« bezeichnet wohl die bewußte ästhetische Gestaltung der chaotischen Flut von visionären Bildern. Das Polemisch-Entlarvende, das die frühen Porträts geprägt hatte, tritt zugunsten einer Beschäftigung mit der visionären Kraft des Malers zurück. Unter dem Einfluß der Beziehung zu Alma Mahler, die im April 1912 beginnt, verliert der Begriff »Gesicht« sogar seinen demaskierenden Grundzug. In der Lithographienfolge für den »Gefesselten Kolumbus« (1916) heißen das erste und das letzte Bild, die Alma Mahler darstellen, »Das Gesicht des Weibes« (1913/1916) und »Das reine Gesicht« (1913/1916). Während Kokoschka »Gesichte« als das authentische Sichtbarwerden von inneren Wesenheiten versteht, sieht sie Kraus als photographische Larven, die die moralische Leere der Zeit überdecken.[56] Indem Kraus die Rolle des satirischen Photographen übernimmt, widersetzt er sich der expressionistischen Ablehnung der Photographie, die am deutlichsten von Kasimir Edschmid in seinem berühmten Vortrag »Expressionismus in der Dichtung« (1917) ausgesprochen wird: »Sie (die Expressionisten) sahen nicht. Sie schauten. Sie photographierten nicht. Sie hatten Gesichte.«[57] Lange bevor die Dadaisten die ersten Photomontagen konstruierten, experimentierte Kraus mit einer satirischen Methode, die den expressionistischen Zwiespalt zwischen Photographie und Vision überbrückt.

Als das Drama »Die letzten Tage der Menschheit« 1918–1919 in Sonderheften der *Fackel* erschien, begleiteten Vorspiel, Epilog und alle fünf Akte photographisch reproduzierte Titelbilder. Besonders die allmählich gespenstischer werdende Visagenfolge (*Abb. 58–60*) der letzten drei Akte veranschaulicht die Verwandlung photographierter Gesichter in satirische Gesichte. Das Porträt eines lachenden Soldaten (*Abb. 58*), das eher einem Schauspieler als einem Militär zustünde, illustriert den dritten Akt und deutet auf das im Text öfters dargestellte heillose Ineinandergreifen von kriegerischem Theater und theatralischem Krieg. Man könnte als entlarvende Unterschrift unter dieses Bild einen Aphorismus setzen, der 1917 in der *Fackel* erschien: »Ein Gesicht, dessen Furchen Schützengräben sind.« (F 445, 1917, 12)

58. Titelbild zum 3. Akt der »Letzten Tage der Menschheit«

59. Titelbild zum 4. Akt der »Letzten Tage der Menschheit«

60. Titelbild zum Drama »Die letzten Tage der Menschheit«, 1922

Das befremdende Bild von Krankenschwestern mit Gasmasken dient dem vierten Akt als Titelbild (*Abb. 59*) und erscheint wieder in expressionistischer Umwandlung als die »Weibliche Gasmaske« im Epilog »Die letzte Nacht«. Sie und eine »Männliche Gasmaske« gehen auf einen als Redoute getarnten Totentanz und sprechen ein makabres Duett: »Wir haben kein Recht / Auf Geschlecht und Gesicht. / Gesicht und Geschlecht / Verbietet die Pflicht.«[58] Kraus steigert hier die expressionistische Typisierung der Figuren ins Extreme und führt den in »Mörder, Hoffnung der Frauen« dargestellten Kampf der Geschlechter ad absurdum. Die Technik hat das menschliche Antlitz überflüssig gemacht, das Drama der Sexualität erweist sich als nicht mehr spielbar. In diesem Zusammenhang darf man nicht vergessen, daß Kraus nicht nur die Uraufführung von Kokoschkas Drama erlebt hat, sondern auch daß dessen Erstdruck im *Sturm* erfolgte, als Kraus und Walden beinahe täglich über Redaktionsfragen korrespondierten. Die unkonventionelle Dramaturgie des Stückes mag Kraus wie eine gesteigerte Form des Variétés vorgekommen sein. Er hatte das Variété in der *Fackel* mehrmals gewürdigt, und diese volkstümliche Unterhaltung gehörte neben der Operette zu den wichtigsten Anregungen für den expressionistischen Stil der »Letzten Nacht«.

Zunächst dem fünften Akt und dann, in der überarbeiteten Buchausgabe, dem ganzen Drama vorangestellt wird das Bild von der Hinrichtung Cesare Battistis (*Abb. 60*). In einer von vielen Anspielungen auf das Bild identifiziert der Nörgler das Gesicht des Henkers mit dem »österreichischen Antlitz«, einem von der Presse geprägten Ausdruck für die sprichwörtliche Gemütlichkeit des Österreichers:

»Das österreichische Antlitz . . . ist . . . das des . . . Wiener Henkers, der auf einer Ansichtskarte, die den toten Battisti zeigt, seine Tatzen über dem Haupt des Hingerichteten hält, ein triumphierender Ölgötze der befriedigten Gemütlichkeit, der ›Mir san mir‹ heißt. Grinsende Gesichter von Zivilisten und solchen, deren letzter Besitz die Ehre ist, drängen sich dicht um den Leichnam, damit sie nur ja alle auf die Ansichtskarte kommen.«[59]

Die grinsenden Visagen verbleiben aber nicht in ihrer »Lebensstarre« (F 474, 1918, 124), wie Kraus einmal wortspielend das Wesen der Pressephotographie charakterisiert, sondern werden als »Erscheinung« oder Vision am Ende des fünften Aktes wieder in Bewegung gesetzt. Der Henker tritt als das verkörperte »österreichische Antlitz« auf und führt seine Greueltat unter der Begleitung von Heurigenmusik aus.[60] In der Photographie hat Kraus eine neue Darstellungsmöglichkeit entdeckt, die ihn als satirischen Porträtisten agieren ließ. Trotz der späteren Entfremdung von Kokoschka, die vor allem durch den Krieg und Kraus' wachsendes Mißtrauen dem »Doppeltalent« Kokoschkas gegenüber verursacht wurde, scheint die Auseinandersetzung mit dem jungen Maler ihn zu dieser wichtigen Erweiterung seiner satirischen Mittel ermutigt zu haben.

Wenngleich Kraus sich 1914 zum ersten Mal über »dies unbefugte Doppelleben« (F 391, 1914, 23) beschwert und damit den schreibenden Oppenheimer satirisch glossiert, scheint er auch Kokoschkas literarische Versuche fast von Anfang an skeptisch betrachtet zu haben. In einem schon zitierten Brief an Walden (St.-A, 3. 9. 1910), in dem die Porträtzeichnung von Paul Scheerbart gelobt wird, heißt es auch: »Es sollte in der Literatur keine mildernden Umstände geben und nichts zu entschuldigen . . . Bitte sagen Sie das – Kokoschka.«

In zwei 1916 geschriebenen Briefen an Sidonie Nádherný beschreibt Kraus, wie er Kokoschka (und Loos) von der angeblichen Nichtswürdigkeit der Gedichte in »Allos makar« (1915) überzeugt hat.[61] Kokoschka bestätigt die entmutigende Wirkung dieser Sitzung in einem Brief an Albert Ehrenstein: »K. Kraus hat mein Gedicht furchtbar verrissen und mir entschieden vom Dichten abgeraten. Es kommt mir nicht darauf an, auch darauf zu verzichten, mit dem Malen hab ich es schon getan.«[62] Außerdem hat Kraus das Urteil über »Allos makar« und die dazu gehörigen Zeichnungen an »die *prinzipielle* Möglichkeit der Porträtierung« von Sidonie Nádherný geknüpft.[63]

Es erübrigt sich fast, zu berichten, daß aus dem Porträt nichts wurde. Neben ästhetischen Vorbehalten mag wohl die psychologische Ambivalenz den eigenen Bildnissen gegenüber auf Kraus' abratende Empfehlung gewirkt haben. Die zunehmende Entfremdung von Kokoschka läßt sich aber erst durch die zeitweise bejahende Einstellung des Malers zum Krieg hinreichend erklären.

Kraus hatte Kokoschka zwar selbst immer wieder lanciert, mißbilligte aber Loos' andauernde eifrige Propaganda, die nicht davor haltmachte, den Militärdienst des Malers auszunützen. Loos ließ Kokoschka 1915 in der Paradeuniform des Dragoner-Regiments, zu dem er eingerückt war, photographieren und das Bild als Künstlerpostkarte verbreiten.[64] Wenn man bedenkt, wie Kraus sonst auf solche Kombinationen von Krieg und Kunst reagierte, kann man seine öffentliche Zurückhaltung in diesem Fall nur bewundern. Privat drückt er in zwei Briefen an Sidonie Nádherný sein Unbehagen darüber aus, daß Loos sich stets Sorgen macht, weil Kokoschka noch nicht im »Armeeverordnungsblatt« erschienen sei.[65] Kraus zitiert mit spürbarer Abscheu Loos' Beteuerung, man »müsse ihn in die Zeitungen geben«[66]. Schließlich macht Kraus seinem Ärger darüber doch Luft in einer »Inschrift«, die die Kokoschka-Forschung bisher übersehen hat:

Dem Schönfärber

Der beste Teil ist noch das Eingeweide.
Wie rosig malt Kokoschka manchen Wicht!
Ihn zu entlarven, das gelingt ihm nicht.
Wie anders Schattenstein. Der malt am Kleide!
(F 423, 1916, 16)

In einem weiteren Brief an Sidonie Nádherný läßt Kraus keinen Zweifel über den Hintergrund dieser Verse. Er verabscheut die Verknüpfung »Krieg, Spitals- pflege und Maleraufträge«, wie sie in dem Kreis um Eugenie Schwarzwald ange- strebt werde, und fügt in bezug auf Kokoschka hinzu: »wer zum ›Gesellschafts- maler‹ zu gut ist, ist leider nicht zu gut, um auf Jours herumgereicht zu wer- den«[67]. Der Bürgerschreck Kokoschka muß sich also den Vergleich mit dem (russisch-amerikanischen) Gesellschaftsmaler Nikolaus Schattenstein (1877 bis 1954) in der *Fackel* gefallen lassen. Selbst der demaskierende Grundgestus von Kokoschkas Porträtkunst wird in Frage gestellt. Sie darf nur noch als satirische Folie neben der Dekorationsmalerei eines drittrangigen »Kriegsmaler(s)« (vgl. F 431, 1916, 109) bestehen.
Trotz dieses harten Urteils läßt sich Kraus 1925 ein viertes und letztes Mal von Kokoschka porträtieren, worüber der Maler in seiner Autobiographie ausführ- lich berichtet.[68] Dieses Porträt wird nur einmal beiläufig in der *Fackel* erwähnt, als Kraus die *Wiener Allgemeine Zeitung* wegen einer unerlaubten Reproduk- tion zur Rechenschaft zieht (F 717, 1926, 36). Als das Porträt 1931 in der großen Kokoschka-Ausstellung der Kunsthalle Mannheim gezeigt werden sollte, wei- gerte sich Kraus, einen Beitrag für den Katalog zu schreiben. Auf eine diesbe- zügliche Aufforderung von Direktor Gustav Hartlaub erwiderte der Verlag »Die Fackel«:
»Herr Karl Kraus würde, selbst wenn er zu einer Äußerung über Dinge der bil- denden Kunst befugt wäre, es grundsätzlich ablehnen, ein Urteil auf Wunsch zu formulieren und sich an der Beantwortung einer Rundfrage zu beteiligen. Er meint, daß auch Oskar Kokoschka eine analoge Beteiligung ablehnen würde. Der Umstand, daß Herr Karl Kraus zu den Porträtierten zählt, kann daran so wenig ändern wie der Hinweis auf andere Porträtierte, an die Sie die gleiche Auf- forderung gerichtet haben. Die Anführung des Namens des Herrn Max Rein- hardt vermöchte höchstens das Bedauern zu wecken, daß dieser von Kokoschka porträtiert wurde.«[69]
Diese Haltung wirkt befremdend, besonders wenn man bedenkt, daß Ko- koschka sich an der *Brenner*-Umfrage über Kraus (1913) mit dem eindrucksvol-

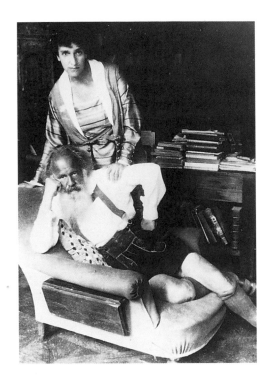

61. KARL KRAUS, »Pietà«
(Hermann Bahr und seine Frau)

len Spruch beteiligte: »Karl Kraus ist abgestiegen zur Hölle, zu richten die Lebendigen und die Toten.«[70] Ironischerweise wird ein Hinweis auf diesen Spruch zur letzten Erwähnung Kokoschkas in der *Fackel* (F 864, 1931, 50).

Zum Abschluß sei auf ein Bildzitat aus der *Fackel* (F 632, 1923, 106) verwiesen, das einen bescheideneren, aber ebenso festen Platz in der Kunstgeschichte verdient wie das Titelbild der »Letzten Tage der Menschheit« (*Abb. 60*).[71] Die Bildkomposition »Pietà« (*Abb. 61*), die beim ersten Blick an die »korrigierten Meisterwerke« der Dadaisten erinnert, läßt sich auch als eine witzige *hommage à Kokoschka* auffassen. Durch eine einfache Form der Photomontage – das Bild wird aus der Berliner Modezeitschrift *Die Dame* herausgeschnitten und neu beschriftet[72] – wird sowohl das religiöse Sinnbild der Pietà als auch deren sexuelle Steigerung in dem bekannten Plakat von Kokoschka (*s. Abb. 47*) herbeizitiert. Damit werden Hermann Bahrs anmaßende Posen entblößt, die Kraus als die eines »übertriebenen« Katholiken und eines sinnlichen Sechzigers an verschiedenen Stellen in der *Fackel* ausmalt.[73] Als man Kraus später vorwirft, mit seinen bildlichen Darstellungen der Vorkriegszeit »die Technik der boshaften Photo-

148

graphie« (F 686, 1925, 83) in Wien eingeführt zu haben, entgegnet er, »daß hier Gesichter und Gesichte einer Greuelwelt zitiert werden, wie sie sind und wie sie sich konterfeien lassen« (ebda., S. 84). Im Rückblick auf die Zeit, in der Kraus und Kokoschka ihre entlarvenden Porträts der Wiener Gesellschaft geschaffen haben, spricht der Satiriker die in dem Wort »Gesicht« immer wieder angedeutete Identität von Visagen und Visionen endlich aus.

ANMERKUNGEN

1 Alfred Döblin 1878–1978, Ausstellungskatalog Marbach a. N.: 1978, S. 112 f. Vgl. Döblins Rezension von Albert Ehrensteins »Tubutsch« mit Illustrationen von Kokoschka in: Der Sturm, 3, 94 (Januar 1912), S. 751. Das Vorhaben, »einiges Eindrucksmäßiges über die beigefügten Zeichnungen von Oskar Kokoschka« zu berichten, hat Döblin offenbar nicht realisiert.

2 Bibliographisch erfaßt sind Kraus' Beiträge in: Georg Brühl, Herwarth Walden und »Der Sturm«. Köln 1983, S. 303; Kokoschkas Beiträge, zu denen der Erstdruck von »Mörder, Hoffnung der Frauen« gehört, sind auf S. 246 f. verzeichnet.

3 Vgl. den unveröffentlichten Brief von Walden an Kraus vom 6. 4. 1912 (Karl-Kraus-Archiv, Wiener Stadtbibliothek, I. N. 147.988), in dem es heißt: »Von Döblin erscheint demnächst ein Essay über Ihre letzten beiden Bücher.« Alle weiteren Hinweise auf Materialien im Kraus-Archiv werden in Klammern im fortlaufenden Text mit der Abkürzung KKA, I. N. (= Inventar-Nummer) gekennzeichnet. Stellen aus Waldens Briefen werden mit der Erlaubnis der Stadtbibliothek zitiert.

4 Die Fackel, Nr. 351–53, 21. Juni 1912, S. 53. Im folgenden wird »Die Fackel« im fortlaufenden Text nach dem Stil der »Kraus-Hefte«, z. B. F 353, 1912, 53, zitiert.

5 Vgl. die bis heute unübertroffene Gesamtdarstellung von Eduard Haueis, Karl Kraus und der Expressionismus, Diss. Erlangen 1968. Zu Kokoschka bes. S. 19–21.

6 Wolfgang Max Faust, Bilder werden Worte. Zum Verhältnis von bildender Kunst und Literatur im 20. Jahrhundert oder Vom Anfang der Kunst im Ende der Künste. München 1977, S. 34.

7 Zit. nach: Expressionismus. Manifeste und Dokumente zur Deutschen Literatur 1910–1920, hg. v. Thomas Anz u. Michael Stark. Stuttgart 1982, S. 30.

8 Vgl. Edith Hoffmann, Kokoschka. Life and Work. Boston o. J., und J. P. Hodin, Oskar Kokoschka. Sein Leben und seine Zeit. Frankfurt a. M. 1968. Was die frühen Beziehungen zwischen Kraus und Kokoschka betrifft, sind diese beiden Monographien durch die ausgezeichnete Dokumentation von Werner J. Schweiger, Der junge Kokoschka. Leben und Werk 1904–1914. Wien 1983, überholt.

9 S. die Ausführungen zu dieser Polemik in: Nike Wagner, Geist und Geschlecht. Karl Kraus und die Erotik der Wiener Moderne. Frankfurt a. M. 1982, S. 40–48, 64–65.
Übrigens spricht der Stil der Äußerungen über Klimt dafür, daß sie, entgegen Wagners Vermutung (S. 233, Anm. 170), doch von Kraus stammen. Vgl. Peter Vergo, Art in Vienna 1898–1918. Klimt, Kokoschka, Schiele and Their Contemporaries. Ithaca, N. Y. 1981, S. 55. Vergo weist darauf hin, daß in dem von Bahr herausgegebenen Pamphlet »Gegen Klimt«, das die Gegner des Malers entlarven sollte, Kraus' Polemik fehlt.

10 S. Werner J. Schweiger, Der junge Kokoschka, S. 72.

11 Vgl. George C. Avery, The Unpublished Correspondence of Herwarth Walden and Karl Kraus, in: Expressionism Reconsidered. Relationships and Affinities. Houston German Studies, Bd. 1. München 1979, S. 19–24. Eine Ausgabe des Briefwechsels soll in Vorberei-

tung sein. Kraus' Briefe befinden sich im Sturm-Archiv der Staatsbibliothek Preußischer Kulturbesitz (Berlin-West) und werden durch die Abkürzung St.-A gekennzeichnet; Waldens Briefe liegen im Kraus-Archiv und werden entsprechend (siehe Anm. 3) gekennzeichnet. Beide Institutionen haben die Erlaubnis zur Publikation einzelner Briefstellen erteilt. Mein besonderer Dank gilt Herrn Friedrich Pfäfflin, der seine Zustimmung zur Publikation ebenfalls erteilte und mir den Vergleich eigener Notizen mit Abschriften des Briefwechsels ermöglichte.

12 Die Belege ermöglichen die präzise Richtigstellung des Entstehungsjahrs, das in der Forschung bis vor kurzem immer als 1908 angegeben wurde. Erst W. Schweiger vermag aufgrund verschiedener Indizien das richtige Entstehungsjahr festzustellen. Vgl. Der junge Kokoschka, S. 118. S. die Abbildung des Porträts (Nr. 12) im Werkverzeichnis von Hans Maria Wingler, Oskar Kokoschka. Das Werk des Malers. Salzburg 1956, S. 294.

13 Vgl. E. Hoffmann, Kokoschka, S. 90; und Werner J. Schweiger, Der junge Kokoschka, S. 263, Anm. 6.

14 Else Lasker-Schüler, Oskar Kokoschka, in: Der Sturm, 1, 21 (21. 7. 1910), S. 166.

15 Kurt Hiller, Oskar Kokoschka, in: Der Sturm, 1, 19 (7. 7. 1910), S. 151.

16 E. Hoffmann, Kokoschka, S. 89.

17 J. P. Hodin, Oskar Kokoschka, S. 164.

18 Vgl. Anm. 14 und 15.

19 S. Oskar Kokoschka, Mein Leben. Vorwort und dokumentarische Mitarbeit v. Remigius Netzer. München 1971, S. 64–67. Vgl. W. J. Schweiger, Der junge Kokoschka, S. 109–115.

20 Else Lasker-Schüler, Karl Kraus, in: Der Sturm, 1, 12 (19. 5. 1910), S. 90.

21 S. den unveröffentlichten Brief von Kraus an den Langen Verlag (13. 6. 1911), der sich in der Bayerischen Staatsbibliothek (München) befindet:
»Ich möchte, von mancher Seite dazu angeregt, eine Sonderausgabe des Aufsatzes ›Die chinesische Mauer‹, des letzten der in dem gleichnamigen Band vereinigten, erscheinen lassen. Oskar Kokoschka will zu diesem Sonderdruck einige Illustrationen beisteuern. Nun erlaube ich mir die Anfrage, ob Sie selbst diese Ausgabe veranstalten möchten, oder die Erlaubnis ertheilen wollen, daß der dem Band entnommene Aufsatz im Verlage Jahoda und Siegel, Wien erscheint.« (Sig. Ana 381, I, Kraus, Karl)
Kraus fügt in einem Postskriptum hinzu: »NB. Etwaige Bedenken wegen der Titelgleichheit (die chin. Mauer) könnte durch die folgende Benennung des Werkes behoben werden: Oskar Kokoschkas Zeichnungen zur Chin. Mauer. von Karl Kraus.« Kokoschka selbst erwähnt die Zeichnungen in einigen 1912 und 1913 an Alma Mahler geschriebenen Briefen. S. Oskar Kokoschka, Briefe I. 1905–1919, hg. v. Olda Kokoschka u. Heinz Spielmann. Düsseldorf 1984, S. 46, 79, 105, 111.

22 Die Sonderausgabe erschien erst 1914 beim Kurt Wolff Verlag in Leipzig. Kraus' Teilnahme an der Herstellung dieses Werkes war größer, als man bisher vermutet hat. Es gibt z. B. vier Korrekturen der Umbrüche im Kraus-Archiv (Mappe mit der Signatur Ic 163.471), die eigenhändige Verbesserungen von Kraus und Georg Jahoda und einen von Kokoschka gezeichneten Entwurf für den Anfangsbuchstaben enthalten. (Für den Hinweis auf diese Materialien bin ich Herrn W. Schweiger zu Dank verpflichtet). Ein weiteres Anzeichen von Kraus' positiver Einstellung zu dieser Publikation besteht darin, daß er Sidonie Nádherný das erste von zweihundert numerierten Exemplaren schenkte. Dieses Exemplar ist von Kraus signiert und datiert (4. 3. 1914). Vgl. Hans M. Wingler u. Friedrich Welz, O. Kokoschka. Das druckgraphische Werk. Salzburg 1975, S. 78. Schließlich soll man erwähnen, daß Kraus für die Sonderausgabe in der »Fackel« warb. Vgl. F 393, 1914, nach S. 33, und F 395, 1914, nach S. 72.

23 Zit. n. Werner J. Schweiger, Der junge Kokoschka, S. 168.

24 OK, Mein Leben, S. 73.

25 Monika Faber, Madame D'Ora. Wien–Paris. Porträts aus Kunst und Gesellschaft, 1907–1957. Wien 1983, S. 24. Vgl. den recht unergiebigen Vergleich zwischen dieser Photogra-

phie und dem zweiten Ölporträt Kokoschkas (1925) in: Harald Sterk, Österreichische Porträts. Das Bildnis in der Gegenüberstellung von malerischer und photographischer Interpretation. Wien 1982, S. 70–71.

26 Oskar Kokoschka, Dramen und Bilder. Mit einer Einleitung von Paul Stefan. Leipzig 1913, S. 6. Dieses Buch enthält die vermutlich erste Reproduktion des Kraus-Porträts, das allerdings schon falsch (1908) datiert wird.

27 S. Kraus' Brief an Walden vom 23./24. 9. 1909 (St.-A): »das ›Literarische Echo‹, das – wie Sie selbst einmal bemerkten – nie noch von mir Notiz genommen hat, schreibt nun plötzlich, daß in der 2. Oktober-Nr. ein Auszug aus dem Buch und mein Bild erscheinen sollen, und erbittet eine Photographie. Ich ließ sie durch das Photographen Weib senden.« Das »Photographen Weib« wird wohl Madame D'Ora, d. i. Dora Kallmus, gewesen sein. Vgl. Das literarische Echo, 12. Jg. (1909–1910), Sp. 191–192.

28 Die Aktion, 1911, Nr. 14, Sp. 434. Zit. nach John Halliday, Karl Kraus, Franz Pfemfert and the First World War. A Comparative Study of *Die Fackel* and *Die Aktion* between 1911 and 1928. Diss. Cambridge 1985, S. 59.

29 Der Sturm, 1, 12 (19. 5. 1910), S. 91. Diese Nummer enthält außerdem Lasker-Schülers »Karl Kraus« (S. 90) und Mirko Jelusics Bericht »Die Wiener Vorlesung. Karl Kraus« (S. 94).

30 S. Der Sturm, 1, 18 (30. 6. 1910), S. 141.

31 S. OK, Briefe I, S. 74, 132. Der erste Brief (um Februar 1913) bezieht sich auf ein Projekt mit Ernst Rowohlt, das nicht realisiert wurde. Im zweiten Brief (Sommer 1913) bittet Kokoschka Walden ausdrücklich darum, ein Blatt durch das Kraus-Porträt zu ersetzen: »1. Karl Kraus (der für sein wirklich braves Einsetzen unverdient gekränkt wäre, nachdem Sie, wie ich hoffe, nur vorübergehend auseinander sind, und der als Zeichnung gut ist).«

32 Vgl. G. Brühl, Herwarth Walden und »Der Sturm«, S. 103; und H. M. Wingler, Das Werk des Malers (s. Anm. 12). S. 346.

33 Die Fackel warb auch mehrmals für »Die träumenden Knaben« (z. B. F 317, 1911, vor S. 1) und für Ehrensteins »Tubutsch« mit den Zeichnungen von Kokoschka (z. B. F 338, 1911, vor S. 1).

34 S. Eberhard Sauermann, Ludwig Erik Tesar als Mitarbeiter der »Fackel«, Kraus-Hefte, Nr. 9 (Januar 1979), S. 8–12.

35 Der zweite Beitrag wurde als unmittelbare Reaktion auf die in der Wiener Zeitschrift »Die Zeit« erschienene Kritik von Josef Strzygowski über Kokoschkas Bilder in der Hagenbund-Ausstellung konzipiert. Tesar zitiert sogar die Wendung »ekelhafte Pestbeulen« (F 319, 1911, 32), die Strzygowski auf das Porträt von Kraus gemünzt hatte. Der Text der Kritik ist bei W. Schweiger, Der junge Kokoschka, S. 168, 185 abgedruckt. Zwei Briefe von Kraus an Tesar (18. 4. und 27./28. 4.1911) und ein Brieffragment von Tesar an die Redaktion der »Zeit«, von denen Kopien im Brenner-Archiv vorhanden sind, zeigen, daß Strzygowski die anstößigsten Stellen der Kritik zurücknehmen wollte. Er behauptete, die unkorrigierten Bürstenabzüge seines Aufsatzes seien ohne seine Zustimmung veröffentlicht worden. Tesar hatte vor, diese Ausrede als eine Lüge zu entlarven, und Kraus war bereit, Tesars Entgegnung in der »Fackel« zu publizieren. Der Aufsatz ist aber nie erschienen, vielleicht weil Kraus' Entscheidung, keine fremden Beiträge mehr aufzunehmen, später im Jahre 1911 in Kraft trat.

36 OK, Briefe I, S. 12. Die gedruckte Fassung des Briefes weicht an einigen Stellen vom Original im Sturm-Archiv ab. »Cassirer« sollte »Cassirer« heißen; »Darstellung« ist eher als »Ausstellung« zu lesen; und »anschauen«? ist eigentlich »aufspannen«. Die Anmerkung auf S. 326 erwähnt nicht, daß zumindest ein Teil des Postskriptums in Kraus' Hand geschrieben ist. Diese Tatsache, das Datum des Briefes (6. 5. 1910), etwa zwei Wochen bevor die Porträtzeichnung im »Sturm« reproduziert wurde (19. 5. 1910), und Kokoschkas Anweisung »zur Reproduktion alle Zufälligkeiten (Bleistriche) drauf lassen« (vgl. die Striche oberhalb der linken Schulter der Figur in Abb. 53) sind Indizien dafür, daß die im Brief erwähnte

Zeichnung mit der Porträtzeichnung von Kraus identisch sein könnte. Anzumerken ist noch, daß das Ölporträt – aber nicht die Zeichnung – in der Ausstellung im Salon Cassirer gezeigt wurde. Die Ausstellung wurde im Juni 1910 eröffnet.

37 Karl Kraus, Pro domo et mundo. München 1912, S. 109.

38 Der Sturm, 3, 103 (März 1912), S. 822.

39 Der Sturm, 1, 27 (1. 9. 1910), S. 213: »Menschenköpfe: Zeichnungen von Oskar Kokoschka. IV/Paul Scheerbart«. Vgl. ebda., S. 214 f: Else Lasker-Schüler, »Elberfeld im dreihundertjährigen Jubiläumsschmuck«.

40 Vgl. Waldens Antwort: »In Sachen der Kokoschkablätter habe ich Jahoda geschrieben. Von einem ›Unrecht‹ ist keine Rede. Ehrenstein war einverstanden, wie er mir persönlich sagte. Kokoschka *bat* mich sogar darum, die Zeichnungen ohne Nennungen zu bringen«. (Brief vom 3. 5. 1912, KKA, I. N. 147.677)

41 Vgl. Der Sturm, 2, 48 (28. 1. 1911), S. 379: »Streit/Zeichnung von Max Pechstein«; S. 383: »Menschenköpfe/Zeichnung von Oskar Kokoschka. VII/Karin Michaelis«.

42 Vgl. Der Sturm, 3, 113/114 (Juni 1912), S. 74.

43 S. Der Erdgeist, 3 (1908), H. 18, S. 697. Vgl. Max Brods Bemerkung über das Porträt in dem begleitenden Essay »Max Oppenheimer« (ebda., S. 699 f.): »Man achte darauf, wie die schlanken nervösen Hände im Bildnis von Karl Kraus aus den Manschetten kommen . . .« Vgl. auch das Kapitel »Der Nachahmer« in: Werner J. Schweiger, Der junge Kokoschka, S. 202–208.

44 Zit. n. Paul Schick, Karl Kraus, Reinbek 1965, S. 72 f.

45 Unveröffentlichter Brief im Brenner-Archiv.

46 Zit. n. Uwe Laugwitz, Albert Ehrenstein und Karl Kraus, Entwicklung einer literarischen Polemik 1910–1920. Magisterarbeit. Universität Hamburg 1982, S. 37. Der Brief befindet sich im Kraus-Archiv. Vgl. F 339, 1911, 46 f.

47 Der Aphorismus – wie das sonst bei Kraus nachweisbar ist – scheint auf einen wirklichen Vorfall zurückzugehen. S. Waldens Brief vom 26. 12. 1910 an Kraus: »Kokoschka möchte Lublinski für den ›Sturm‹ auf dem Totenbett zeichnen. Hat aber gleichfalls kein Geld hinzufahren.« (KKA, I. N. 149.077) Walden erkundigt sich, ob Loos für das Reisegeld nach Weimar aufkommen könne. Samuel Lublinski starb am 26. 12. 1910.

48 Diese undatierte Zeichnung ist im Besitz von Alfred Pfabigan (Wien), dem ich für die Erlaubnis zur Reproduktion hiermit danken möchte.

49 OK, Briefe I, S. 54.

50 Vgl. Henry I. Schvey, Oskar Kokoschka. The Painter as Playwright. Detroit 1982, S. 66; und Fritz Novotny, Oskar Kokoschka zum 85. Geburtstag. Ausstellungskatalog. Wien 1971, S. 22 f.

51 S. Karl Kraus, Briefe an Sidonie Nádherný von Borutin. 1913–1936, hg. v. Heinrich Fischer u. Michael Lazarus; überarbeitet v. Walter Methlagl u. Friedrich Pfäfflin. München 1977, Bd. 2, Abb. 78, S. 106. Das Original befindet sich im Brenner-Archiv.

52 Vgl. Christian M. Nebehay, Egon Schiele 1890–1918. Leben, Briefe, Gedichte. Salzburg 1979, S. 282, 287–295.

53 Das Original befindet sich im Brenner-Archiv, dessen Leiter Walter Methlagl ich für die Reproduktionserlaubnis zu Dank verpflichtet bin. In einer Reihe mit der Reproduktion des Ölporträts von Kraus hängen übrigens auch Reproduktionen von Kokoschkas Porträts von Janikowski und Loos.

54 Vgl. Werner J. Schweiger, Der junge Kokoschka, S. 218. Der Vortrag, der übrigens in der »Fackel« (F 339, 1911, nach S. 56) angekündigt wurde, erschien 1921 zum ersten Mal im Druck. S. den Text in: Oskar Kokoschka, Das schriftliche Werk, Bd. 3, hg. v. Heinz Spielmann. Hamburg 1975, S. 9–12. Vgl. die Anmerkung auf S. 328.

55 J. P. Hodin, Kokoschka, S. 329.

56 Zur Verdeutlichung der gegensätzlichen Auffassungen Kraus' und Kokoschkas, besonders

nach 1914, vgl. Kraus' »Das Lysoform-Gesicht« (F 418, 1916, 10–11) und Kokoschkas »Aufsatz« (1917) in: OK, Das schriftliche Werk, Bd. 3 (s. Anm. 54), S. 17–18.

57 Zit. n. Expressionismus. Manifeste und Dokumente (s. Anm. 7), S. 46. Der Text wurde 1918 in der Neuen Rundschau zum ersten Mal veröffentlicht.

58 Karl Kraus, Die letzte Nacht. Wien 1918, S. 7.

59 Karl Kraus, Die letzten Tage der Menschheit. München 1974, S. 507: IV. Akt, 29. Szene.

60 Ebda., S. 723: V. Akt, 55. Szene.

61 Karl Kraus, Briefe an Sidonie Nádherný, Bd. 1, S. 343 f., 347.

62 OK, Briefe I, S. 238.

63 Karl Kraus, Briefe an Sidonie Nádherný, Bd. 1, S. 344.

64 Vgl. die Abbildung der Karte »Oskar Kokoschka als Kriegsfreiwilliger im k. u. k. Drag.-Reg. Nr. 15« in: Burkhard Rukschcio u. Roland Schachel, Adolf Loos, Leben und Werk. Salzburg 1982, S. 202.

65 Karl Kraus, Briefe an Sidonie Nádherný, Bd. 1, Brief vom 27./28. 11. 1915, S. 244; Brief vom 5. 12. 1915, S. 261.

66 Ebda., S. 261.

67 Ebda., Brief vom 1. 4. 1916, S. 313 f.

68 OK, Mein Leben, S. 81. Vgl. H. M. Wingler, Das Werk des Malers (s. Anm. 12), Nr. 180 (»Karl Kraus II«), S. 313.

69 Siehe den unveröffentlichten Brief vom 7. 1. 1931 an Gustav Hartlaub im Archiv der Kunsthalle Mannheim. Dem Direktor Herrn Dr. Manfred Fath bin ich für seine Hilfsbereitschaft und für die Erlaubnis, den Brief zu zitieren, zu Dank verpflichtet.

70 Der Brenner, 3, 1913, 20, 935.

71 Vgl. Experiment Weltuntergang. Wien um 1900. Ausstellungskatalog, hg. v. Werner Hofmann. München 1981, S. 261.

72 Vgl. die Reproduktion in: Die Dame. Ein deutsches Journal für den verwöhnten Geschmack 1912 bis 1943, hg. v. Christian Ferber. Berlin 1980, S. 218.

73 Vgl. »Ein gut erhaltener Fünfziger« (F 381, 1913, 33), »Pech« (F 632, 1923, 106) und »Das Modell« (F 649, 1924, 118 f.).

FRED REISINGER

Die Gefährdung des Individuums

Mythosproblematik und Groteskform im schriftlichen Werk von
Oskar Kokoschka

Vor und um 1900 kommt es in verschiedenen wissenschaftlichen Disziplinen zu
radikalen neuen Auffassungen. In diesem Zusammenhang spricht man von »ko-
pernikanischen Wenden« in der Anthropologie, der Soziologie, der Psychologie
und der Philosophie. Um es mit geschichtsmächtig gewordenen Denkern zu sagen: nach Darwin stammt der Mensch aus dem Tierreich, dem Leben wohnt
kein Zweck inne, der blinde Zufall herrscht. Nach Marx ist der Mensch sozial
determiniert, das gesellschaftliche Sein bestimmt sein Bewußtsein, und dieses
gesellschaftliche Sein hat zur Basis eine Ökonomiestruktur: die Produktions-
verhältnisse, welche die Menschen – unabhängig von ihrem Willen – eingehen.
Nietzsche wiederum meint, daß wir uns mit unseren Wertvorstellungen selbst
betrügen, alles diene dem Leben schlechthin; das ist die Bedeutung des oft miß-
verstandenen Wortes vom »Willen zur Macht«; besonders die Moral sei eine
Illusion (»Jenseits von Gut und Böse« ist ein bezeichnender Titel eines seiner
Werke, zum Schlagwort geworden wie die »Gott ist tot«-Parole aus dem »Zara-
thustra«). Freud schließlich postuliert, daß der Mensch weitgehend vom Unbe-
wußten bestimmt sei, Luststreben leite ihn, das Emotionale, besonders das
Sexuelle determiniere ihn.
Alle die hier nur punktweise angedeuteten Entwicklungen markieren mit zahlreichen anderen – ich beschränke mich hier auf geistesgeschichtliche Tendenzen
– den Beginn unserer, der gegenwärtigen Epoche, und eines ihrer Wesensmerk-
male ist die Entgötterung des Menschenbildes oder – anders ausgedrückt – die
Erschütterung des christlichen Weltbildes – man denke nur an die Reaktionen
der christlichen Kirchen gegenüber diesen vier genannten Denkern.
Der Tiermensch, der Triebmensch und der Massenmensch sind Ausdruck einer
sozialen wie einer psychologischen Krise, vor allem aber einer Sinnkrise; das Ich
des Menschen tritt zurück, es schrumpft, ja es verschwindet sogar. Das drückt
sich auch etwa in den Thesen von Ernst Mach aus, eines Physikers und Philosophen, der um 1900 in Wien wirkte. Sein Hauptwerk, »Die Analyse der Empfindungen«, war fünfzehn Jahre unbemerkt geblieben und erlebte bezeichnenderweise zwischen 1900 und 1922 neun Auflagen; Ausdruck eines wachsenden Be-

wußtseins einer Problematik der Gefährdung des Individuums, wie nachstehendes Zitat zeigt:

»Als *relativ* beständig zeigt sich . . . der an einen besonderen Körper (den Leib) gebundene Complex von Erinnerungen, Stimmungen, Gefühlen, welcher als *Ich* bezeichnet wird . . . Die scheinbare Beständigkeit des Ich besteht vorzüglich nur in der *Continuität*, in der langsamen Änderung . . . Größere Verschiedenheiten, im Ich verschiedener Menschen, als im Laufe der Jahre in *einem* Menschen eintreten, kann es kaum geben . . . Das Ich ist so wenig absolut beständig als die Körper.«[1]

Und in einem Satz (wiederum Mach): »Das *Ich* ist unrettbar.«[2]

Auch in der Dichtung drückt sich das Krisenbewußtsein um 1900 vielfältig aus: der Naturalismus, der ein Abbild der Wirklichkeit entwirft, polemisiert gegen sie, der Impressionismus, der ein Stimmungsbild entwirft, psychologisiert sie, der Symbolismus, der ein Sinnbild entwirft, ignoriert sie, und die Neuromantik, die ein Nachbild oder ein Wunschbild entwirft, flieht sie.

Es gibt aber noch eine literarische Strömung in dieser Epoche, allgemein noch nicht als solche erkannt und daher noch weniger anerkannt: die Groteskkunst. Sie entwirft ein Zerrbild der Wirklichkeit und parodiert sie. Die Groteskkunst teilt mit dem Naturalismus die scharfe Gesellschaftskritik, in deren Mittelpunkt das gefährdete Individuum steht. Vertreter dieser Richtung, die bezeichnenderweise in der Literaturgeschichte uneingeordnet bleiben oder überhaupt ignoriert werden – hier seien der Kürze wegen nur einige bekannte Österreicher genannt –, sind etwa Franz Blei, Meyrinck, Kubin, Friedell, Karl Kraus, Roda Roda, Herzmanovsky-Orlando.

Die Groteskkunst hat sich auch eine eigene Institution geschaffen: das Kabarett. Das erste deutschsprachige Kabarett wurde 1901 in Berlin eröffnet – die Franzosen waren vorangegangen –, und im selben Jahr noch je eines in München und in Wien. In rascher Folge entstanden nicht nur in diesen Metropolen, sondern auch in anderen Städten Dutzende Kabaretts, oft nur für kurze Zeit. Ging aber eines bankrott, eröffneten zwei neue.

Eines der berühmtesten Kabaretts war die 1907 in Wien gegründete »Fledermaus«, an der Oskar Kokoschka 1909 ein Stück zur Aufführung brachte, das er »Groteske«[3] nannte. Das war der ursprüngliche Titel des Stücks, später hieß es, umgearbeitet, »Sphinx und Strohmann« und wurde 1917 im Cabaret Voltaire in Zürich, der Geburtsstätte des Dadaismus, aufgeführt. Schließlich wurde es noch zweimal umgeschrieben und erhielt zuletzt den Titel »Hiob«.

Der Handlungsfaden der Groteske »Sphinx und Strohmann«, das heißt der ersten erhaltenen Fassung: Herr Firdusi, von seiner Frau Lilli verlassen, zeigt Herrn Kautschukmann seinen Sohn, eine Gummifigur, die man auf den Daumen stecken kann. Als Lilli eintritt und Firdusi nach ihr sehen will, weicht sie seiner Sehlinie Schritt für Schritt aus, so daß Firdusi seinen Kopf immer weiter nach hinten dreht, bis er schließlich verkehrt auf dem Körper sitzt, aus welcher Lage er seinen Kopf nicht mehr bringen kann. So erkennt er Lilli nicht und heiratet sie zum zweitenmal. Sofort betrügt sie ihren Gatten mit dem Kautschukmann; das sieht Firdusi und stirbt.

Schon der Inhalt hat deutlich groteske Züge. Die Metapher »Strohmann« – sie bezeichnet ja eine vorgeschobene Person anstelle einer anderen – charakterisiert Firdusi korrekt, weil er ja als Vater des Kindes nur vorgeschoben ist: der Kautschukmann ist der Vater, denn der Sohn ist aus Gummi. Gleichzeitig wird das Wort »Stroh« aber in seiner eigentlichen Bedeutung als Ding auf der Bühne umgesetzt: Firdusis Kopf, riesengroß, ist aus Stroh, wodurch auf eine zweite Metapher angespielt wird: Strohkopf ist gleich Dummkopf.

Weiter: Lilli verdreht ihrem Gatten den Kopf. Hier wird die metaphorische Wendung, jemandem »den Kopf verdrehen«, ihn verliebt machen, wörtlich genommen und gestisch umgesetzt.

In der zweiten Fassung von »Sphinx und Strohmann« trägt Firdusi eine Schweinsblase an einer Schnur. Schließlich zerschlägt er sie mit den Worten »Das ist die Seele gewesen.«[4]

In der dritten und letzten erhaltenen Fassung der Komödie – sie trägt nun den Titel »Hiob« – wird der Ehemann wie in den anderen Fassungen gehörnt und verliert dann den Kopf, das will heißen, daß diese Metaphern wiederum wörtlich genommen und gestisch realisiert sind. Firdusi, der jetzt Hiob heißt, wird gerade von seiner Frau, deren Name Anima ist, mit dem Kautschukmann betrogen. In der Szenenanweisung heißt es:

»*Im Oberstock, über Hiob, wird ein Fenster rosig beleuchtet. Papagei fliegt aus dem aufgeschlossenen Fenster herunter, flattert dem Flüchtling nach, macht große Augen, geht ihn an, läßt ihn während des folgenden nicht von der schützenden Hauswand weg, an der Hiob auf und ab rennt*

HIOB *wächst ein Geweih, auf diesem Gabeln. So oft er unter dem erleuchteten Fenster vorbeistürzt, werfen drauf zwei Schatten Kleidungsstücke, die den Kleiderstock bald vervollständigen. Röllchen, Kragen, Jacken, Nacht- und Unterkleider eines Herrn und einer Dame*

Hiob erwischt die Hausglocke, läutet in Todesangst ins Haustelephon

Barmherzigkeit! Mir wird so bang!
Anima hilf! Erlösung!
Was treibt man denn mit mir!

ANIMA *vom Fenster*
Geisterbeschwörung –
merkst du's auch?
Zu allen Zeiten war das so der Brauch . . .«[5]

Und schließlich die nächste Regieanweisung:

»ANIMA *fällt wie ein reifer Apfel vom Fenster herunter,*
kaum bekleidet, mit dem Sitz Hiob auf den Kopf. Dieser
fällt ab mit Anima – Hiob stirbt.«[6]

Grotesk ist also die konkrete Entstellung, nichts Allgemeines oder Sinnloses: das wäre absurd. Grotesk ist die Entstellung des Menschen in einem doppelten Sinn, in einem doppelten Widerspruch: einem logischen Widerspruch (der Mensch wird zur Sache – das ist lächerlich) und in einem ethischen Widerspruch (er verliert sein Menschsein – das ist schockierend). Allgemein ausgedrückt: das Groteske besteht in der Verbindung von Lebendig-Menschlichem und Mechanisch-Totem. Das ist hier nicht nur durch den Firdusi aufgesetzten Strohkopf sowie durch die Gummigestalt seines Sohnes und den Namen Kautschukmann gegeben, sondern auch durch die Darstellung von neun Herren, die bei der Hochzeitsfeier anwesend sind. Die Anordnung ist folgendermaßen: Auf eine Holzwand sind neun Zylinderhüte und neun schwarze Anzüge gemalt, statt der Köpfe sind Löcher in die Wand geschnitten, durch welche die hinter der Wand stehenden Schauspieler beim Sprechen ihre Köpfe stecken und wieder zurückziehen, »automatenhaft«, wie die Regieanweisung betont.[7]

Zum Wesen des Grotesken gehört das Zerrbild, und eine seiner Formen ist das Motiv beziehungsweise der Topos »verkehrte Welt«, und dieses Motiv erscheint in »Sphinx und Strohmann« gehäuft.

Als Firdusi am Beginn des Stückes sterben will, weil ihn seine Frau verlassen hat, sagt er, daß er von den Lebenden auferstehen will.[8] (Erste Verkehrung, nämlich Umkehrung eines Bibelwortes.) Der Tod tritt, so die Regieanweisung, als »normaler lebender Mensch«[9] auf: zweite Verkehrung. Weil Firdusi sterben will, verschwindet der Tod aber wieder unverrichteter Dinge[10]: dritte Verkehrung. Dann tritt der Kautschukmann auf und sagt: »Holla. Ich bin Arzt, Sie wollen sterben?«[11] (Vierte Verkehrung.) Und als Firdusi mit verdrehtem Kopf (fünfte Verkehrung) die vorgespielte Liebe seiner Gattin für bare Münze nimmt, das Leben wieder bejaht, beginnt ihn der Tod zu verfolgen.[12] (Sechste Verkehrung.)

Es finden sich aber noch folgende dieses Motiv ausdrückende Textstellen: »der Arzt erfand die Krankheit«[13] und »der Morgen kräht statt einem Hahn, das Wildpret schießt den Jäger an«.[14]

Wie bereits erwähnt, verweist die Tatsache, daß Firdusis Sohn aus Gummi ist, auf den Kautschukmann als Vater. Dieser verbindet sich aber erst während beziehungsweise nach der Hochzeit mit Lilli. Hier wird also Ursache mit Wirkung vertauscht, was auch dadurch ausgedrückt wird, daß Firdusi in bezug auf Lilli zu seinem Sohn sagt: »Sie und keine andere wird deine Mutter.«[15] Auf diese Weise wird das Kausalitätsprinzip verspottet – Ausdruck einer satirischen Haltung gegenüber der Wissenschaft, übrigens typisch für die Groteskkunst um 1900.

Ein weiteres Zitat aus »Hiob« (beachten Sie hier die Erwähnung und Charakterisierung des Ichs):

»Leicht kopflos wird durch Wissenschaft
Der Mensch, der ihr nicht in die Regel paßt.
Sie schneidet ihn vom Kopfe ab, der durch Ideen,
Durch Gottes- oder Liebesmacht verwirrt, verkehrt
Für eine Zeit versonnen, dem kleinen Ich den Rücken kehrt.«[16]

In »Hiob« werden Wissenschaftssatire und Literatursatire miteinander verbunden. Zusammen mit der »Faust«-Parodie finden sich Ausfälle gegen die Psychologie:

»PUDEL *läuft durch den Flur, öffnet die Tür, springt Hiob schweifwedelnd an*
Wauh . . . Wauh . . . Wauh,
Der Hund hat eine scharfe Nase.
Ich bin ein Psycholog!
Schau . . . Schau . . . Schau,
Herr Vetter sucht Frau Base!

HERR KAUTSCHUKMANN *wickelt sich aus dem Hundefell*
Verzeihen sie die närrische Verkleidung –
Ich bin des Pudels Kern!«[17]

Der Psychologe erscheint hier als der Mephisto der Gegenwart. Und weiter sagt er:
»ich bin Psycholog und stell' mit
Gutem Rat mich nützlich ein.
Der Advokat des Lebens ward ich nicht,
Das bringt den Patienten selber um.
Vertraun sie mir, dann hab' ich
Schon ein Recht auf sie!
Nicht wahr! Ansichten austauschen,
Ist nicht, Einsichten austauschen –
Sondern Aussichten eintauschen.«[18]

Hier treffen Widersinn, Unsinn und Tiefsinn aufeinander, ein weiteres Charakteristikum der Groteskkunst.

Ich wende mich nun den mythischen Bezügen des Stückes und seiner Varianten zu. Die Frau Hiobs ist Eva, wie sie zuletzt sagt, und sie ißt den Apfel der Erkenntnis, wie ausdrücklich vermerkt wird. Schließlich verläßt sie nach dem Tode Hiobs am Ende des Stücks die Szene mit Adam, der in dieser Fassung eine persona dramatis ist.[19] Der Sündenfall in volkstümlicher Auffassung, nämlich Sexualität, und in biblischer Aussage, nämlich Erkenntnis, erscheinen hier ineinander verzahnt. Nochmals aus der Szenenanweisung:

»*Anima fällt wie ein reifer Apfel vom Fenster herunter . . . mit dem Sitz Hiob auf den Kopf.*« Und Adam kommentiert:

»Zu hoch hast du dein Weib
In den Himmel versetzt.
Erst da sie fällt, kannst du ihr auf
Den Boden sehn.«[20]

Erst im Augenblick des Todes also eröffnet sich Hiob Erkenntnis, genauer: die Möglichkeit der Erkenntnis, die sogleich zur Unmöglichkeit wird. Das Groteske schlägt hier ins Absurde um.
Wesentlich ist hier auch die Wahl des Namens Hiob für den an seiner Frau zugrundegehenden Ehemann. Im Alten Testament ist Hiob ja der von Gott Geschlagene und Gequälte, der freilich nicht von Gott abläßt. Die Rolle Gottes ist bei Kokoschka von der Frau, von Anima übernommen. So heißt es, wie bereits zitiert: »Zu hoch hast du dein Weib in den Himmel versetzt« oder – an anderer Stelle – »die menschliche Seele oder laterna magica . . . Früher malte sie Gott und den Teufel an die Welt; heute Weiber an die Wand!«[21]
In »Sphinx und Strohmann« sagt Firdusi: »Ich hatte ein Weib, ich machte einen Gott aus ihr, da verließ sie mein Bett.«[22]
Hiob beziehungsweise Firdusi wird aber auch in Christusnähe gerückt. ». . . Anima, die Hiob das schwere Kreuz auf die Schultern legte . . .«[23]
Auch in den drei anderen frühen Dramen Kokoschkas, die alle das gleiche Zentralthema haben, die Geschlechterproblematik als das Urphänomen menschlicher Daseinsnot, finden sich Bezüge zum christlichen Mythos. So etwa im »Brennenden Dornbusch«: Nachdem die Frau den Mann mit einem Stein zu Tode getroffen hat, wird er in einer Szenenanweisung mit Christus, sie selbst mit Maria gleichgesetzt:

»Sterbezimmer. Mann, wund auf dem Bett. Frau über ihn gebeugt. Stellung der Pietagruppe.«[24]
Auch der ins Allgemeine gewendete Chorgesang aus demselben Stück weist in diese Richtung:

»Ird'sche Liebe ist nur ein' Pein,
ein Rosendorn am Pfad
zum Gartentor von Golgatha.«[25]

In diesen Stücken werden also verschiedene Aspekte der Frau vorgeführt: Mutter, Gattin, Dirne, freilich nie Freundin. Stets aber wird die Frau vergöttert und zugleich als quälend und todbringend dargestellt. So wird sie sowohl dämonisiert als auch sakralisiert.
Und das ist die Funktion dieser traditionellen abendländisch-mythischen Elemente, die Kokoschka als Versatzstücke dienen, um, säkularisiert, travestiert und in die Dramen hineinmontiert, einem neuen Mythos zu dienen, dem Mythos der Sexualität. Das ist auch der Fall mit dem Wort vom »Brennenden Dornbusch« selbst. Im Alten Testament erscheint Moses der Engel des Herrn als Feuerflamme in einem Dornbusch, aber der Dornbusch verbrennt nicht. Und daraus spricht schließlich Gott zu Moses. In Kokoschkas Schauspiel aber sagt die Frau:

»Mein Leib ist ein brennender Feuerstrauch,
Du mein Mann. Nährender Wind!
Meine Brust zwei Feuerzungen,
Du, widerwillige Stimme!
Meine Hände heiße Flügel,
meine Beine brennende Kohlen –
weiß und rot – weiß und rot brenne ich;
im Feuerkleide langer Qual, in Scham recht Erglühte,
brenne und verbrenne nicht.«[26]

Auch auf diese Weise tritt die Frau an die Stelle Gottes.
Kokoschka bedient sich aber auch der zweiten großen Quelle des abendländischen Mythos: der griechischen Antike. Die Frau Firdusis wird ja Sphinx genannt, und wie im griechischen Mythos muß Firdusi sterben, weil er ihr Geheimnis nicht löst. Das Geheimnis selbst ist aber auf eine Banalität reduziert. So heißt es in einer Fassung von »Sphinx und Strohmann«:
»Frauen sind Sphinxe aus duftenden Volants, maniürten Fingerspitzen und

zarten Details.«[27] Auf diese Weise erscheint die Frau als eine Sphinx ohne Geheimnisse.

Die Frau und ihre Einstellung zur Erotik werden in den Fassungen »Sphinx und Strohmann« einerseits und »Hiob« andererseits verschieden dargestellt. In den früheren Fassungen ist sie nymphomanisch gezeichnet, in den späten liegt das Problem darin, daß sie – anders als der Mann – nicht den Liebespartner, sondern die Liebe selbst liebt, was wiederum mythisch tingiert ist, da sie mit der Personifikation der Liebe, Gott Eros, tanzt.

Bemerkenswert ist auch, was am Text unverändert bleibt.

1. Aus »Sphinx und Strohmann«:

»ANIMA *umgekleidet, raffinierter Luxus, ein Buch in der Hand, singt* O, wo ist der, der mir wert wär, den als Mädchen ich geträumt, so wie der bewährt kein Mann sich noch vor mir. Einen Zug nahm ich von einem, einen an dem andern wahr, dem Geliebten bot ich resignierte Lippen und dem Gatten spöttische Melancholie. Von dem einen zu dem andern, muß ich ewig wandern, wandern.«[28]

2. Aus »Hiob«:

»ANIMA *nimmt Eros an den Händen, tanzt mit ihm Ringelreihen zur Tür hinaus*
Hölle hin und Himmel her!
Mein Liebling ist Gott Eros.
Mit Phantasie hab' ich ihn ausgetragen –
Den als Mädchen ich mir schon geträumt.
Einen Zug nahm ich von einem Mann,
Einen an dem andern wahr.
Dem Geliebten bot ich resignierte Lippen
Und dem Gatten spöttische Melancholie.
Von dem Einen zu dem Andern! Wie eine Biene
Schlüpfet sammelnd! Bis Gott Eros ankam!«[29]

Ergänzend sei noch hinzugefügt, daß im »Brennenden Dornbusch« auch die mythischen Sinnbilder der Sonne (dem Mann zugeordnet) und des Mondes (der Frau zugehörig) verwendet werden.

Ein weiteres frühes Drama, »Orpheus und Eurydike«, weist schon durch seinen Titel auf den mythologischen Bezug hin. Auch in diesem Drama wird der Mann von der Frau getötet, der Geist Eurydikes erdrosselt Orpheus.

(Im ersten dieser frühen Stücke von Kokoschka, »Mörder, Hoffnung der Frauen« – es ist in mythischer Vorzeit angesiedelt – tötet der Mann die Frau.)

Erscheint also im Frühwerk von Kokoschka das Individuum individuell bedroht, nämlich durch das todfeindliche Gegenüber und Gegeneinander von Mann und Frau, das mythisch überhöht wird, so wird im Spätwerk auch die organisierte Gesellschaft als Bedrohung des Individuums dargestellt. Aber bereits in »Hiob« heißt es einmal: »In der Wildnis fressen die Starken die Schwachen. In der Gesellschaft umgekehrt!«[30]

Nun zum Begriff »Spätwerk«. Ich verwende diesen Ausdruck für die literarischen Werke Kokoschkas nach dem Ersten Weltkrieg, die Zäsur stellt etwa das 35. Lebensjahr Kokoschkas dar, 1921.
Diese Einteilung rechtfertigt sich zunächst aus stilistischen Gründen, denn der frühe – expressionistische – Stil der Ballung, Raffung, abrupten Gleichsetzung, des eruptiven Herausschleuderns von Worten weicht nun einer ruhigen, der Alltagssprache angenäherten Diktion. Auch gattungsmäßig ist ein Wechsel festzustellen: Kokoschka verfaßt keine Dramen und keine lyrische Prosa mehr, sondern Erzählungen und Essays. Erst zehn Jahre später beginnt er wieder ein Drama zu schreiben – »Comenius« – aber dieses hat nichts mehr mit dem Expressionismus zu tun.
Dieser Wechsel ist nicht nur aus der persönlichen Entwicklung Kokoschkas zu verstehen, sondern auch aus den Zeitläuften. Die Literaturrevolution kommt zu einem Ende. Aber nicht nur literarhistorisch ist in diesen zwanziger Jahren eine Wende festzustellen. Es ist eine allgemeine Tendenz hin zur Reaktion bemerkbar, zum Kollektivismus, siehe etwa den aufkommenden Faschismus und den sich immer mehr festigenden stalinistischen Kommunismus in der Sowjetunion. Eine große Anzahl von Künstlern und Dichtern schließt sich einer politischen Partei, einer weltanschaulichen Gruppe an. Diesen im Grunde optimistischen Kollektivisten stehen die überwiegend pessimistischen Individualisten gegenüber, und zu ihnen gehört als einer der radikalsten Oskar Kokoschka.
Bezeichnend ist in diesem Zusammenhang, wie er sich zu Ereignissen während der Revolution in Deutschland 1919/20 stellte. In einem berühmt-berüchtigt gewordenen offenen Brief äußert er sich derart sarkastisch distanziert, daß ihm das von seiten revolutionärer Künstler die Bezeichnung »Kunstlump« eingetragen hat. So heißt es in diesem Brief: »Ich richte an alle, die hier in Zukunft vorhaben, ihre politischen Theorien, gleichviel ob links-, rechts- oder mittelradikale, mit dem Schießprügel zu argumentieren, die flehentlichste Bitte, solche geplanten kriegerischen Übungen nicht mehr vor der Gemäldegalerie des Zwingers, sondern etwa auf den Schießplätzen der Heide abhalten zu wollen, wo menschliche Kultur nicht in Gefahr kommt.«
Und er macht dann den Vorschlag: »daß in der deutschen Republik wie in den

klassischen Zeiten Fehden künftig durch Zweikämpfe der politischen Führer ausgetragen werden möchten, etwa im Zirkus, eindrucksvoller gemacht durch das homerische Geschimpfe der von ihnen angeführten Parteien.«[31]

In seinem literarischen Werk ab 1924 spielt zwar immer noch der Triebmensch eine bedeutsame Rolle – die Bedrohung des Individuellen gleichsam von innen –, zunehmend aber auch der Massenmensch, die Bedrohung des Individuellen von außen.

Es ist der Mensch der Masse, nicht der Rasse oder der Klasse, der Kokoschka beschäftigt. Immer wieder äußert er sich gegen politische oder religiöse Ideologien, überhaupt gegen Doktrinen aller Art.

So etwa in der Erzählung »Jessica«: »In meinen Wiener Jahren trug noch hoch und niedrig, Adel und Lakai gern einen Kaiserbart. In Berlin war es der Schnurrbart Kaiser Wilhelms des Zweiten und wieder in Rußland der Spitzbart des Väterchen Zaren. In Frankreich aber machte der Friseur aus jedem Herrn, der höher hinauswollte, einen kleinen Herrn Präsidenten. In der jüngsten Gegenwart sind die Staaten Europas zusammengelegt worden; so wurde ein gewisser Schnurrbart zum Symbol einer Weltanschauung, an welcher sich Freunde oder Feinde erkannten oder schieden! Beim Bart des Propheten! Wehe aber dem, der bartlos ist!«[32]

In derselben Erzählung wendet sich Kokoschka einmal auch gegen das Gesellschaftliche überhaupt: »Vielleicht, daß zu Beginn der Vergesellschaftung der Kollektivbegriff ›wir‹ – an Stelle des schlichten ›Vir‹, ›der Mann, ich‹, wofür im menschlichen Gehirn gerade noch Platz war – sich wie eine Wahnidee besonders schmerzhaft zeigte.«[33]

Von diesem Wort »Wahnidee« ausgehend möchte ich nochmals auf den Begriff des Mythischen zurückkommen, weil er auch in unserer Zeit durchaus eine Rolle im Denken spielt, auch und gerade dort, womit sich Kokoschka in seinem späten Werk beschäftigt. Es geht dabei nicht um den Mythos im engeren Sinn des Wortes, also eine Erzählung vom Handeln der Götter, Dämonen und Helden, welche das Wesen des Weltgeschehens darstellen – derlei regiert ja in unserem Kulturraum weitgehend nicht mehr –, wohl aber um mythisches Denken, ein Denken, das auf denselben Prinzipien beruht wie jenes, das die alten Göttermythen schuf und daran glaubte.

Diese Grundhaltung mythischen Denkens ist dadurch charakterisiert, daß es sich mit dem, was man nicht versteht, beschäftigt. Dieses Irrationale wird mit Hilfe der Einbildungskraft erklärt, also auf der Basis der Phantasie, und diese Erklärungen werden durch die Aura des Heiligen gestützt. Gegenüberstellen kann man die wissenschaftliche Denkweise, die das erklärt, was man verstanden hat, und zwar mit Hilfe der Erfahrung und der Rationalität, also auf der Basis der Logik, gestützt durch Argumentation. Ich möchte diese beiden Haltungen anhand der Deutungen des österreichischen Wappens exemplifizieren.[34]

Eine Auffassung vertritt die Meinung, daß die beiden roten Streifen den Mund der altdeutschen Frühlingsgöttin Ostara darstellen, der weiße Streifen ihre Zähne. Auf diese Weise erscheint das Wappen als Abbreviatur des Antlitzes einer Göttin, die dem Land den Namen gegeben hat.

Eine andere Deutung besagt, daß das Weiße die silberne Donau darstellt, die durch die fruchtbare rote Erde der Äcker und Weingärten fließt. Das Wappen stelle also eine Art abgekürzte Landkarte von Österreich dar.

Die erste Auffassung ist rein mythisch gedacht, weder beweisbar noch widerlegbar, rein Irrationales äußert sich hier, der rationalen Überprüfung entzogen. Die zweite Deutung ist modellhaft wissenschaftlich, ein logischer Bezug zur Realität ist hergestellt, argumentativ gestützt durch die Tatsache, daß die vier silbernen Streifen im ungarischen Wappen – und das unterliegt keinem Zweifel – die Hauptflüsse Ungarns versinnbildlichen.

Es gibt freilich eine dritte Deutung, und sie ist die weitaus populärste. Nämlich, daß sich das Wappen vom blutigen Talar Leopolds des Tapferen ableite, weiß geblieben sei nur der durch eine Leibbinde abgedeckte Teil seines Kleides, als er um die Festung Ptolemäis im Heiligen Land stritt.

Was diese Deutung von der ersten unterscheidet, ist, daß sie historische Elemente enthält, die überprüfbar sind, und der Historiker erklärt, daß diese Deutung falsch sei, weil das Wappen bereits geraume Zeit vor jener Schlacht existiert habe.

Charakteristisch ist nun, daß hier mythisches Denken die Tatsachen ignoriert, das heißt der mythische Glaube verweigert sich einer rationalen Erklärung, auch wenn sie Behauptungen durch Tatsachen widerlegt. In einem solchen Fall wird der Mythos freilich entwertet, der Glaube wird zum Aberglauben.

Warum aber diese Ignoranz gegenüber den Tatsachen? Der Grund liegt in der politischen Propaganda, er ist ideologisch motiviert. Dem Herrscherhaus, der Macht im Staate wird durch diese Geschichte einerseits eine religiöse Weihe gegeben – es fehlt also auch dieses Moment des Mythos nicht – andererseits wird das Land, der Staat dadurch mit dem Herrscher als Schöpfer des Wappens geradezu gleichgesetzt, das heißt Regierungs- und Landessymbol verschmelzen ineinander, letzteres soll ohne ersteres nicht denkbar sein.

So harmlos das Beispiel zu sein scheint: es enthält jenes politisch-propagandistische Element, das eine Reihe von modernen Mythen kennzeichnet, mit denen sich auch Kokoschka auseinandersetzte.

An die Stelle der alten Götter sind neue getreten, die anonymen Superstrukturen der Gesellschaft. Ich nenne hier nur den Mythos des 20. Jahrhunderts von Alfred Rosenberg, eines NS-Ideologen, in dessen Werk, das nach dem Ersten Weltkrieg entstand, ein Rassenmythos entworfen wird, welcher alle Erkenntnisse wissenschaftlicher Rassenforschung ignoriert.

Damit soll keineswegs gesagt werden, daß in unserer Zeit Mythen keine Existenzberechtigung haben: Irrationales begegnet uns ja übergenug. Als Beispiel eines modernen Mythos möchte ich ein Werk von Albert Camus nennen. »Der Mythos von Sisyphos«, dessen Untertitel bezeichnenderweise »Ein Versuch über das Absurde« lautet. Sein Thema ist also ein Phänomen jenseits der Logik, bei der eine mythische Betrachtungsweise gerechtfertigt ist.

Kokoschka verbindet seine Ideologiekritik an gesellschaftlichen Mythen – vor allem am Mythos vom Staat – mit der Kritik an einem anderen Mythos, dem der Gewalt. Kokoschka entlarvt den Mythos von der gerechten staatlichen Gewalt als einen Aberglauben, weil er von der Vorstellung getragen ist, daß Gewalt gesellschaftliche Probleme zu lösen vermag, obwohl zahllose Beispiele aus der Geschichte wie der Gegenwart diese Auffassung widerlegen.

Bei Kokoschka heißt es etwa in der Geschichte »Der Brunnen«: »Völker werden hingemordet vor unseren Augen im Namen der Demokratie, eine pure Übergangsanschauung unserer Zeit, die dem Staat das Recht zuschreibt, wie es sich einst die frommen Puritaner angemaßt hatten, die mit Menschenfleisch Handel getrieben haben, weil es für sie als legale Einkommensquelle gegolten hatte.«[35]

Was das für den einzelnen bedeutet – sowohl für den Menschen hüben als auch drüben, demonstriert Kokoschka etwa an selbsterlebten Beispielen aus dem Ersten Weltkrieg. Die Zitate stammen aus der Erzählung »Jessica«.

»Es soll in der Nähe eine mörderische Schlacht stattgefunden haben. Wir haben tags vorher die frischen Massengräber der Tiroler Schützen passiert. Es war also kein leeres Gerücht, daß diese Gebirgstruppen die ukrainischen Sumpfwälder bis zum letzten Blutstropfen gehalten, wo sie nichts verloren hatten.«[36]

Und weiter: »Jenseits der blauweißen russischen Schlagbäume waren . . . die Städter ebenso wie die Bauern vor unserer Ankunft geflohen. Manche sind auch als spionageverdächtig zum Abschrecken aufgehängt worden. Je mehr die Front dann wieder zurückgenommen wurde, desto mehr hing von der Bevölkerung am Galgen.«[37]

In derselben Erzählung findet sich allerdings auch ein Beispiel, wie sich ein Mensch diesem scheinbar unentrinnbaren Mechanismus staatlich befohlenen Mordens entzieht: Es ist ein geradezu phantastischer Vorfall, aber er entstammt nicht der Einbildungskraft des Autors, sondern der Realität. Aus der Autobiographie Kokoschkas geht hervor, daß das erzählende Ich er selbst ist. Als er nach einem Gefecht schwerverwundet am Boden liegt, beugt sich ein russischer Soldat über ihn und will ihn erstechen.

»Ich sah ihm zu, so lange, daß ich bis in die Ewigkeit glaubte warten zu müssen, während er die im Mondlicht glänzende Schiene des Bajonetts auf meine Brust setzte. Ich fühlte in der Hand, in meiner rechten, die nicht gelähmt war, meinen Revolver, der mit der Koppel am Handgelenk festgemacht war. Der Revolver war gerade auf die Brust des Mannes gerichtet. Der Mann konnte dies nicht sehen, weil er gebeugt über mir in seinem eigenen Schatten stand. Mein Finger preßte den Hebel. Ich wagte die Feder leise zu spannen, ich allein hörte es, der Ton ging mir durch und durch.«[38]

»Ich wußte, daß eine Kugel im Lauf war, nach der Vorschrift, die anderen vier noch im Magazin, denn ich hatte während des ganzen Krieges nie geschossen. Du darfst nicht töten! Im wütenden Schmerz krampften sich die Muskeln, spannten sich meine Rippen zum Bersten vor Schmerz, so daß ich nicht mehr atmen konnte, denn jetzt schnitt das Messer durch die Haut und öffnete das Fleisch meiner Brust. Schwächer und schwächer werdend wiederholte ich im Geiste: Aushalten! Einen einzigen Augenblick nur noch . . . da hörte der Schmerz von selber auf. Es war überstanden. Es wurde mir mit einemmal so leicht, es schleuderte mich ordentlich in die Höhe, ich schwebte in der Luft auf meinem Blutstrom, der mir aus Lungen, Mund, Nasenlöchern, Augen und Ohren sprang. So einfach ist sterben, daß ich ihm ins Gesicht lachen mußte, bevor meine Augen brachen. Kain! Was hast du deinem Bruder Abel angetan? Dies sprach aus seinen Augen, das habe ich noch mit hinüber genommen. Das Gewehr hatte er stecken lassen, es muß durch das eigene Gewicht umgefallen sein; sein war die Angst, so rannte er davon.«[39]

Wie gesagt, im Zentrum einer grotesken Situation steht der entstellte Mensch. In diesem angeführten Fall stehen zwei Menschen einander in einer grotesken Situation gegenüber, in die sie durch ihre Staaten gekommen sind. Sie wird überwunden durch die heroische Entscheidung eines aufs äußerste bedrohten Individuums, heroisch obwohl, oder besser: weil es sich der Maxime des kriegführenden Staates, nämlich zu töten, entzieht.

Daß derlei nur die Ausnahme sein kann, liegt auf der Hand. In der Regel kann sich der einzelne der überschattenden Realität des Staates nicht entziehen.

Kokoschka in einer Polemik nach dem Zweiten Weltkrieg: »Revidieren wir bloß die Ereignisse der Jüngstzeit, wie jeder von uns sie noch erlebte. Die souveränen Staaten führten Weltkriege, unterzeichneten Friedensschlüsse und nahmen soziale Planungen vor, als ob das menschliche Einzelschicksal nicht davon berührt würde. Eine ins Unendliche wachsende Vielzahl von Menschen, die mit ihrer Scholle auch den geistigen Boden verloren, werden über die Straßen der Welt getrieben, verenden in Konzentrationslagern, deren Zahl jährlich wächst.

Diese eigentümliche politische Situation verdankt der einzelne dem Umstand, daß ihm der Kausalnexus nicht mehr klar ist. Reitet man nicht selbst, sondern setzt man den Staat aufs hohe Roß, kommt der Bürger auf den Hund.«[40]

Reitet man nicht selbst, das heißt, handelt man nicht selbst, was geschieht dann? Kokoschka hat ein Symbol für den nicht selber handelnden Menschen geschaffen, und er hat dieses Symbol mit dem Generalthema seiner Schriften, der Gewalt, verbunden: das Symbol der Puppe.

Menschliches und Mechanisches verbindet sich in ihr, die somit ein Ausdruck des Grotesken ist. In diesem Symbol stellt er sowohl die biologische Bedrohung des Individuums als auch die soziale dar. Zwei kurze Beispiele mögen hier für die Vielzahl stehen, die sich im Werk von OK finden:[41]

Das erste Beispiel bezieht sich auf den Triebmenschen. »Nichts mehr war ich als eine vom Geschlechtstrieb bewegte Gliederpuppe . . .«[42]

Das zweite auf den Massenmenschen: »Der moderne Demokrat exaltiert die Staatsidee in einer Weise, daß er zum Hampelmann wird, wenngleich die Drähte, die seine Bewegungen regieren, in seinen Händen liegen.«[43]

Die wahre Bedrohung des Menschen liegt also nicht in seinem rationalen Denken, wie das moderne Mythologien behaupten, die das Gefühl gegen den Verstand ausspielen, welcher dabei auf Zweckrationalität reduziert wird – bezeichnend sind in diesem Zusammenhang die Klagen, wohin die Entwicklung der Technik und Wissenschaft die Menschheit geführt habe –; die wahre Bedrohung liegt auch nicht in der Fähigkeit des Menschen, aus der Einbildungskraft neue Wege zu beschreiten, wie das etwa Leute behaupten, die Wirtschaftswachstum oder Energiegewinn um jeden Preis als unabdingbar für Lebensqualität ansehen, sie liegt vielmehr in der Gefahr mechanischen Denkens, das etwa sagt: ist es bisher gegangen, so wird es auch weiterhin gehen. Nur durch mechanistische Denkweise ist es möglich, daß die mythische und zugleich groteske Vorstellung weitverbreitet ist, daß nur immer mehr und immer wirksamere Waffen den Frieden in der Welt bewahren beziehungsweise schaffen können.

Kokoschka hat auch das kommentiert, lapidar, unbeirrt und ohne seinen Pessimismus zu verleugnen:

»Der dritte Weltkrieg hat schon begonnen. Aber die Leute merken's nicht!«[44]

ANMERKUNGEN

1 Ernst Mach: Die Analyse der Empfindungen. Jena 1900^2, S. 2 f. (Alle Auszeichnungen im Original.)
2 Ebda., S. 17.

3 Vgl. Werner J. Schweiger, Der junge Kokoschka. Wien 1983, S. 29.
4 Oskar Kokoschka, Dichtungen und Dramen. Das schriftliche Werk. Band I. Hamburg 1973, S. 61. (In der Folge als I zitiert.)
5 I, S. 83.
6 I, S. 84.
7 Vgl. die früheste erhaltene Fassung von »Sphinx und Strohmann«, in: Wort in der Zeit 2, 1956, H. 3, S. 19 f.
8 I, S. 56.
9 I, S. 54.
10 I, S. 56.
11 I, S. 56.
12 Vgl. I, S. 60.
13 I, S. 86.
14 I, S. 82.
15 Wort in der Zeit (s. Anm. 7), S. 18.
16 I, S. 74.
17 I, S. 72.
18 I, S. 73.
19 Vgl. I, S. 85 und S. 88.
20 I, S. 84.
21 I, S. 82 f.
22 I, S. 55.
23 I, S. 88.
24 I, S. 107.
25 I, S. 86.
26 I, S. 104.
27 Wort in der Zeit (s. Anm. 7), S. 20.
28 I, S. 59
29 I, S. 78.
30 I, S. 79.
31 Oskar Kokoschka, Briefe II. Düsseldorf 1985, S. 12.
32 Oskar Kokoschka, Erzählungen. Das schriftliche Werk, Band II, S. 118. (In der Folge als II zitiert.)
33 II, S. 117.
34 Vgl. Richard von Kralik-Meyrswalden, Das unbekannte Österreich. Wien 1917, S. 4 f.
35 II, S. 25.
36 II, S. 125.
37 II, S. 125.
38 Bis hierher: II, S. 133.
39 Oskar Kokoschka, Verwundung, in: Schriften 1907–1955. München 1956, S. 75 f.
40 II, S. 246.
41 Vgl. Alfred Reisinger, Kokoschkas Dichtungen nach dem Expressionismus. Wien usw. 1978, S. 49 ff., und Peter Gorsen, s. S. 187 dieses Bandes.
42 II, S. 169.
43 II, S. 245.
44 Aus einem Interview anläßlich der Aufführung von »Comenius« im ORF, 27. 10. 1975.

Weitere benützte Literatur: Horst Denkler, Die Druckfassungen der Dramen Oskar Kokoschkas, in: Deutsche Vierteljahresschrift für Literaturwissenschaft und Geistesgeschichte 40, 1966. Arnold Heidsieck, Das Groteske und das Absurde im modernen Drama. Berlin usw. 1969. Theodor Sapper: Alle Glocken der Erde. Wien 1974.

168

LIA SECCI

Ägyptische Nacht und strahlende Sonne:
Licht und Finsternis in Kokoschkas Erzählungen

»Wozu die Zeit messen? Man hat nur zwei Zeiten, Tag und Nacht«, heißt es in der Rahmenerzählung der Legende »Ann Eliza Reed«.[1] Mit diesen Worten umreißt Kokoschka 1952 erneut die Polarität, die sein ganzes literarisches Schaffen durchzieht und sich in einer Reihe häufig wiederkehrender symbolhafter Assoziationen im Zeichen der Ambivalenz äußert, die ich in meinen Untersuchungen über die Gedichte und Dramen des Künstlers bereits mehrfach dargelegt habe.[2] Der kosmische Wechsel von Licht und Finsternis war besonders eindrucksvoll in dem graphischen Zyklus »O Ewigkeit – du Donnerwort« oder »Bachkantate« dargestellt worden, deren »Zueignung« aus dem Jahre 1918 in Vers 5 den Moment der Befreiung aus der Finsternis evoziert:
»Siehst ägyptische Nacht gestreift von einem Licht«.[3]
In den Lithographien der »Bachkantate« (*Abb. 62*) erhellt sich die Bedeutung der Befreiung im Sinne einer menschlichen und künstlerischen Regeneration; sie entspringt der dunklen, mütterlichen Welt der geheimnisvollen, sphinxhaften und chthonischen weiblichen Mächte, die aber auch Kreativität und ewige Wiedergeburt garantieren. Einige Jahre später sollte Kokoschka jene Mittelmeerlandschaften bereisen, in denen die Mythologie der Großen Mutter, der Sphinx und der Amazonen ihren Ursprung hat, und die Intuition seiner Phantasie sollte sich durch Begegnungen und Erlebnisse, die er in den 1974 im zweiten Band des »Schriftlichen Werkes« gesammelten Erzählungen wiederholt beschreibt, objektivieren.
In zeitlosen Visionen, die die wirklichen Reisen überlagern, verfolgt der Künstler das Trugbild des Matriarchats: von Europa bis nach Afrika und Anatolien, vom Norden bis zum Süden, von West nach Ost, von der untergehenden Sonne bis zu den ersten Strahlen des neubeginnenden Tages, von den nebelverhangenen keltischen Heiden Irlands und Schottlands bis zu den sonnigen Dünen der Sahara, von den kalten Landstrichen Schwedens bis hin zu den tunesischen Oasen. Den jahrhundertealten Routen der Kreuzfahrer, Missionare, Pilger, Archäologen und Eroberer folgend, bricht Kokoschka zwischen 1925 und 1929 von provenzalischen Häfen aus ins Heilige Land auf und besucht auf diesen Reisen die Sphinx von Giseh, die Basare Djerbas, das Tal von Jericho und weitere Orte, so die Aphrodite geweihte Insel Zypern und die Grabstätten von Ur, wo

62. OK, Der Mann erhebt den Kopf aus dem Grabe, auf dem das Weib sitzt; aus dem graphischen Zyklus »O Ewigkeit – du Donnerwort« (Bachkantate), 1914

er, angeregt durch den Amazonen-Mythos, die von den Archäologen rekonstruierte Deutung der Bestattungsbräuche korrigiert:

»Und dann ist noch die älteste Bannung des Totenblicks im Lande Ur zufällig während meiner Reise in Kleinasien zum Vorschein gekommen. Mein eigener Eindruck, entgegen der wissenschaftlichen Deutung, die man diesen Funden gibt, ist, daß hier nicht ein Priesterkönig, ein orientalischer Despot, angesichts seines nahenden Todes seinen Harem mit Dienern, Sklaven und Maultieren hat abschlachten lassen. Dieses Mißverständnis ist verursacht durch den Einsturz der oberen Palastgemächer in die Totenkammer. Es ist vielmehr sicher, daß der junge Prinzgemahl an einer Krankheit starb und daß die überlebende Königin dem Toten seine Gespielinnen und Lieblingstiere ins Schattenreich mitgegeben hatte, um ihn dorthin zu bannen. Statt selber ihm in den Tod zu folgen, gab sie dafür einen Spiegel, den die Mumie einst in den Händen hielt. In diesen Spiegel mag die alternde Amazonenkönigin manchmal geblickt haben, wenn sie den toten Jüngling in der Kammer unter ihrem Palast besuchte. Ihr Leben im Spiegel,

63. OK, Der Apfel der Eva; aus »Der gefesselte Kolumbus«, 1913

den die tote Hand hielt, reichte so bis ins Schattenreich und bannte den Geliebten, der unten nach Wärme und Wollust und Leben hungerte, bis die Königin
selber starb und in einer Kammer, oberhalb der des Prinzgemahls, beigesetzt
wurde, um ihm nahe zu bleiben. Es hat die Decke der Gruft mit der Zeit wohl
nachgegeben und ist eingestürzt, was das Mißverständnis der Zeitfolge der Be-
stattungen erklärt, das einem bei der Deutung der Archäologen in die Augen
fällt.« (»Jessika«, II, S. 114)
Indem der Künstler so seine Phantasie den wissenschaftlichen Thesen gegen-
überstellt, erreicht er die exotischen Stätten, die seine Einbildungskraft bereits
in den ersten Versen seiner Jugenddichtung »Die träumenden Knaben« evoziert
und die er auch anhand von archäologischen Fundstücken in den Museen erforscht hat, die aber jetzt um Erlebnisse und Reflexionen bereichert werden: so
hat der lebende Widder in der Heide dieselben Augen aus Topas wie das tierge-
staltige Salzfäßchen, ein Erbstück der alten schottischen Familie Reed, und wie
der »auf den Hinterbeinen stehende [Widder] im Britischen Museum. Die Mut-

64. OK, Einbandzeichnung zu »Vier Dramen«, 1919

tergöttin hat ihm das Vlies geschoren, die Wolle auf der Spindel zum Faden ge-
dreht und diese zu einem Kleid gewebt. Auf ihrem wollenen Kleid waren farbige
Blumen, Schmetterlinge, Vögel, Tiere und alle Zeichen aufgenäht, um die Natur
zu beschwören. Ein Fruchtbarkeitszauber, das erste Kleid, das einer Frau Scham
verhüllte.« (»Ann Eliza Reed«, S. 388–389)
Der Topas hat dieselbe Farbe wie die »bernsteingelbe Wüste«: eine Sonnen-
farbe, eine weibliche Farbe wie die »Lebensfarbe Rot«, deren zeitlichen und
räumlichen Weg Kokoschka in seiner Phantasie von den altägyptischen Ritualen
bis zu den modernen Kosmetika, von den Purpuralgen Phöniziens bis zu denen
der Küste des heutigen Irland verfolgt, »entlang der ganzen nordafrikanischen
Küste an Ägypten vorbei nach Kleinasien bis zum griechischen Archipel und
zurück um den Balkan herum zum Westen, die italienische, französische, spani-
sche Küste entlang und nördlich noch bis Irland«. (»Irland«, II, S. 249)
In der Erzählung »Die Schale«, die im Jahre 1923, also fünf Jahre vor der ersten
wirklichen Reise Kokoschkas nach Nordafrika, in der Berliner Zeitschrift *Das*

172

65. OK, Glasberg legt die Mumie an Stelle von Eliza in den Sarg; aus »Ann Eliza Reed«, 1952

Kunstblatt erschien[4], findet sich schon dieselbe Beziehung von Assoziationen Licht–Dunkel = Frau–Mann, die auch in der »Bachkantate« und in der eingangs zitierten »Zueignung« dargestellt war; hier wie dort, verglichen mit den künstlerischen und literarischen Frühwerken des Autors, bedeutet sie eine Umkehrung: er distanziert sich von der Rebellion gegen die Mutter in »Mörder, Hoffnung der Frauen« und dem frauenfeindlichen Spott in »Sphinx und Strohmann«, die jetzt als pubertäre Regungen erkannt werden, und bekennt sich zum Credo des Matriarchats, des Pazifismus und der Gewaltlosigkeit. In »Die Schale« nimmt die Sphinx, als Wahrerin der Geheimnisse, Hüterin des Todes und Quell neuen Lebens, die Gestalt der Königin von Saba an, der biblischen Sphinx, der Turandot von Jericho, die mit ihren Rätseln den großen König Salomo auf die Probe stellt.[5] Kokoschka glaubt im ganzen Mittelmeerraum Spuren des Matriarchats zu erkennen, von dem vorrömischen Etrurien über die Provence der Katharer und Zigeuner bis hin zu den Behausungen der herumziehenden tunesischen Berber, die vielleicht von den alten Vandalen und Kelten abstammen, die von den Römern aus Gallien verdrängt worden waren. In der südlichsten Oase am Rande der Sahara trifft er auf den »allmächtigen Marabut von Témacin . . ., der in einem weitläufigen Palast wohnte und seine Abstammung auf Aischa, die letzte Frau Mohammeds, zurückführte, die mit ihren Söhnen in einem heroischen Kampf die Unabhängigkeit des Berbervolkes durchzusetzen versucht hatte. Vielleicht der letzte Widerstand der matriarchalischen Kultur in historischer Zeit.« (»Mein Leben«, S. 217–218, *Abb. 63–65*)

Auch die junge Nomadin in der Erzählung »Die Schale« beruft sich auf Aischa, als sie die islamischen Sitten gegen die Kritik des europäischen Reisenden verteidigt: »Aischa war 14 Jahre alt, wie Muhamed in ihren Armen starb. Aber weil sie eifersüchtig war, mußte sie verzweifeln und konnte nicht sterben und wurde eine Hexe, sie führte ihre Söhne gegeneinander ins Feld, das sie röteten mit Blut. Ich wundere mich, was ihr für Sorgen habt. Ihr streitet euch um den Staub, den ihr euch eingeteilt habt auf der Erde, und er frißt euch doch auf. Ihr seid ungläubige Hunde alle und liebt den Gestank der Leichen. Ali aber hat uns fortgeführt, wo die Sonne im Himmel aufgeht, von der mein Auge voll ist, wie es sein wird, wenn ich meinen Herrn sehen werde, dem ich ganz gehören soll.« (»Schriften«, S. 80)

In der zweiten Fassung der »Schale«, die 1956 in die längere Erzählung »Jericho« eingefügt wurde, hat der Text eine matriarchalische Wendung erhalten: »›Unsere Frauen tragen alle Waffen. Aysha war unsere Stammutter, zwölf Jahre zählte sie schon, doch nahm sie den Propheten nicht in die Arme, ehe er nicht abgeschworen hatte, doch hielt er sein Wort nicht. Aysha führte ihre Töchter ins Feld, welches sich rötete mit dem Blut der Männer, die ihren Sohn, den vielgeliebten Ali, Ali den Schönen, in der Nacht heimlich erschlagen haben.‹ – ›Wie heißt du?‹ fragte ich. ›Aysha, wie die Urgroßmutter aus dem Stamme der Kahenna.‹ Sie ging. Ich wollte ihr nachgehen. ›Weg von mir! Ihr Unreinen, streitet euch doch bloß wie Hunde im Staub der Erde, den ihr euch aufteilt.‹« (»Jericho«, S. 225)

Bei dem Übergang von der imaginären zur realen Reise verdeutlichen noch einige andere Textvarianten die veränderte Sicht des weiblichen Wesens, das aus der nächtlichen Finsternis in das lebenspendende Licht rückt: die »blaue« Katze der Erzählung »Die Schale« – blau wie die Fabeltiere des *Blauen Reiters* – ist in »Jericho« zu einer »gelben« Katze geworden, während die Frau, deren Projektion sie ist – nicht etwa irreal, sondern naturgemäß – als »pflaumenblau« bezeichnet wird. »Bernsteingelb« ist in beiden Fassungen die sonnengleißende Wüste, in der die Nomadin entschwindet »auf den Sand, in welchem die Geschichte verweht, wie das Licht zu Schatten wird.« (»Jericho«, S. 225)

In der zweiten Fassung unterstreicht der Autor die mystische Bedeutung, die

174

66. OK, Araberinnen, 1928

der Liebesakt mit der Wilden für den Europäer annimmt: »In der Höhle war es leer wie in einem Gotteshaus ohne Gottheit. Nur der Duft des Weibes hing noch in der Luft wie Weihrauch« (»Jericho«, S. 226), während die symbolische Bedeutung in der Erzählung »Die Schale« mit dem Gegensatz Licht–Dunkel einfacher zum Ausdruck gebracht worden war: »Die Nomadin ging über die bernsteingelbe Wüste. Die Höhle mit dem Europäer war dunkel wie eine leere Kirche.« (»Die Schale«, S. 81, *Abb. 66*)

Offensichtlich handelt es sich hier um die gewohnte Sublimierung der männlichen Phantasie, die die an sich erbärmliche Erfahrung einer oberflächlichen und flüchtigen käuflichen Liebe zu einem religiösen Erlebnis verklärt.

In der Erzählung »Djerba« ist Kokoschka zu einem anderen, reiferen Verhältnis zu der ›andersartigen‹ Realität der weiblichen Natur gelangt, auch wenn – oder gerade weil – sie in diesem Fall unberührt und selbst für die großzügigsten Versuche, sich ihrer zu bemächtigen, unerreichbar bleibt. Um das schönste Mädchen der jüdischen Gemeinde von Djerba (»das ist die Insel des Odysseus, wo der Sage nach einst die Göttin Kalypso wohnte«) besitzen zu können, ist der Erzähler – der hier ausdrücklich ein Maler ist – bereit, die Restaurierung der

dortigen Synagoge zu bezahlen. Aber alle Bemühungen bleiben erfolglos, bis ein alter afrikanischer Zauberdoktor, der in seiner Würde an einen schwarzen Michelangelo erinnert, ihn durch ein Sehen, das ein Einsehen wird, von seinem zwanghaften Wunsch befreit: die Erscheinung des nachtwandelnden Mädchens läßt ihn die Unsinnigkeit seiner Begehrlichkeit erkennen: »Gleichzeitig gingen die schweren Flügel des Tores unhörbar auf, und über den kahlen Hof kam das Mädchen, nachtwandelnd, mit geschlossenen Augen, blaß und mit leidendem Gesicht, zögernden Schrittes auf mich zu, eine Hand hielt sie ausgestreckt, als ob sie sich vorwärtstastete. Ich ergriff die Hand. Da ist mir plötzlich mein ganzes Vorhaben, dessen Ausführung ich so lange leidenschaftlich betrieben, ganz unsinnig erschienen. Es waren die Augen, die sie geschlossen hielt, warum mir jetzt alles so widernatürlich vorkam und ich nichts mehr von dem Wesen wollte, welches ein fremder Wille gezwungen hatte zu kommen.« (»Djerba«, S. 240)
Gleich darauf kann der ewige Kreislauf der Natur wieder ungestört seinen Fortgang nehmen: »Die Natur fing wieder an zu atmen, ein leiser Wind bewegte die Bäume, wie er sich immer vor Sonnenaufgang erhebt. Der Doktor schlug das Tuch vor seinem Gesicht zurück und sah mich lächelnd an.«
In diesen Begegnungen mit der Sonnennatur scheint Kokoschka die Zweideutigkeit des Titels seines Jugenddramas »Mörder, Hoffnung der Frauen« in einem eindeutigen Sinn zu entschlüsseln, nämlich im Sinne einer Verurteilung der kolonisatorischen Gewalt, ja der ganzen von den Männern beherrschten modernen Zivilisation.
Auch in den beiden Fassungen der Legende, die 1931 den Titel »Die Mumie« trug und 1952 unter dem Titel »Ann Eliza Reed« (*Abb. 67*) in eine Rahmenerzählung eingefügt wurde,[6] nimmt der Autor eine Bedeutungsverlagerung vor. In der ersten Fassung ist die Mumie der altägyptischen Priesterin, die den Forscher Glasberg auf seinen einsamen Reisen begleitet, das greifbare Symbol dafür, daß eine glückliche Liebe unerreichbar ist, es sei denn jenseits des Todes. In der 1952 entstandenen Fassung wird die Mumie an Stelle der jungen Ann Eliza beigesetzt, die, aus einem Scheintod wiedererwacht, auf die unziemliche und zerstörerische Leidenschaft für Glasberg verzichtet und sich für das reale Leben an der Seite ihres Mannes Reed entscheidet: »Ann Eliza zieht den Ehering von ihrem Finger, händigt diesen Reed aus und sagt: ›Reed, wenn dir das Schicksal vergönnt, zu vergessen, dafür bringe mich gemarterte Frau sogleich für immer von hier weg. Dann gib mir den Ring wieder.‹« (»Ann Eliza Reed«, S. 387)
Die »ägyptische Nacht« weicht auch in diesem Fall zurück vor dem neu erstrahlenden Licht der Sonne.[7] Wie auch in der »Zueignung« der »Bachkantate« zeigt Kokoschka einen leuchtenden Weg auf, sich den dunklen Verlockungen der Allmutter Erde zu entziehen. Man könnte in der Tat vermuten, daß diesen vitalisti-

67. OK, Reed sieht die nackte Eliza vor sich, die den Arzt Glasberg getötet hat; aus »Ann Eliza Reed«

schen Phantasien eine regressive Tendenz, eine irrationale Sehnsucht zugrunde läge, die in der Kultur der deutschen Romantik wie auch in der Psyche des noch unsicheren und tastenden Menschen und Künstlers Kokoschka, der auf der Suche nach seiner Identität ist, wurzelt und die Lehren Nietzsches und Freuds widerspiegelt. Allzu bereitwillig akzeptiert er in den Worten der jungen Nomadin in »Die Schale« die Stellung der Frau im Islam: »Wir sitzen nicht mit unseren Männern zusammen am Tisch wie die Frau des Amerikaners dort, der unsere Männer zurückhält, damit sie den Sand schaufeln. Dafür wissen wir auch nichts von Bitterkeit, so wie unter der Erde niemand weiß, daß es oben für ihn zu Ende ist.« (»Jericho«, S. 225)
In »Aigues-Mortes«, das 1924 entstand (*Abb. 68*), wird die patriarchalische Zivilisation der Römer kritisch beurteilt und einem hypothetischen mediterranen Mutterreich gegenübergestellt: »In Aigues-Mortes kam ich gerade zurecht, als von den Zigeunern aus ganz Europa von der Madonna ein Generalpardon erbeten wurde. Nach der Legende ist sie die schwarze Madonna, die in einem Haus,

177

68. OK, Aigues-Mortes, 1925

Schrein oder Steinsarg samt den zwei Marien auf einer roten Sandwolke aus dem Morgenland nach Saintes-Maries-de-la-Mer geweht worden ist, wovon der Name des Ortes. Vermutlich weist diese Legende auf ein Mutterreich, das dort einst bestanden hat, zurück, welches die moralischen Römer zerstörten, die eine Weiberherrschaft nicht duldeten.« (»Aigues-Mortes«, S. 208)
Ebenso kritisch wird 1929 die von Kemal Pascha in der Türkei eingeleitete Modernisierung beurteilt: »Darum reiste ich weiter nach Konstantinopel. In Eile sogar, bevor dort unter dem Regime Kemal Paschas die moderne Zivilisation zu schnell fortschritte und ein Ende mit aller Romantik des Orients machen würde. Ein Ende mit den verschleierten Frauen, mit den luftigen Pluderhosen der Männer, wie sie solche noch statt der enganliegenden europäischen Kleider aus zweiter Hand trugen, ein Ende mit den farbigen Dschunken am Goldenen Horn und den Holzhäusern des alten türkischen Viertels, das bald nachher von einem Brand zerstört werden sollte.« (»Mein Leben«, S. 227)

Aber 1933, bei Aufkommen der nazistischen Barbarei, erkämpft Kokoschka für den romantischen Mythos des Matriarchats das Recht auf Licht und Leben. So lautet der Schluß des Briefes, den er im Mai 1933 an die *Frankfurter Zeitung* richtete, um sich mit dem Maler Max Liebermann solidarisch zu erklären, der seinen Rücktritt aus der Preußischen Akademie der Künste und dem Verein der Berliner Secession erklärt hatte, nachdem in deren Statuten der Arier-Paragraph aufgenommen worden war: »Vergessen wir doch nicht, daß alle Vater-Länder im Schoße der Allmutter Erde verwurzelt sind. Freudenfeuer und nicht Scheiterhaufen seien dieser göttlichen Mutter, der die Ähre, die Rebe und die Rose geweiht sind, angezündet.« (»Mein Leben«, S. 231)

Regressiv könnte noch der »Nachruf auf die Amazonen« erscheinen, in dem Kokoschka nach dem Zweiten Weltkrieg die Auswüchse der Bewegung der Frauenemanzipation beklagt: »Im 19. Jahrhundert begann in England eine Bewegung, die für das weibliche Geschlecht Gleichberechtigung und Stimmrecht forderte. Im Zweiten Weltkrieg hat die Suffragettenbewegung zwar nicht die Menschenrechte, doch die allgemeine Wehrdienstpflicht der Frauen durchgesetzt. Das moderne Neutrum, der Robot im Overall, im Kollektivstaat, braucht keine Menschenrechte; damit wird auch der Lippenstift entbehrlich, womit die Geschichte der roten Lebensfarbe zu Ende ist.« (»Irland«, S. 264)

In der Tat ist diese Feststellung Kokoschkas, die von 1945 datiert und 1956 veröffentlicht wurde, in den letzten zehn Jahren sowohl durch die Erfahrungen der internationalen Frauenbewegung als auch durch die vorgebliche Frauenemanzipation in den Ländern des realen Sozialismus bestätigt worden. In der matriarchalen Sehnsucht des Künstlers offenbart sich eine Utopie, von der unsere heutige Welt weiter entfernt zu sein scheint denn je. In seinen Spätwerken zeigt sich Kokoschka selbst enttäuscht in seinem jugendlichen Glauben an die Erziehbarkeit des Menschen und neigt dazu, sich von der in seinen Erzählungen beschriebenen Außenwelt abzukehren und sich auf die Betrachtung seiner inneren Visionen zurückzuziehen. Dennoch setzt er seine Hoffnungen auf eine künftige Regeneration weiterhin in die weibliche Gestalt: noch am Ende seines künstlerischen Lebensweges – vom revolutionären Elan der ersten Dramen über das erzieherische Anliegen seiner reifen Jahre bis hin zum weisen Entsagen des Alters – tritt die Frau in seinen Werken als Spenderin des Lebens und Hüterin des Friedens im Gegensatz zur männlichen Welt irrationaler Gewalt hervor.

In dem Drama »Comenius«, das 1972 vollendet wurde, hat die mythische Libussa, die Gründerin des harmonischen Reichs Böhmen, der Heimat Kokoschkas, ihre historische Entsprechung in der vielseitig ausgebildeten Königin Christina von Schweden, die, weitaus aufgeklärter als der machtgierige und hysterische Kaiser Ferdinand, die humanistische Kultur, die politische Vernunft und

69. REMBRANDT, Die Nachtwache, 1642

die leidenschaftliche Liebe in Einklang zu bringen vermochte. Die heilbringende Gestalt am Ende des Dramas ist nicht der Messias der jüdisch-christlichen Tradition, sondern ein Mädchen, Hannah-Christel, das Kokoschka mit der kleinen weiblichen Lichtgestalt, die den Mittelpunkt der Rembrandtschen »Nachtwache« bildet, gleichsetzt.[8] (*Abb. 69*)

ANMERKUNGEN

1 Oskar Kokoschka, Ann Eliza Reed, in: Erzählungen, Das schriftliche Werk, Bd. II. Hamburg 1974, S. 365.
   Auf diese Ausgabe beziehen sich die im Text in Klammern angeführten Seitenangaben.
2 Vgl. Lia Secci, Die lyrischen Dichtungen Oskar Kokoschkas, in: Jahrbuch der deutschen Schillergesellschaft, XII, 1968, S. 457–492; Le poesie di Oskar Kokoschka, in: Il Verri, Nr. 31, Mailand 1969, S. 195–225; das Kapitel über »Orpheus und Eurydike« in: Il mito greco nel teatro tedesco espressionista. Rom 1969, S. 151–182; Übersetzung, Einleitung und Anmerkungen zu den Theatertexten in dem Band O. Kokoschka, Assassino, speranza delle donne. Teatro. Mailand 1981.
3 Oskar Kokoschka, Zueignung, in: Dichtungen und Dramen. Das schriftliche Werk, Bd. I. Hamburg 1973, S. 30.
   Die »ägyptische Nacht« knüpft an jene Stelle in der Bibel an, in der die »Plagen« geschildert werden, die von Gott über den Pharao verhängt werden, der den Israeliten den Auszug aus

Ägypten verwehrt: die Finsternis, die die Sonne verdunkelt, stellt die neunte Plage dar – vgl. 2. Mos. 10, 21–23.

4 Oskar Kokoschka, Die Schale, in: Das Kunstblatt, 7, 1923, Nr. 5, S. 129–135; die Erzählung ist in: Schriften 1907–1955, München 1956, S. 77–81, wieder abgedruckt und 1956 für den Band »Spur im Treibsand« überarbeitet worden, wo sie in einen längeren Text eingefügt worden ist, der den Titel »Jericho« trägt, S. 134–138; vgl. Erzählungen, a. a. O., S. 221–226.

5 Oskar Kokoschka, Die Schale, in: Schriften, a. a. O., S. 81 = Jericho, in: Erzählungen, a. a. O., S. 226.

In der Gestalt der Sphinx, die seit dem jugendlichen Entwurf »Sphinx und Strohmann« (1909) in den Schriften und Bildern Kokoschkas immer wieder auftaucht, verschmelzen mythisch-archetypische Bilder mit literarischen, romantisch-dekadenten Motiven, die mit persönlichen Erlebnissen verknüpft werden. Die Sphinx ist bekanntlich ein mythisches Urbild der ›femme fatale‹, und der Titel »Sphinx und Strohmann« spielt parodistisch auf das Drama von Hofmannsthal »Ödipus und die Sphinx« an. Kokoschka unterlegt den literarischen Topos allerdings mit einem privaten Inhalt, wenn er Alma Mahler in seinen zwischen 1913 und 1915 entstandenen Bildern wiederholt sphinxhafte Züge verleiht. Er sah in dem Bild der Sphinx nicht nur die erotische Bedeutung, sondern auch ein Symbol seiner Kunst: das Gedicht »Zueignung« trägt in einer anderen Fassung den Titel »Rätsel«, und auf dem Titelblatt von »Vier Dramen«, Berlin 1919, stellt sich der Künstler selbst mit einer Sphinx auf der Schulter dar; eine Sphinx erscheint auch auf dem Titelblatt der mit Illustrationen versehenen Erzählung »Ann Eliza Reed«, Hamburg 1952.

Im Herbst 1929 besuchte Kokoschka Ägypten und malte die Sphinx: in seiner Autobiographie »Mein Leben«, München 1971, S. 225–226, beschreibt er kurz seinen Aufenthalt in Kairo mit den Sonnenaufgängen und -untergängen in der Wüste, aber auch mit menschlicher Anteilnahme angesichts des Elends der einheimischen Bevölkerung.

6 Vgl. Oskar Kokoschka, Die Mumie, in: Frankfurter Zeitung, Nr. 958/59, 25. 12. 1931, S. 5; Ann Eliza Reed, Erzählung und Lithographien von Oskar Kokoschka. Hamburg 1952 = Erzählungen, a. a. O., S. 361–390.

7 In diesem Motiv könnte man auch ein Echo der »Zauberflöte« von Mozart sehen, für deren Aufführung 1955 in Salzburg Kokoschka das Bühnenbild entworfen hat. Der Sieg der Sonne über die Finsternis wird im Finale der Oper (Nr. 21,30) von Sarastro verkündet:

> »Die Strahlen der Sonne vertreiben die Nacht,
> zernichten der Heuchler erschlichene Macht.«

Das biblische Motiv der »ägyptischen Nacht« wird in der zeitgenössischen österreichischen Literatur von Ingeborg Bachmann in ihrem unvollendeten Roman »Der Fall Franza« noch einmal – und leider negativ – verarbeitet. Im dritten Kapitel, das die Überschrift »Die ägyptische Finsternis« trägt, wird das letzte Stadium der geistigen und physischen Zerstörung der Hauptfigur beschrieben, die mit ihrem Tod in Kairo in der Nähe der Pyramiden enden sollte: vgl. I. Bachmann, Der Fall Franza. München–Zürich 1979, S. 83–150.

8 Vgl. Oskar Kokoschka, Comenius, in: Dichtungen und Dramen, a. a. O., S. 217–219, 271.

70. OK, Der Irrende Ritter, 1915

182

THOMAS M. MESSER

»Der Irrende Ritter«

Ich will in meinem Beitrag über Kokoschkas »Irrenden Ritter« vom Bekannten und Zweifellosen ausgehen, um mich von einer solchen Basis schrittweise einigen vielleicht weniger beweisbaren Gedanken zu nähern.

Um in diesem Sinne mit dem konkreten Gegenstand zu beginnen: »Der Irrende Ritter« ist in erster Linie natürlich ein Ölgemälde im Besitze des Guggenheim-Museums in New York. (*Abb. 70*) Es ist ein Horizontalformat, weniger als einen Meter hoch und ein bißchen mehr als doppelt so lang, und befindet sich, trotz einiger Beschädigungen, wohl in heiklem, aber kontrollierbarem Zustand. Als Teil der Guggenheim-Sammlung wurde Kokoschkas berühmtes Frühwerk Mitte der siebziger Jahre neu geprüft und von Angelica Zander Rudenstine, damals unsere Research-Kuratorin, voll dokumentiert. Manches vom hier angeführten geht unter anderen auf Rudenstines Text »The Guggenheim Museum Collection, Paintings 1880–1945« zurück.

Abgesehen vom bereits Gesagten ist auch die Herkunft des Bildes mit weitgehender Sicherheit bestimmbar. »Der Irrende Ritter« war, nachdem er des Künstlers Eigentum verließ, bereits im März 1916 im Besitz von Oskar Reichel – eine Kenntnis, die wir einer Eintragung in Reichels Gästebuch verdanken, in dem kein Geringerer als Rainer Maria Rilke folgendes niederschrieb:
»Rühre einer die Welt: daß sie ihm stürze ins tiefe
fassende Bild; und sein Herz wölbe sich drüber als Ruh.
Herrn Dr. Reichel dankbar unter dem Eindruck dieses Nachmittags:
Rainer Maria Rilke
(Wien am 24. März 1916).«
1934 wurde das Bild von Otto Kallir-Nirenstein, ein Name, der hier durchaus nicht unbekannt ist und der auch in New York hauptsächlich wegen seiner Verdienste um die österreichische Kunst einen hellen Klang bewahrte, erworben und wahrscheinlich im Jahre 1946 an den Händler Karl Nierendorf, kurz vor dessen Tod, weiterverkauft.

Das heute berühmte Kokoschka-Gemälde wurde von der Solomon R. Guggenheim-Stiftung als Teil des Karl Nierendorf-Nachlasses im Jahre 1948 angekauft, und zwar durch die lobenswerte Initiative von Guggenheims Kunstberaterin, der Baronin Hilla von Rebay, damals Direktorin des Museum of Non-Objective Painting, das unter der heute noch in gleicher Weise bestehenden Stiftung dem Solomon R. Guggenheim-Museum voranging. Es muß hier allerdings hinzugefügt werden, daß das Bild selbst, der Künstler Kokoschka und darüber hinaus der figurative Expressionismus keineswegs den damaligen Sammlungsabsichten entsprachen und daß es sich deshalb im Falle des »Irrenden Ritters« nicht um ein Werk handelte, welches mit sammlerischer Absicht den Guggenheim-Beständen beigefügt wurde. Da Baronin Rebay sogar darauf bestand, das Gemälde bei Kokoschkas erster amerikanischer Museumsretrospektive 1948 im Bostoner Institute of Contemporary Art anonym auszustellen, kann man Kokoschka und seinen »Irrenden Ritter« nicht einmal zu den pragmatischen Sanktionen zählen, die die erste Direktorin des Guggenheim figurativen Werken von Künstlern wie Chagall, Marc, Modigliani und anderen einzuräumen bereit war. Doch selbst nach dem Abtreten der Baronin und der Aufhebung des Dogmas der Gegenstandslosigkeit, nach dem Namenswechsel vom programmatischen »Museum of Non-Objective Painting« zum stilistisch neutralen »The Solomon R. Guggenheim Museum«, blieb der »Irrende Ritter« noch eine Weile im Schatten, vielleicht weil das expressionistisch figurative Bild sozusagen allein stand und sich auch noch in den fünfziger Jahren sträubte, sich in scheinbar widersprechende idiomatische Empfindungen einreihen zu lassen. So kam es erst später dazu, daß der »Irrende Ritter« seinen Ehrenplatz einnahm und daß sich unser Sehen so weit geklärt und von zeitgebundenen Widersprüchen entfernt hatte, daß es dessen Eingliederung unter den Meisterwerken der Sammlung voll akzeptierte.

Soweit der Tatbestand. Was wir vor uns haben, ist das Bild eines Ritters in schwerer Rüstung, der – gleichsam schwebend – über dürrem Boden in einer stürmischen Landschaft umgeben ist von Erde, Meer und Himmel. Er scheint allein zu sein, trotz der Gegenwart einer abgewandten, unbekleideten Frau und einer in den Wolken schwebenden Engelsgestalt. Die Buchstaben E S sind prominent zu lesen, fast als handelte es sich um eine weitere Präsenz.

An Deutungen mangelt es natürlich bei einem so deutungsbedürftigen Bild nicht, und über einiges ist man sich weitgehend einig. Kokoschka selbst soll sich mit dem Ritter identifiziert haben, und die Ähnlichkeit der Gesichtszüge wäre jedenfalls nicht abzuleugnen. Graphische Werke, die dem Ölgemälde vorangehen, lassen auch kaum Zweifel über die Identität der Frau mit Alma Mahler aufkommen, selbst wenn im hier besprochenen Bild keine Ähnlichkeit mit den uns wohlbekannten Zügen der damaligen Geliebten festzustellen ist. Schwieriger ist bereits die Identifizierung des schwebenden Engels, dessen Ähnlichkeit mit Kokoschka Heinz Spielmann zur Annahme führt, daß es sich um das ungeborene, gewünschte Kind des Künstlers aus der Verbindung mit Alma Mahler handelt. Auch über die Bedeutung der Buchstaben scheinen Zweifel zu bestehen, obwohl die überwiegende Meinung der traditionellen Ansicht beistimmt, wonach

184

der quasi-religiöse Inhalt des »Irrenden Ritters« durch »Eli, Eli, lama asabthani« (Mein Gott, mein Gott, weshalb hast du mich verlassen) erklärt und betont wird.

Am wenigsten sicher scheint die Datierung des Bildes, die mit dessen Ikonographie eng verbunden ist. Da Kokoschka im Jahre 1915 im Krieg vom Pferd geschossen und, von einem russischen Bajonett verletzt, schwerverwundet liegenblieb, bestand zunächst die Annahme, daß der »Irrende Ritter« einer Widerspiegelung dieser Kriegsepisode gleichkäme. Gegenannahmen stützen sich auf Kokoschkas angebliche Hellsichtigkeit und wollen den gefallenen Ritter als ein vom Künstler prophetisch empfundenes Ereignis deuten. (Symposiumsgespräche, die diesem Vortrag in Wien folgten, und denen sich auch Frau Olda Kokoschka anschloß, schienen zum Schluß zu kommen, daß der »Irrende Ritter« wohl – in einer jetzt nicht mehr sichtbaren Version – vor dem Kriegsunfall angefangen wurde, aber doch rückblickend im jetzigen Zustand vollendet wurde, wobei die Hypothese eines verdeckten, andersgearteten Bildes für künftige Forschung von besonderem Interesse bleibt.)

Um aber auf Deutungen zu weisen, die über den biographischen Rahmen hinausreichen, scheint es angezeigt, die neutestamentarischen Inhaltssphären der Expressionisten hier auf Kokoschka zu beziehen. Das Bild sagt diesbezüglich ganz zwanglos einiges aus, das von biblischen Inhalten schwer zu trennen ist. So sehen wir den »Irrenden Ritter« wohl über dem Boden schwebend, aber doch in der Haltung des Gekreuzigten. Eine Handfläche ist stark nach auswärts gezwungen, die Beine selbst kreuzen sich, und die Frau ist ihm zu Füßen, fast als wäre sie in Vertretung Mariens zugegen. Die Buchstaben E S gewinnen in diesem Zusammenhang besondere Bedeutung, und des Ritters Ausdruck von Resignation und Wissen um das Leid steht allenfalls mit den Sieben Worten Christi im Einklang.

Aber auch andere Deutungswege auf der gleichen Ebene ließen sich verfolgen. Es wäre zum Beispiel gegeben, sich bei der Betrachtung von Kokoschkas Meisterwerk an Parzival zu erinnern. Ist jener doch die Urverkörperung des irrenden Ritters, der am allersichtbarsten in Wagners drittem Opernakt in biblischer Landschaft erscheint, nach langer Irrfahrt und in voller eiserner Rüstung. Er ist wie in Kokoschkas Gemälde umgeben und trifft auf zwei Erscheinungen, auf Kundry, die tiefschichtige »Femme fatale«, und den engelhaft verkündenden Gurnemanz. Und sowohl bei dem reinen Toren wie beim »Irrenden Ritter«, zwei sich fast deckenden Charakterisierungen, spürt man das Leid um die Wunde sowie deren Erlösungskraft als Grundmotiv.

Zur Vorsicht, und um nicht Mißverständnisse herbeizuführen, soll hier betont sein, daß des Malers Sujet dem Beschauer Interpretationen wie die obigen aufzwingt, daß sich diese aber trotzdem mit einer kreativen Absicht nicht ohne weiteres in Einklang bringen lassen. Malerei ist, jedenfalls in der modernen Epoche, als autonome Sprache zu verstehen, in der Formen und Bildnisse Realitätsbeziehungen suchen, die mit dem Geschehen und selbst der Erkennbarkeit des Gegenstandes nur in einem bedingten Verhältnis stehen. Jede Deutung führt deshalb zugleich zur Entstellung, der andererseits nicht zu entgehen ist, soferne das Wort die bildnerische Sprache als Ausdrucksmittel ersetzt.

Mit diesem Vorbehalt lassen sich bei Kokoschkas »Irrendem Ritter« mindestens drei Deutungsstufen voneinander trennen. Erstens das autobiographische Erlebnis, das, wie oben besprochen, der Darstellung des Bildes zugrunde liegen mag. Zweitens die Entfaltung der persönlichen zu einer umfassenden Dimension, die hier durch den Bezug auf christliche Bildhaftigkeit, wie die Kreuzigung oder die Parzivallegende, lesbar wird. Und schließlich ließe sich die Symbolik des »Irrenden Ritters« natürlich verallgemeinern, wie es von einigen Autoren auch unternommen wurde, und der Begriff auf Weltlage und Weltgeschichte so ausdehnen, daß er zum Ausdruck der modernen Geisteskrise würde – ein Vorgehen, dem Kokoschkas Weltanschauung jedenfalls nicht widerspricht. Anders gedeutet kann der »Irrende Ritter« auch als Fahnenträger des romantisch verwurzelten Expressionismus dienen, wobei die positiven Aspekte des Irrens als einer Methode des Suchens einem diskreditierten Rationalismus entgegengestellt werden können.

Zum Abschluß möchte ich aber solche Perspektiven nur als Andeutungen belassen und meinen Weg zurückfinden zum Bild an sich – einem Bild, welches durch die Intensität seiner Aussage sowie durch den Gebrauch einer kraftvollen, neu erfaßten Formensprache stark dazu beitrug, dem jungen Oskar Kokoschka seinen damals schon klar sichtbaren Weg zum Weltruhm zu ebnen.

PETER GORSEN

Kokoschka und die Puppe, pygmalionistische und fetischistische Motive im Frühwerk

Die Puppe bedeutet eine wichtige Episode im Leben Oskar Kokoschkas. Mit ihr wollte er über den Verlust seiner eingestandenermaßen »sehr passionierten Beziehung« zu Alma Mahler, die zwischen 1911 und 1914 drei Jahre lang angehalten hatte, hinwegkommen.[1] Dies gelang ihm auf eine unvorhersehbare Weise. Kokoschka merkte sehr schnell, daß die bei einer Puppenmacherin in Auftrag gegebene lebensgroße Nachbildung des Körpers von Alma kein Ersatz für den verlorenen Kontakt mit der Geliebten sein konnte. »Die Puppe war eine Effigie, die kein Pygmalion zum Leben erweckt«, heißt es 1971 rückblickend in seinen Lebenserinnerungen.[2] Dieses Machwerk von einem Puppenfetisch, wie er ihn später deklassierte, hatte nach der Fertigstellung jede Hoffnung auf seinen erotischen Zauber zerstört und erfuhr eine Verwandlung zum malerischen Bildgegenstand. Die Puppe wurde erst wieder auf dem Umweg eines stillebenhaften Modells für den Maler zu einer beseelten Figur. Der Künstler trat an die Stelle des unglücklichen Liebhabers und erreichte in der malerischen Metamorphose des Puppenfetischs eine Verlebendigung Almas zur Kunstfigur.
Auf diese Weise war Kokoschka doch noch ein Pygmalion geworden, nachdem er seinen sexualpathologischen Pygmalionismus und Puppenfetischismus überwunden und das mißglückte Surrogat Alma Mahlers in eine neue eigene Schöpfung übersetzt hatte. Aus der Zeit zwischen 1919 und 1922 gibt es viele Zeichnungen und einige Gemälde, die um das Puppenthema kreisen. Die 1919 entstandene »Frau in Blau«, das 1922 gemalte »Selbstporträt mit Puppe« sind die prominentesten Beispiele für eine sublime künstlerische Befriedigungsform, die Kokoschkas Puppenobsession ablöste und ihm endgültig erlaubte, das Kapitel Alma Mahler abzuschließen und sich wieder für andere Begegnungen zu öffnen. Der überdies noch rekonvaleszente, im Krieg 1915 durch schwere Verletzungen an Lunge und Kopf, die zu Störungen des Gleichgewichtssinns führten, traumatisierte Künstler fand in dieser Zeit neuen Lebensmut und gab seine bedenkliche Verweigerung von Außenweltkontakten auf. Der von der Puppenkonstruktion so grausam enttäuschte Wunsch nach Liebesersatz erfüllte sich für Kokoschka fortan in der Selbstverwirklichung als Maler, unter dessen Händen der Fetisch wieder lebendige, menschliche Züge annahm.
Kokoschka hat den entscheidenden Augenblick der Verwandlung vom Fetischi-

sten zum Künstler in seinen Lebenserinnerungen festgehalten. »Als ich . . . die Effigie aus der Verpackung in der Kiste befreit und ans Tageslicht gebracht hatte, fühlte ich eine plötzliche Erleuchtung . . . jetzt sah ich ein Machwerk aus Stoff und Holzwolle, in welchem ich vergeblich versuchte, Alma Mahler zu erkennen, ›Die Blaue Frau‹, wie sie jetzt genannt wird. Die Larve, die im Seidengespinst überwintert und zum Schmetterling wird, hängt jetzt in der Staatsgalerie in Stuttgart . . . Warum hat man den Namen Pygmalion nie vergessen, während die Namen von Staatsmännern und Theoretikern meist nur in ihren eigenen Memoiren bewahrt bleiben.«[3]

Der Pygmalionismus Kokoschkas ist die Geschichte eines künstlerisch geglückten Wiederbelebungsversuches, an dem alle folgenden Frauendarstellungen Kokoschkas indirekt Anteil haben. Selbstverständlich greift die Vorstellung vom Puppenfetisch als dem körperlichen Ebenbild der Geliebten zu kurz. Vielmehr hatte Kokoschka von Anfang an ein unbewußtes Idealbild vor Augen, einen symbolischen Ersatz nicht nur Almas, sondern der Frau schlechthin, die er mit mütterlichen, matriarchalen Charakterzügen versah und sowohl ersehnt wie gefürchtet hat. Ich erkannte sie als »höher und besser als alle Frauen . . ., die mich nur verwildern konnten«, schrieb der als »Oberwildling« von seiner Zeit mißverstandene Künstler noch an Alma.[4] Anton Ehrenzweig vermutet wohl zu Recht, daß es bei Kokoschka um »das Imago der gebärenden und tötenden Mutter« geht, »deren Umarmung die individuelle Existenz vernichtet« und diese der vom Künstler gefürchteten Abstraktion übergeben könnte. »So mag seine ungestillte Sehnsucht nach der Gefährtin, deren Liebe seine Individualität nicht bedroht, ihn zu seinem seltsamen, nur zu bewußten Wunsch geführt haben, eine Puppe, die ihrerseits keinen Willen und keine Unabhängigkeit hat, zu seiner Gefährtin zu machen. Indem er die gefährliche Frau zu einer Puppe erniedrigt, fügt er ihr dasjenige Schicksal der verlorenen Individualität zu, das er im Grunde für sich selbst so sehr ersehnt und fürchtet.«[5]

Die tötende Muttergöttin und die tote Puppe bezeichnen den Doppelaspekt von Kokoschkas großer Liebe, den Wunsch nämlich, mit dem anderen Menschen zu verschmelzen, ohne das eigene Ich aufgeben zu müssen. Daher besteht zwischen den großen Begegnungs-Bildern wie der »Windsbraut«, 1914, den Versionen zur »Macht der Musik«, 1918, und den anschließenden Puppenbildern ein innerer, biographisch durchlittener Zusammenhang, den Kokoschka wiederholt auch literarisch, wie in den Erzählungen »Die Mumie« und »Ann Eliza Reed«, verarbeitete und der auch im malerischen Spätwerk, wie der »Prometheus-Saga« von 1950 (s. Abb. 109–111) eine Fortsetzung findet. Kokoschka war von Anfang an frei genug, die erotische Symbolik seiner Puppenmanie zuzugeben und sich zum Fetischismus zu bekennen. Er sprach vom Puppenfetisch wiederholt als

71. OK, Lebensgroße Darstellung meiner Geliebten, um 1918

von »meiner Geliebten«, von der »Stillen Frau«, die er im Dresdner Haushalt mit der »Haussklavin« Reserl, der »Kammerzofe meiner Puppe«, teilte.

Kokoschka wußte oder ahnte zumindest, daß der Künstler und der Fetischist im fiktiven, die Wirklichkeit annullierenden Charakter ihrer Arbeit übereinstimmen. Beide verwirklichen sich in einer permanenten Umwertung der normativen Werte und dementieren alles, was in ihr Phantasiesystem nicht hineinpaßt. Der abtrünnige Freud-Schüler Wilhelm Stekel vermutete sogar, daß »in jedem Fetischisten . . . vielleicht ein großer Dichter verlorengegangen« ist. Er bleibt leider »ein Dichter seines eigenen Lebens«, dessen Konflikte die künstlerische Übertragung ins Überindividuelle und Sinnbildliche vermissen lassen. Umgekehrt steckt in jedem erotischen Künstler das »symbolistische Genie« eines Fetischisten.[7] Ist ein Fetisch – wie die Puppe – geeignet, eine unbewußte Vorstellung zu repräsentieren, kann er die Symbolik eines Genitales, einer sexuellen Handlung oder Liebesbeziehung übernehmen. Der Puppenfetisch kann die Erinnerung an die kindlichen Erfahrungen in der familialen und sozialen Umgebung einschließen und damit zum Träger einer komplizierten Phantasiewelt, eines »fixierten Luftschlosses« werden, das sich von der Wirklichkeit abschirmt.

Die Briefe Kokoschkas an die Puppenmacherin Hermine Moos, seit kurzem im ersten der von Olda Kokoschka und Heinz Spielmann herausgegebenen Briefbände wieder zugänglich, machen diesen Zusammenhang wie auch die künstlerische Beschwörung der Puppenobsession recht deutlich. Obwohl keine Stellungnahmen und brieflichen Antworten von Moos überliefert sind, geben Kokoschkas eindringliche und ausführliche Äußerungen ein ziemlich genaues Bild von seinen Vorstellungen. Die gelegentlich mit eingestreuten (leider nicht veröffentlichten) Skizzen versehene Korrespondenz dauert über acht Monate und erhält durch eine farbig angelegte Ölskizze einer »lebensgroßen Darstellung meiner Geliebten« (*Abb. 71*), wie Kokoschkas Brief vom 20. August 1918 zu entnehmen ist,[8] Unterstützung. Der Verbleib dieser nur noch als schwarz-weiße Katalog-Abbildung zugänglichen Arbeit,[9] die in eine Sammlung nach La Paz gelangt sein könnte, ist unbekannt. Kokoschka kommt auf diese stehende Aktfigur wiederholt zu sprechen, um seine Vorstellungen zu präzisieren und der Münchner Modistin und Puppenmacherin, die ihm wohl von seinem Freund Dr. Pagel und Lotte Pritzel empfohlen und die auch von Bellmer und Rilke geschätzt wurde, alle möglichen Hilfestellungen zu geben.

»Liebes Frl. Moos, . . . nehmen Sie sich die Kontur des Körpers recht zu Herzen. Z. B. die Linie des Halses zu dem Rücken, die Kurve des Bauches. Das zweite schräg gestellte Bein zeichnete ich nur ein, damit Sie die Formen desselben auch von innen sehen, sonst aber ist die ganze Figur rein im Profil gedacht,

72. OK, Skizze im Brief an Hermine Moos vom 10. 12. 1918

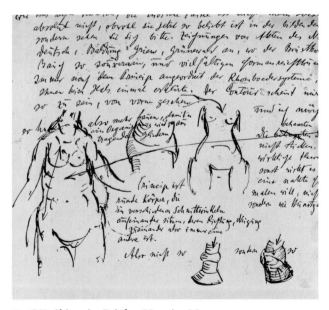

73. OK, Skizze im Brief an Hermine Moos

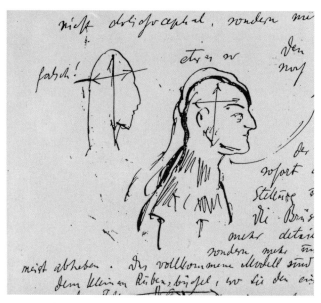

74. OK, Skizze im Brief an Hermine Moos

so daß die Schwergewichtslinie vom Kopf bis zum Rist des Fußes für Sie eine genaue Bestimmung der Profilierung des Körpers ermöglicht. Bitte machen Sie es dem Tastgefühl möglich, sich an den Stellen zu erfreuen, wo die Fett- und Muskelschichten plötzlich einer sehnigen Hautdecke weichen, aus denen dann irgendein Knochenstück an die Außenseite kommt . . . Die Streifung und Lagerung der Fett- und Muskelbündel ersehen Sie ziemlich aus der Lage der weißen Farbflecken . . . Der Kopf ist recht genau zu treffen und ist ganz der Ausdruck des Gesichtes, das ich mir wünsche und das ich nie treffe.«[10]

Die »indische Taille ist nicht mein Ideal, absolut nicht«, schreibt er, vom neusachlichen Schlankheitsideal der zehner Jahre sich abgrenzend, an anderer Stelle, »obwohl sie jetzt so beliebt ist in der bildenden Kunst, sondern sehen Sie sich, bitte, Zeichnungen von Akten des Nikolaus Deutsch, Baldung Grien, Grünewald an, wo der Brustkorb und Bauch so souveränen und vielfältigen Formenreichtum zeigen.«[11] Für die »schwellende« Brustform empfiehlt er, sich an Rubens' Darstellung der Helene Fourment zu orientieren, und gibt dazu eine ungefähre Gedächtnisskizze des um 1636 entstandenen Bildnisses Helenes mit ihren Kindern aus dem Louvre (*Abb. 72*). Wiederholt ist Hermine Moos mit der hohen Erwartung, die Kokoschka an ihr künstlerisches Einfühlungsvermögen

192

stellt, und sogar mit der Tatsache konfrontiert, daß er ihr zutraut, den gewünschten Gesichtsausdruck eines ihm vorschwebenden Phantasiebildes besser zu treffen, als er selbst es vermag. Dieser Anspruch mußte die Puppenmacherin umso mehr verwirren, als Kokoschka gleichzeitig glaubte, den rein handwerklichen Herstellungsprozeß der Puppe durch technische Ratschläge und eine schematische Morphologie wie bei einer Schülerin dirigieren zu müssen. Das Verhältnis vom Brustkorb zum Bauch müsse in seinem Sinne nach dem »Prinzip der Rhomboedersysteme« angeordnet sein, also nach dem Schema ineinander verschobener Würfel. Dazu werden einige Skizzen gegeben, die den »vorbarokken« Figurentyp Baldung Griens veranschaulichen, darauf folgt ein gezeichneter Hinweis auf das Rhomboedersystem (*Abb. 73*): »Prinzip ist runde Körper, die in verschiedenen Schnittwinkeln aufeinandersitzen, deren Richtung, Neigung zueinander also immer eine andere ist. Also nicht so sondern so!«[12] Die Kopfform schließlich dürfe »nicht dolichocephal, sondern mehr wie ein Katzenkopf«[13] werden (*Abb. 74*). Stehen können müsse die Puppe nicht, doch soll die »Beweglichkeit der Gelenke . . . den Hauptbewegungen der Natur entsprechen«[14].

Da auf das Haptische besonderer Wert gelegt wird, fordert Kokoschka die Puppenmacherin wiederholt auf, ihre eigene Körperbeschaffenheit zu Rate zu ziehen und nicht ins Stilisieren zu verfallen. »Machen Sie bei Lid, Pupille, Augapfel, Augenwinkel, Dicke etc. möglichst Ihre eigenen nach . . . Es wäre hübsch, wenn man die Lider über das Auge auch schließen könnte.« Einmal fragt er an, ob auch »der Mund zum öffnen« ist, »sind auch Zähne und Zunge drinnen? Ich wäre glücklich!«[15]

Eine Hauptsorge bereitet auch das Material, aus dem die Puppe zu fertigen ist. Es wird nicht aus Wachs oder womöglich aus Holz, Keramik und Porzellan akzeptiert, wie dies bei kunstgewerblich arbeitenden Puppenmacherinnen üblich ist, da Kokoschka eine über die Täuschung des Auges hinausgehende lebensechte, taktile Qualität verlangt. Der Puppenkörper wird »pfirsichähnlich im Angreifen« gewünscht. Schließlich wolle er eine »nackte Figur danach malen«.[16] Wir können uns von der nicht erhaltenen Puppe nur mit Hilfe dreier Photos (von denen zwei hier, ein weiteres im Briefband erstmals veröffentlicht werden[17] *Abb. 75*) und der lückenhaften, teilweise hypothetischen Beschreibungen Kokoschkas ein Bild machen. Als »Skelett« des Körpers und wohl auch des Kopfes muß ein Drahtkörper angenommen werden. Er ist von mehreren Stofflagen umgeben, die die Körperfigur herausmodellieren. »Als erste Lage (innerlich) nehmen Sie bitte das fein gekräuselte Roßhaar«, schreibt Kokoschka an Moos. Das Material ist in Kriegszeiten knapp, sie möge ein altes Sofa kaufen und ausschlachten.[18] Die zweite Lage muß der Füllung Form und Plastizität geben. Da-

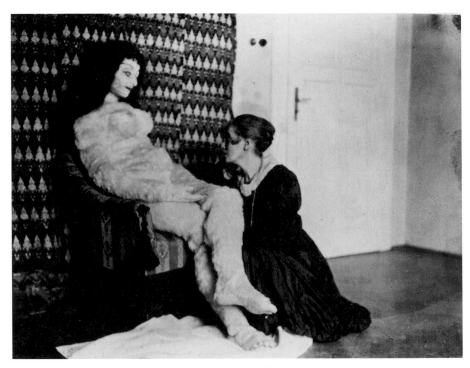

75. Hermine Moos mit ihrer für Kokoschka hergestellten Puppe, Anfang 1919

für erforderlich sind »Säckchen mit Daunen gestopft . . ., Watte . . . in zuerst größeren angenähten Bauschen, darüber aber in feineren und feinsten Lagerungen, bis das Relief der Oberfläche getreu nachgebildet ist«[19]. Die letzte Lage, die Nachbildung der Haut, habe »aus dem dünnsten Stoff, den es gibt, entweder Flauschseide oder ganz dünnster Leinwand zu bestehen« und müsse »in kleinen Fleckchen aufmodelliert werden«[20]. In diese Seidenhaut-Transplantate seien natürliche Haare einzuziehen. Zur letzten Verfeinerung der künstlichen Epidermis schlägt Kokoschka die Verwendung von Ölen, Puder, Nußöl- und Obstsäften, Goldstaub und Wachshäutchen vor.[21] Die Puppenmacherin wird gebeten, alle Spuren des Herstellungsprozesses, wie auffallende Nähte, Falten und Stiche, unsichtbar zu machen.

Wer nach Kokoschkas ausführlichen Anleitungen und Wünschen das Schlimmste befürchtet, wird darin bestätigt, und auch für den erwartungsvollen Auftraggeber selbst war dann die fertige Puppe ein Schock. »Ich bin ehrlich erschrocken über Ihre Puppe«, heißt es in Kokoschkas letztem Brief vom 6. April 1919, da

194

76. Die Puppe, links die lebensgroße Zeichnung des Kopfes

77. Die von Hermine Moos für Kokoschka in Lebensgröße hergestellte Puppe

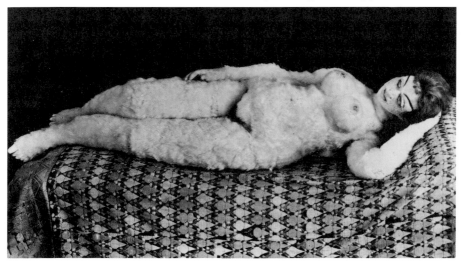

78. OK, Ruhende und alte Dienerin, Studie zum Gemälde »Frau in Blau«, 1919

79. OK, Devotion, 1919 (nach der lebensgroßen Puppe)

80. OK, Studie zum Gemälde »Frau in Blau«, 1919

sie »in zu vielen Dingen dem widerspricht, was ich von ihr verlangte und von Ihnen erhoffte. Die äußere Hülle ist ein Eisbärenfell, das für die Nachahmung eines zottigen Bettvorlegerbären geeignet wäre, aber nie für die Geschmeidigkeit und Sanftheit einer Weiberhaut, wogegen wir doch immer die Täuschung des Tastgefühls in den Vordergrund stellten.«[22] In der Tat ist die äußere Puppenhülle in einem Baumwollflausch gearbeitet, wie man ihn bei Stofftieren finden kann. Wahrscheinlich war ein angemesseneres Material, wie die empfohlene zarte Flauschseide, nicht aufzutreiben. Wie die Photos zeigen, hatte Kokoschka allen Grund, auch die Machart der Extremitäten, wie Finger und Fußzehen, die Brustspitzen und die Haut des Gesichtes zu monieren, die in relativ groben Stichen mit Seidengarn gestickt sind.

Außerdem war der innere Stoffkern, den Kokoschka mit Leim zu stärken empfahl, »so weich geworden, daß Arme und Beine eher wie mit Mehl gefüllte Strümpfe baumeln als wie ein Glied mit Fleisch und Knochen, was ich erst recht nicht erhoffte; denn davon hängt doch wieder ab, ob ich nach dem Modell malen könne und zwar besser als nach einem lebendigen – weshalb ich ja die Puppe machen ließ. Die ganze Geschichte klappt zusammen wie ein Fetzenbündel,

81. OK, Frau in Blau, 1919

weil auch die inneren, zum Ausstopfen verwendeten Stoffe nicht genug und ihre
Lagerung und Dichtigkeit scheinbar gar nicht berücksichtigt wurden. Daß z. B.
am Rücken, an den Schenkeln klaffende offene Stellen sind (der eine Schenkel ist
schon halb lose), die einen deutlichen Einblick geben, aus welchem Material das
Ding besteht, und dort die Näharbeit an allen Stellen, wo der Pelz endet, so
nachlässig ist, daß die Stoffetzen wie provisorisch angeheftet erscheinen, ist direkt gegen unsere Abmachung, ebenso, daß ich schon eine Menge Stecknadeln
und Drahtenden gefühlt habe, denn ich bat um eine so solide und diskrete Auf-
machung, daß ich mir eine gewisse Illusion davon versprechen konnte, aus welcher ich nun grausam gerissen wurde.«[23]
Nicht zuletzt sah Kokoschka auch seine Befürchtung erfüllt, »daß die Verhältnisse nicht meiner Zeichnung entsprächen . . . Die Arme sind ohne Akzentu-
ierung, Oberarm zu Unterarm abnorm, Knie elephantiasisch, Beine niemals
nervig. So daß ich, was Sie wußten, daß es meine Absicht war, die Puppe nie in

Kleider, aber schon gar nicht in kostbare, zarte stecken kann. Denn schon einen Strumpf zu überziehen wäre wie einem Eisbären einen französischen Tanzlehrer zuzugesellen.«[24]

Mit der Ernüchterung erfolgte gleichzeitig eine heilsame Distanzierung vom Puppenfetischismus und sogar seine Ironisierung, die in einer Reihe von etwa über zwanzig erhaltenen Kreide-, Feder- und Tuschzeichnungen nach der mißlungenen Puppe (*Abb. 76, 78–80*) ihren Ausdruck findet.[25] Sie werden mit der um 1919 gemalten »Frau in Blau« (*Abb. 81*) abgeschlossen und thematisch verabschiedet.

Das Gemälde zeigt eine zwitterhafte Groteske aus Gliederpuppe und Menschenleib. Eine Bruchlinie rund um den Hals der Puppe läßt den weiß-bleichen Kopf vom blau leuchtenden Körper wie abgetrennt und nachträglich aufgesetzt erscheinen, als wollte der Künstler den Kunst-Körper der Frau nun als Flickwerk seiner fetischistischen Perversion dekuvrieren. Doch während Rumpf und Extremitäten noch marionettenhaft aufgefaßt sind, kündigt sich im Gesicht und in der Beseelung des Blicks eine Rückkehr zum Menschenbild an. Die Erniedrigung und Verharmlosung der Frau zur Puppe, aber auch die Furcht vor ihr als Inkarnation der Mutter scheinen abgewendet. Die ekstatische Ergebenheitshaltung, der verzückte, »himmelnde« Blick der weiblichen Puppe, der in den Vorzeichnungen und Studien noch dominiert (Kokoschka schätzte Berninis Santa Teresa), weicht einer nachdenklichen, diesseitigen Orientierung des weiblichen Menschen. Auch der übernervöse, »hysterische«, häufig unterbrochene Kritzel-Strich mancher Zeichnungen wird im Gemälde der »Frau in Blau« aufgegeben zugunsten einer geschlossenen starkfarbigen kompakten Körperform, die in der Bildfläche wie eingebettet und geschützt erscheint.

Wahrscheinlich erst 1922 malte Kokoschka das berühmte Selbstporträt mit Puppe der Berliner Nationalgalerie (*Abb. 82*), eine ironische Paraphrase zum Thema »Maler und Puppe«, hatte letzterer der Maler doch den Rang der Muse und des Modells eingeräumt. Der Witz des Bildes beruht auf dem Gestus des hinter dem Fetisch stehenden und auf ihn zeigenden Künstlers. Der Unterschied zwischen zweierlei Körpern, Lebendigem und Totem, ist deutlich herausgearbeitet. Der Puppenkörper erscheint wie gebleicht, mumienartig, mit leerem Blick und verdrehten Gelenken. Er wird dem Betrachter nicht mehr als magische Sexualreliquie, sondern wie ein lehrhaftes Demonstrationsobjekt dargeboten. Der fetischistische Bann ist gebrochen.

Auf dem 1920/22 entstandenen »Selbstbildnis an der Staffelei« mit Puppe und Atelierblick auf die Dresdner Neustadt und Elbe im Hintergrund (s. *Schutzumschlag*) ist die ironische Distanzierung vom Puppenfetischismus noch einen Schritt weitergetrieben. Der Puppenfetisch ist etwa auf die Hälfte menschlicher

82. OK, Maler mit Puppe (Selbstporträt mit Puppe), 1922

Größe zusammengeschrumpft. Aus dunklen Augenhöhlen blickt er auf den Meister, der von ihm abgewandt mit einer Hand den mißlungenen Stoffkörper seines Modells zwickt und abtastet, während die andere Hand pinselnd das haptische Erlebnis auf die Leinwand überträgt. Dieser leicht komische, demonstrative Verweis auf die Einheit von Tasten und Malen kann nur eine ironische Persiflage zum »raffinierten Belebungsversuch auf der toten Materie« sein, der von der Puppenmacherin erwartet wurde. Kokoschka war zu dieser Zeit vom Glauben an die Allgewalt des Fetischs und seinem »zweideutigen« Zauber, »tot und lebendiger Geist!« sein zu können,[26] längst bekehrt. Die ihm »zugedachte geisterhafte Gesellschafterin«[27] konnte ihn jetzt allenfalls noch zu einer Karikatur der einstigen Beziehung zwischen Maler und Fetisch-Modell bewegen.

Gleichzeitig wurde sich der Künstler des Puppenfetischs als Symbol des handlungsunfähigen, verdinglichten, mechanisierten Menschen bewußt, eines Sinnbilds für ungelebtes Leben, das uns in den verschiedenen zeitgenössischen Puppenverkörperungen von De Chirico, Carrà, Dix, Ernst, Grosz, Schlemmer, Schlichter, Wacker und vielen anderen Malern gleichfalls begegnet. Mit der Puppe als einem Destruktionssymbol des menschlichen Individuums nahm Kokoschka ein Motiv auf, das literarisch bereits in seinem Dramolett »Sphinx und Strohmann« von 1907 präsent war.[28] Es wurde erstmals 1917 im »Cabaret Voltaire« in Zürich unter Mitwirkung von Hugo Ball und Tristan Tzara aufgeführt. Die Puppe war damals eine nicht unübliche dadaistische (und bald darauf surrealistische) Allegorie, die sich auch im Werk der mit Kokoschka damals eng befreundeten Hannah Höch und Raoul Hausmann findet. Für die Annahme, Kokoschka habe seinen Puppenfetisch auch dadaistisch verwendet, spricht der Umstand, daß er die Legende vom alltäglichen Zusammenleben, den gemeinsamen Ausfahrten und Theaterbesuchen mit dem Fetisch noch lange, ja eigentlich bis zuletzt (wie in dem filmischen Interview von Albert Quendler) geschürt hat, obwohl doch niemand ernsthaft bestreiten wird, daß die Puppe nicht als Kokoschkas erklärte »Lebensgefährtin«, für die er nach eigenen Worten »Pariser Unterwäsche und Kleider gekauft hatte«[29], sondern als überwertige Idee (idée fixe) und Erfindung des Künstlerfetischisten und Pygmalionisten bedeutend ist. Es mag sein, daß mit der Zurücknahme des sexualpsychologischen Pygmalionismus und Fetischismus, der – wie der Briefwechsel mit Hermine Moos zeigt – durchaus ernsthaft gemeint war, die dadaistische Allegorie der Puppe für die autobiographische, selbstironische Legendenbildung frei wurde.

Für eine dadaistische Ironisierung des Puppenfetischs spricht auch sein unrühmliches wie Aufsehen erregendes Ende. Während einer Dresdner Künstler-Fête Kokoschkas wurde er wie auf einer kabarettistischen Dada-Soiree mit blutrotem Wein besudelt und geköpft. Nachdem ein Postbote am nächsten Morgen die Polizei wegen dieser vermeintlichen Leiche alarmiert hatte, mußte das öffentliche Ärgernis beseitigt werden und endete auf dem allgemeinen Müllplatz.[30]

ANMERKUNGEN UND QUELLEN

1 Oskar Kokoschka, Mein Leben. München 1971, S. 129.
2 A. a. O., S. 192.
3 A. a. O., S. 191.
4 Alma Mahler-Werfel, Mein Leben. Frankfurt a. M. 1960, S. 57.
5 Brief vom 9. 11. 1959 an Josef Paul Hodin, in: Hodin, Oskar Kokoschka. Eine Psychographie. Wien–Frankfurt–Zürich 1971, S. 272 f.
6 Kokoschka, Mein Leben, a. a. O., S. 190, 191.
7 Wilhelm Stekel, Der Fetischismus. Berlin–Wien 1923, S. 65.
8 Oskar Kokoschka, Briefe I, 1905–1919, hg. v. Olda Kokoschka u. Heinz Spielmann. Düsseldorf 1984, S. 293.
9 Aus dem Katalog der Lefevre Gallery, March–April 1957 London, dort als »Standing Nude«, um 1918, Öl auf Papier (im Katalog falsch mit 1914 datiert), 73 ¼ × 31 inches bezeichnet.
10 Kokoschka, Briefe I, a. a. O., S. 293 f.

11 A. a. O., S. 301.
12 Ebda.
13 A. a. O., S. 300.
14 A. a. O., S. 294.
15 A. a. O., S. 300.
16 A. a. O., S. 301, 312.
17 Sie befinden sich in der OK-Dokumentation Pöchlarn, NÖ. Zwei der vor etwa drei Jahren im Züricher Antiquitäten-Buchhandel aufgetauchten drei Photos werden hier mit freundlicher Erlaubnis von Frau Dr. Olda Kokoschka erstmals veröffentlicht. Eines der Photos zeigt auch eine lebensgroße Skizze des Kopfes.
18 Kokoschka, Briefe I, a. a. O., S. 294.
19 Ebda.
20 Ebda.
21 A. a. O., S. 304.
22 A. a. O., S. 312.
23 A. a. O., S. 312 f.
24 A. a. O., S. 313.
25 Die wiederholt in der Sekundärliteratur zu Kokoschka und jüngst wieder von Wieland Schmied (»Der Fetisch, Oskar Kokoschkas Selbstbildnis mit der Puppe«, in: Ders., Nach Klimt. Schriften zur Kunst in Österreich. Salzburg 1979, S. 53) geschätzte Zahl von »weit über hundert Zeichnungen – darunter einigen lebensgroßen!« ist unhaltbar. Vgl. auch Ernest Rathenaus Bestandsaufnahmen: Oskar Kokoschka, Handzeichnungen, Bd. I–V. Berlin (und New York) 1934–77.
26 Kokoschka, Briefe I, a. a. O., S. 301.
27 A. a. O., S. 302.
28 Die Verwendung des Puppenmotivs in der Dichtung Kokoschkas untersuchten Gerhard Johann Lischka: Oskar Kokoschka, Maler und Dichter, Eine literar-ästhetische Untersuchung zu seiner Doppelbegabung, Bern–Frankfurt 1972, und Alfred Reisinger: Kokoschkas Dichtungen nach dem Expressionismus. Wien–München–Zürich 1978.
29 Kokoschka, Mein Leben, a. a. O., S. 190, und Briefe I, a. a. O., S. 300.
30 Kokoschka, Mein Leben, a. a. O., S. 191 f.

DIETHER SCHMIDT

Dresdner Rot

Oskar Kokoschka 1916 bis 1923 in Dresden und seine Beziehungen zur Dresdner Kunst

»Rot ist meine Lieblingsfarbe.«[1] Anfangs gibt Kokoschka ihm einen dekorativen Wert, in den Arbeiten der Wiener Werkstätte, oder einen schockierenden, etwa im Pietà-Plakat (*s. Abb. 47*). Dann bricht er es in opalisierenden oder perlmutternen Tönen. Nur einzelne Flecken glühen auf, Lippen meist oder die brennenden Schatten an Rudolf Blümners Hand, 1910. Die Herrschaft über den kühlen Kosmos der malerischen Kompositionen aus Blaus und Grüns erringt das Rot erst in den Dresdner Jahren von 1919 bis 1923. Und von da an verläßt es Kokoschkas Palette nie mehr. Else Lasker-Schüler ahnte es schon 1910: »Auf allen Bildern Kokoschkas steht ein Strahl.«[2]

Dresden wird 1916 für Kokoschka zum Zufluchtsort ins Leben. Todessüchtig war er 1914 der zerstörerischen Liebe zu Alma Mahler in den Krieg entflohen. Der Sturm aus Begierde und Versagen hatte sein Lebensschiff abgetakelt. In der »Windsbraut«, 1914 (*s. Abb. 9*), läßt er sich mit der traumentrückten Alma in ein Nichts treiben, in dem tiefblaue Wogen und nachtblauer Himmel in eins verschmelzen. Die Farbe strömt in wogenden Flächen und wie von Wetterleuchten phosphoreszierenden Rinnsalen. Gleich darauf, im »Irrenden Ritter« (*s. Abb. 70*), 1914–15, seinem Abschiedsbild von Frieden und Liebe und Leben, gerät die Farbe ins Stocken. Es bilden sich Schollen, wie Acker oder Eis, aber diese Schollen werden noch im Pinselduktus niedergeschrieben. Sie bilden eine cloisonné-artige Struktur.

Die Prophetie des Bildes bewahrheitet sich. In der Schlacht beim galizischen Luck wird Kokoschka auf den Tod verwundet. Ein Kopfschuß zerstört das Labyrinth im Ohr und irritiert auf viele Jahre den Gleichgewichtssinn; ein Bajonettstich verletzt die Lunge und hinterläßt andauernden Brustschmerz und Anfälligkeit für Bronchitis und Lungenentzündungen.

Das geschieht Ende August 1915. Seit Anfang September ist Kokoschka im Lazarett in Brünn, seit Mitte Oktober im Palffy-Spital in Wien und bleibt dort bis Februar 1916. Nach acht Wochen Rekonvaleszentenurlaub in Wien leistet er von Mai bis Mitte Juli 1916 Dienst als Inspektionsoffizier für mehrere Lazarette in Wien und Klosterneuburg. Zu dieser Zeit entstehen gewiß die Umdruckzeichnungen zur Passionsfolge in Cassirers »Bildermann«. Zunächst streckt Kokoschka vergeblich seine Fühler aus, es sich »zu richten«, um vom Militär freizukommen. Die Wiener Gesellschaftsbeziehungen, der eigenen Arbeit ebenso wie der Vermittlung Almas und der Freundschaft von Adolf Loos verdankt, reichen noch nicht aus. Welche Hebel er in Bewegung setzt, wird in den Briefen dieser Zeit eher verschwiegen umschrieben als benannt. So wird Feldgrau nochmals Mode, als Verbindungsoffizier der Kriegsmaler im Kriegspressequartier gerät er von Mitte Juli bis Ende August über Klagenfurt an die Isonzofront. Ein Schock durch sehr nahe Granateinschläge zwingt erneut zu Lazarettaufenthalt. Der Jubel vom 27. Oktober 1915, »Ich bin Rentner«,[3] war verfrüht. Seit Juli 1916 bohrt er bei Ehrenstein, Walden, Gurlitt, Cassirer und Kestenberg, über die auch bei Wilhelm von Bode nach, um Urlaub nach Berlin wegen von Walden geplanter *Sturm*-Ausstellungen in Holland und Dänemark und wegen der seit 1914 auf Druck bei Fritz Gurlitt wartenden lithographischen Folgen »Bachkantate« und »Der gefesselte Kolumbus« zu bekommen. Erst Fürst Lichnowski kann ihm den zunächst auf sechs Wochen befristeten Berlin-Urlaub erwirken. Weitere Bemühungen führen zur Verlängerung, dann zu einer Überweisung in Dr. Teuschers Sanatorium auf dem »Weißen Hirsch« in Dresden ab 1. Dezember 1916.

Parallel gehen Interventionen um eine Akademieprofessur in Dresden oder in Darmstadt, die Anlaß für Reklamation und damit Befreiung vom Militärdienst böten. Alternativ läßt er in Wien um eine Abkommandierung nach Bern als Mitarbeiter der Kulturpropaganda-Abteilung vorfühlen (14. Mai 1917), wozu die von Cassirer organisierte Ausstellung Deutscher Kunst im Juli in Zürich den Vorwand bietet. Realisieren läßt sich endlich eine Reise nach Stockholm und Uppsala von Mitte September bis Mitte November 1917. Die Gründe sind gleich vierfach genäht: 1. die Teilnahme an der vom Wiener Kunstschau-Kreis eingerichteten Stockholmer Ausstellung, 2. die beobachtende Teilnahme an dem geplanten sozialistischen Friedenskongreß in Stockholm, deren Teilnehmer Kokoschka porträtieren möchte, 3. die Behandlung seiner Kopfverletzung bei dem in Uppsala ansässigen österreichischen Arzt Dr. Barany, die zumindest ein amtlich brauchbares Gutachten einbringt, 4. der geglückte Versuch, eines seiner Theaterstücke ins Schwedische übersetzen zu lassen und in Stockholm zur Aufführung zu bringen (»Der brennende Dornbusch«[4]). Am Ende gewährt das k. u. k. Armeekommando noch eine Woche Reiseunterbrechung in Deutschland. Mit entschiedener Nachhilfe der Freunde wird daraus ein Dresden-Aufenthalt bis zum Kriegsende und darüber hinaus bis in den Sommer 1923.

Schon in den Berliner Wochen des Herbstes 1916 weiß Kokoschka auf der Klaviatur der Beziehungen zu spielen. Er ist bei Walden im *Sturm* unter Vertrag und spielt Walden gegen Gurlitt, seinen Graphikverleger, und Paul Cassirer so geschickt aus, daß er erst einen Vertrag mit Gurlitt und dann, zu höherer Fixumszahlung bei geringerer Forderung, mit Paul Cassirer zuwege bringt. Mit dreißig Jahren fühlt er sich als gemachter Mann, der ohne Vorschußbettelei die Wiener Familie und sich selbst versorgen kann. Ihre brüchige Stelle hat diese Sicherheit in der weiterschwelenden Militärdienstpflicht.

Rettend wird in dieser Lage die verschworene Gemeinschaft pazifistisch und demokratisch gesonnener Freunde. Waldens Sympathie für die »Unabhängigen Sozialisten« ist bekannt, Cassirer versammelt in seiner Galerie den »Bund Neues Vaterland«, aus dem die »Liga für Menschenrechte« hervorgehen wird. Der Arzt Dr. Fritz Neuberger in Dresden ist am Durchschleusen Lenins aus Zürich nach Schweden beteiligt. Die Dichter Albert Ehrenstein und Walter Hasenclever gehören zu dem weiten Kreis deutscher Intellektueller des Expressionismus, die sich dem Kriegsdienst entziehen und um den Frieden mühen. Aber sie halten Distanz zu den dann mit »Spartakus« und den Kommunisten gehenden Malern und Dichtern um Becher oder Felixmüller, die sich leichtfertig durch Drogen wehrunfähig machen und gesundheitlich ruinieren.

Mit Rücksicht auf die auch auf die Post zwischen Deutschland und Österreich erstreckte Zensur bleiben manche Vorgänge nur aus Andeutungen in den Briefen zu erschließen. Offenkundig ist Kokoschkas Hoffnung auf baldigen Frieden seit der russischen Februarrevolution. Im Frühjahr 1917 verbreitern sich die Silberstreifen an seinem Horizont. Der Züricher Dada-Klub »Voltaire« führt am 14. April 1917 »Sphinx und Strohmann« auf und zeigt eine Kokoschka-Ausstellung. Am 3. Juni 1917 folgt das Albert-Theater in Dresden mit der Aufführung von drei Stücken. Zu diesem Anlaß kommt die Mutter aus Wien nach Dresden, wohnt mit ihm in der Pension Felsenburg auf dem »Weißen Hirsch« und läßt sich vom Sohn porträtieren. Auf dem Gemälde wird das Kleid später nach Photo vollendet. Das lithographische Bildnis widmet Kokoschka dem siebzigsten Geburtstag von Max Liebermann, und bei der Geburtstagsfeier in Berlin hofiert er den Altmeister als ›Majestät‹, nicht ohne selbst den Anspruch ›Kronprinz‹ zu erheben.

Auch freiwillig streift Kokoschka an Dada. So schreibt er Ostern 1917 an den vagierenden Dichter Ivar von Lücken: »Alle Rentiere müssen im Frühjahr wandern. Große Staaten müssen deshalb Verträge untereinander schließen, sonst würden die Rentiere auch ohne Verträge über die Grenzen laufen! / Und wir?«[5] Sicher versteckt sich darin die Anspielung »Rentier« = Pensionär. In Dresden hielten sich hartnäckig Anekdoten über manchen dadaistischen Ulk Kokoschkas aus verzweifeltem Humor. »Ich konnte mir in Dresden damals wirklich alles erlauben.«[6] Wie dialogisch klingt seine Widmung von 1920 auf einem Porträtphoto: »Entweder Herrgott werden oder Verbrecher – alles andere zu bedingt«,[7] zu der Devise von Otto Dix: »Entweder ich werde berüchtigt oder berühmt.«

Nach Dresden lockt zunächst die Lage dicht an den Grenzen Österreichs, auf deutschem Boden, der Kokoschkas Kunst bis dahin gut gedeihen ließ. Bei gleicher Entfernung sprach gegen die Wahl etwa Münchens die Enttäuschung des Versuchs, 1910 als Zeichner für *Jugend* oder *Simplicissimus*, als Theaterautor bei Wedekind dort heimisch zu werden. Klimatisch lockte die insulare Subtropik des oberen Elbtals, der Ruf der Stadt für erfolgreiche Naturheilverfahren nach Kneipp oder Bilz, Dr. Lahmann oder eben Dr. Teuscher, kulturell der Reiz von barocker Großstadt und grüner Gartenstadt, von musikalischer und Theatertradition und der wohl bedeutendsten Gemäldegalerie Deutschlands. Kokoschka wußte alles zu genießen, die Maronen vom Pillnitzer Jagdweg und vom Lößnitzhang ebenso wie die Meißner und Lößnitzweine, die Oper mit dem aufgehenden Stern Tino Patieras wie die Galerie, die barocken Gassen und Plätze wie die üppige Flora des Großen Gartens, die Dresdner Heide und die Felder der weiten Hochebene im Norden oder das gewellte Erzgebirgsvorland im Süden, Lausitzer Granitkuppen wie Sandsteinfelsen der Sächsischen Schweiz.

Der gemächliche Konservatismus der sächsischen Residenz hatte sich auch im Kriege nicht zu preußischer Schärfe hinreißen lassen (Sachsens König vollzog selbst seine Abdankung im November 1918 mit einem wurstigen »Macht euern Dreck alleene«). Statt dessen hatte die Pensionärsstadt seit Jahrzehnten eine vielgestaltige internationale Einwohnerschaft gesammelt. Unter ihr existierte ein liberales Bürgertum mit starker jüdischer Komponente und eine intelligente, in alle Facetten sozialistischer, syndikalistischer und anarchistischer Überzeugungen aufgesplitterte Arbeiterschaft. Konservatismus und Revolutionarismus lebten in seltsamer Symbiose, bedrängt allerdings von entschieden reaktionären Angestellten und Beamten als Reservoir erst der Alldeutschen, dann der Nationalsozialisten. Unter den Wettinern mehr noch als unter den Habsburgern waren die Gesellschaftsschichten durchlässig geworden.

Darum dringt Kokoschka auch so leicht über den zunächst beschützenden Freundeskreis der Dichter, Schauspieler, Maler und Ärzte hinaus in die Dresdner Gesellschaft ein. In lebhaftem Verkehr zwischen Berlin und Dresden porträtiert er einen Kosmos eigenwilliger Menschen, mit Vorzug deren weiblichen Anteil, in mehr als drei Dutzend monumentaler Lithographien, einigen Gemälden und ungezählten Zeichnungen und Aquarellen. Repräsentation kommt nicht auf, sie werden in Bewegung erfaßt, in Betroffenheit und Angerufensein, in Beladenheit und Erschütterung. »Es ist, als ob sich die Gestalten von den

Worten der Geschichte ablösten und frei bei anhaltendem Donner handeln müßten«, formulierte es Werner Schade.[8] Trotz von energiegeladenem Duktus getriebener Niederschrift, trotz eines fast barocken Pathos webt aber auch etwas Verhemmtes und Gestautes, Stockendes um diese Gestalten. Geschichte schlägt auf Gemüt und Gebärde, 1916 bis 1918 stärker spürbar als nach 1919. Auch die thematischen Graphikblätter, zum »Hiob«, zum »Orpheus«, erleiden diese Schwere. Wie ein dadaistischer Ausbruch erscheinen die zu lithographischen Antikriegs-Flugblättern konzipierten Zeichnungen um »Soldaten, einander mit Kruzifixen bekämpfend«, »Staatsfron« und »Ultima ratio« 1917, zu denen er sich wohl bei Goya Rat suchte.

Für die neuen Wege der Malerei bot die Galerie Rat. Die Dresdner Tizians und Tintorettos rufen Erinnerungen wach an die Italienreise 1913 und machen den Eindruck von Tizians später »Pietà« aus der Akademie-Galerie in Venedig wichtiger, als er seinerzeit genommen worden war. Das Raumwunder der wie ein Mörtelmosaik unverbunden auf dazwischen stehengebliebene rohe Leinwandpartien gepatzten Farbschollen – Wunder, wie der so uralte Maler die Springprozession von Farbsetzung und Kontrolle der Raumwirkung bestehen konnte – und die Luminosität der Farbe, wie sie ihm auch durch die »Venus mit dem Orgelspieler« der Berliner Galerie vertraut war, die Carl Moll ihm längere Zeit ins Atelier gestellt hatte – das war genau, was er für seine Malerei 1916–1918 brauchte. Das geistige Licht begriff er auch an Rembrandt, und den Zusammenklang von tonaler und komplementärer Farbe konnten ihm die kostbaren Gleichnisbilder Domenico Fetis ebenso nahebringen wie die dortigen Brouwers. Früh mag ihm auch das Licht in Vermeers »Brieflesendem Mädchen« nahegegangen sein, erst später der grandiose Farbklang von dessen »Kupplerin«.

Die Freundschaft mit dem Galeriedirektor Posse fügte noch die Kenntnis der eigenwilligen, auf Delacroix antwortenden malerischen Kraft der Porträts Ferdinand von Rayskis hinzu, die Posse mit Nachdruck zu dieser Zeit für die Galerie sammelte.

Zunächst ließe sich für 1916–18 eine blau-violette Periode benennen, Erbe der »Windsbraut«, des »Selbstbildnisses mit Pinsel«, Nachfolge von »Tre Croci«. Aber die Orchestrierung der Farbe gründet auf reichen Skalen von Lindgrün bis Türkis, Fleischfarben und Brauns. Die Pastosität der Farbe wächst zu krustigen Reliefs an, gipfelnd in der »Blauen Frau«, 1919 (s. Abb. 81). Sie entwickelt sich aus aquarellhaft dünnen Anlagen in geradezu besessener Gier nach Vollendung der inneren Vision. Das »Liebespaar mit Katze«, 1917 (Hasenclever und Käthe Richter), und die »Auswanderer« (Selbstbildnis mit Käthe Richter und Dr. Fritz Neuberger) setzt er »in eine trostlose Landschaft« in der Bühlauer Hochebene. Obwohl er beteuert, letzteres Bild im traurigen Winter 1916/17 gemalt zu ha-

83. OK, Katja (Der Maler mit Käthe Richter), 1918

ben, scheint doch auf allen Dresdner Gemälden Sommer zu herrschen, sattes subtropisches Grün in tonalen Brechungen unter diesigen, verhangenen Himmeln, die sich erst nach 1919 zu strahlenden Akkorden lichten. »Die Jagd«, 1918, übersetzt Rubens' Dresdner »Wildschweinjagd« ins wienerische Exilsächsisch – und zurück ins Erlebnis, vom rhythmisierten farbigen Helldunkel in verwobene Tonalität, vom barocken Tiefenzug des Raumes in eine Art Farben-Tapisserie. Mehr plastische als farbige Raumbildung bedingt auch die Wuppertaler Katja (Der Maler mit Käthe Richter, 1918) (*Abb. 83*) und schließlich das Hauptbild der Epoche, die zuerst »Glücksspieler« genannten »Freunde«. Formatfüllend groß und bedrängend sind die Bildfiguren, wieder Käthe Richter, Hasenclever, Ivar von Lücken, Dr. Fritz Neuberger mit seinem Tolstoibart und der Maler, dazu im Hintergrund die Serviererin, gemalt als Tischrunde im Parkhotel Weißer Hirsch.

Dieser tonale Farbreliefstil gipfelt in den »Heiden« (*Abb. 84*). Hier kommt Kokoschka dem am nächsten, was sich uns bald als Parallele aus anderen Zeiten aufdrängt, den romanischen Steinintarsien etwa aus Kölns »Maria im Kapitol«.

208

84. OK, Die Heiden, 1918/19

Leise Ondulation der Töne paart sich mit geronnener, gestockter, schollenartig in großen Flecken aufgetragener Farbe. Die innere Strahlung trotz pastoser Inkrustation lasurhaft durchschimmernden tiefgeschichteten Farbigkeiten hat ihre nächsten Entsprechungen bei Georges Rouault und den Pariser Peintres Maudits, Pascin und Soutine. Nun wundert uns nicht die spätere Freundschaft Kokoschkas zu Pascin, eher das zwiespältige Urteil Harry Graf Kesslers über den Maler: »Sein Talent besteht im Erfassen des Feinsten und Zartesten des menschlichen Ausdrucks, namentlich in Augen, Mund, Händen. Das umkleidet und markiert er aber mit einer durch nichts damit zusammenhängenden Knotigkeit und Brutalität.«[9]
Absolut solitär steht im Ensemble der Gemälde dieser ausgehenden Kriegsjahre »Der Hafen von Stockholm«, 1917, einziges Winterbild in frostigen Blaus, die selbst die Rottöne unterkühlen, aber in Duktus und Raumsicht einsamer Vorgriff auf die Städteporträts seit 1924. Es wirkt spontaner niedergeschrieben, frischer erlebt, ungebrochener empfunden. Kann das Freiheitsgefühl einer rettenden Küste so rasch ins Bild finden? Oder öffnete eine menschliche Begegnung vertrauendere Sicht ins Wirkliche? Damals schreibt er Loos: »War gerade bei der Dichterin Lagerlöf und bin wieder für einige Zeit durch ihre Freundlichkeit ausgerüstet, Brutalitäten zu ertragen.«[10]
Mit der Novemberrevolution ändert sich das geistige Klima um Kokoschka und

auch die eigene Situation. Alle Berufungen in Professuren waren bis zum Kriegsende aufgeschoben, auch der freundschaftliche Kontakt zu dem Akademieprofessor Robert Sterl konnte die Sperre nicht aufheben. Sterl war eng befreundet mit dem Galeriedirektor Hans Posse, einst passives Mitglied der »Brücke«, aktiv für Ankäufe moderner Künstler für die Galerie im Akademischen Rat. Nach Lebensweg und Haltung zeigen sich viele Ähnlichkeiten zu Kokoschka, versetzt um eine Generation: Herkunft aus einfachen Verhältnissen, sozial geprägter Humanismus, Wirklichkeitssinn, gesellschaftliche Verbindlichkeit im Umgang mit allen Schichten bis hinauf in Aristokratie und Hofgesellschaft. Und künstlerisch gar beider Fixierung auf Landschaft, Figurenbild, Porträt. Kokoschkas Respektsverhältnis zu Liebermann erscheint variiert als kollegiales Freundschaftsverhältnis zu Sterl. Galeriedirektor Posse nimmt Kokoschka nach seiner Rückkehr aus dem Heeresdienst als Hausgenossen in den von ihm bewohnten Pavillon I im Großen Garten auf. Posse ist Rotarier, eingeschworener Junggeselle. Er macht Kokoschka alle seine Beziehungen nützlich und sammelt in der Dresdner Galerie die in den zwanziger Jahren wichtigste Kokoschka-Kollektion.

Entscheidend für die Berufung zum Dresdner Akademieprofessor wird der Einsatz der Vertreter des »Revolutionären Studentenrats«, allen voran die Malerstudenten Edmund Kesting (der bald darauf die mit Waldens *Sturm* verbundene Kunstschule »Der Weg« gründet) und Eric Johansson. Die Schwierigkeiten, als Österreicher einen Amtseid auf die deutsche und sächsische Verfassung zu leisten, glättet Posse. Zu Michaelis 1919 tritt Kokoschka das Amt an. Er wählt nur wenige Schüler: Meyboden, Gotsch, Heuer, Hilde Goldschmidt, Juanita von Wasel, unter seinen Einfluß geraten aber auch der Sterl-Schüler Willy Kriegel und Walter Jacob, und im weiteren Umkreis zeigen sich viele Spuren seiner Wirkung. Sein Unterricht folgt der schon an der Wiener Kunstgewerbeschule, in der Schule der Frau Dr. Schwarzwald und später in der »Schule des Sehens« in Salzburg bewährten Methode, nicht Handwerk zu lehren, sondern Erlebnisfähigkeit zu üben am bewegten Modell und in spontaner Arbeitsweise, etwa im Viertelstundenaquarell. Mit seinem Grundsatz »Ich bin kein Professor, ich bin der Assistent von dem da oben«,[11] suchte er ein kollegiales Verhältnis des Gleichstrebenden zu seinen Schülern. Sein Jahresgehalt schenkte er den Schülern als Reisefonds. So war Heuer 1921 mit Empfehlungsbrief an Ludwig von Ficker[12] in Italien, so Meyboden in USA. Neben der eigenen Malklasse betreute Kokoschka im Turnuswechsel auch den allgemeinen Abendakt, sein Beispiel ist in vielen Studienarbeiten Dresdner Atelierbestände faßbar.

Die Revolution vollzog sich in Dresden zunächst undramatisch. Mehr konnte Kokoschka im späten November und Dezember 1918 von den Berliner Sparta-

85. OK, Die Macht der Musik, 1918

kuskämpfen erleben. Aber in der revolutionären Nachkriegskrise wird er doch Augenzeuge mancher erschütternden Vorgänge. Er ist dabei, als die von dem Dadaisten Otto Griebel angeführten Kriegskrüppel den sächsischen Wehrminister Neuring aus Longuelunes Neustädter Wache holen, zum Sprung von der Augustusbrücke in die Elbe zwingen und auf den Schwimmenden Zielschießen üben, bis er getroffen ertrinkt. Solchen Erlebnissen entspringt sein skeptisches Revolutionslitho »Liberté, Egalité, Fratricide oder Das Prinzip«. Während des Kapp-Putsches im März 1920 gibt es bei einer Schießerei gegen die einrückende Reichswehr General Maerckers auf dem Dresdner Postplatz 59 Tote und über 150 Verwundete. Eine verirrte Kugel durchschlägt in der Gemäldegalerie den Kopf der »Bathseba« von Rubens. Kokoschka verfaßt hiergegen seinen dann vielumstrittenen Aufruf an die Einwohnerschaft Dresdens[13] mit dem dadaistisch sarkastischen Vorschlag, die Links-, Mittel- und Rechtsradikalen mögen doch besser ihre Streitigkeiten auf dem Truppenübungsplatz in der Heide oder im Zirkus mit dem Schießprügel austragen und nicht unersetzliche Kunst gefährden. Grosz und Heartfield schäumen und nennen ihn deshalb im *Gegner* »Kunstlump« und »Kunsthure«, Dix klebt einen Zeitungsausschnitt mit diesem Aufruf in den Rinnstein seines Bildes »Der Streichholzhändler«, 1920. In der Folge aber leitet die Diskussion um Kokoschkas Protest einen ähnlichen Klärungsprozeß über das Verhalten der Arbeiterbewegung zur kulturellen Tradi-

86. OTTO GUSSMANN, Fasching – Mädchen mit roten Strümpfen, um 1920

tion ein wie Lenins Pamphlet gegen den Linksradikalismus als Kinderkrankheit des Kommunismus.

Als Kollegen wirken an der Akademie Dresden neben dem genannten Sterl in der Zeichen-Vorklasse Richard Müller, angeblich Wettinerbastard und von Grosz »Kunstfeldwebel« genannter idealistischer Symbolist, der fauvistisch expressive Otto Gußmann, der Münchner Sezessionist Max Feldbauer, der Cezannist Otto Hettner, der Spätimpressionist Richard Dreher, als Bildhauer Karl Albiker und Georg Wrba. Erst nach Gußmanns Tod, 1926, steht mit Kirchner oder Schmidt-Rottluff einer der Brücke-Meister zur Wahl, aber die fällt auf Gußmanns Schüler Otto Dix.

Kokoschka hat im ersten Stock der Akademie an der Brühlschen Terrasse ein großes, mehrräumiges Eckatelier. Aus dessen Fenster malt er die Folge der Dresdner Elblandschaften, Blicke hinüber zum Neustädter Ufer mit Strom, Augustusbrücke, Dreikönigskirche und weiten Himmeln. Aber anfangs ist er noch ganz dem Figurenbild verfallen. Dichten Anschluß an die »Heiden«, 1918, hält 1918/19 »Die Macht der Musik« (*Abb. 85*), die Stunde Pans, tönende Landschaft, die in der Posaune des Mädchens Melodie wird und den Hirtenknaben ebenso aufschreckt wie Hund und Raubvogel. Das grüne Kleid des Mädchens

87. BERNHARD KRETZSCHMAR, Im Café, 1926

bindet es zum Einklang mit der Natur, der Knabe ist ganz Gegennatur mit gold-
gelb leuchtender Hose und brennend rotem Hemd, wie ein Zitat aus Vermeers
»Kupplerin«. Die großen Komplementärklänge stehen dialogisch gegeneinander, Grün-Rot zu Gelb-Blau. In das tiefsatte Himmelsblau greifen Schwärzen
verdüsternd und gewittrig schreckend ein. Vermittelnd und trennend zugleich
steht die violette Malve steil dazwischen. Auf höherer Ebene hat Kokoschka die
Expressivität der Wiener Jahre um 1909 wiedergewonnen. Statt der dekorativen
Willkür, die psychischer Spannung seinerzeit kurzschlüssig Form verlieh, erreicht er nun das Luminose eines geistigen Lichtes, ebenbürtig den verehrten
alten Meistern. Er läßt sich aber nun auch willig in einen Dialog mit der zeitgenössischen Dresdner Kunst ein, mit ähnlichem Komplementärklang wie in
Pechsteins »Selbstbildnis im Liegen malend«, 1910, oder Kirchners »Straße mit
Roter Kokotte«, 1914, 1925 überarbeitet, deren Dekorum er umdeutet ins Pani-
sche, aber auch mit dem Amtskollegen Otto Gußmann (*Abb. 86*), der einem
Karnevalsmädchen rote Strümpfe anzieht, von ähnlich bildbeherrschender Wirkung. Kokoschka-Wirkung wäre eher zu vermuten bei Bernhard Kretzschmars
»Café-Bild«, 1925 (*Abb. 87*), wo der federngeschmückte Damenhut das beherr-
schende Rot zeigt.

88. OK, Stilleben mit Maske, 1920

89. OTTO GUSSMANN,
Dame mit Rosen vor Rot, um 1920

Bis herauf zu Goethe und zu Kandinsky und Itten erfüllt das Nachsinnen über die Proportionierung der Farben zueinander, die Frage nach einem Generalbaß der bildenden Kunst die Diskussion um die Kunsttheorien. Kokoschkas Gemälde zwischen 1919 und 1923 scheinen bewußte Beiträge zu dieser Diskussion, gewiß angeregt auch durch den im Lehrbetrieb wirkenden Zwang begründeter Mitteilbarkeit der in der eigenen Atelierarbeit eher unreflektierten Entscheidungen.

Die »Frau in Blau«, 1919, minimalisiert das Rot auf die Lippen der liegenden Modellpuppe, an deren Willfährigkeit Kokoschka die Frustration seiner Alma-Liebe abreagiert und sich von ihrer nymphomanen Irritation befreit. Die großen Klänge aus Blau, Weiß und Grün bis Türkis werden allein durch den aufbrennenden Fleck des roten Mundes erwärmt und belebt und in Spannung gehalten, unterstützt durch den gelben Handrücken an der Wange. Etwa zur gleichen Zeit hat Gußmann die Kraft eines Funkens Rot erprobt in seinem Otto Mueller korrespondierenden Bild »Diana im Wald«, wo die roten Schuhe diesen Part übernehmen.

Gefährlicher und schwieriger ist die Maximalisierung des Rot, wie sie hemmungslos gerade in der von Folklore geprägten russischen Moderne Usus ist. Kokoschka erprobt es 1920 im »Stilleben mit Maske« (*Abb. 88*) als Hintergrund. Er bricht es auf durch größere Orangeflächen, er gibt ihm einen Sockel aus Blau und Violett. Die gewohnte Raumwirkung vordrängender, naher warmer Farben und zurückweichender, ferner kühler Farben wird umgekehrt, das Rot in den Hintergrund gezwungen. Mit größerer Erfahrung in dekorativer Malerei hat Gußmann häufig seinen Porträtgestalten rote Hintergründe gegeben, so auch in dem »Damenbildnis mit Rosen« (*Abb. 89*). Otto Dix setzt Rot in den Hintergrund seines Bildnisses »Max John«, 1920, gewiß in Erinnerung an alte Meister, Dürer etwa. Mit dem schwarzen Jackett als zweiter Hauptfarbe weicht er aber den eigentlichen Farbproblemen der Proportionierung und Raumbildung aus und überläßt alles der Vormacht der Zeichnung. Gewiß auch aus solchen Gegensätzen ist zu verstehen, daß Kokoschka gegenüber Dix bei einem Atelierbesuch – angesichts von Bildern wie dem »Lustmörder«, 1920 – ausrief: »Aber Herr Kollege, Sie sind ja ein Biedermeier!« Bei einem Altersunterschied von nur fünf Jahren lagen doch Welten zwischen der auf Erneuerung von Farbe, Licht und Geist der Malerei gerichteten Haltung der Klassiker der Moderne wie Kokoschka und dem polemischen Formpragmatismus der Veristen-Generation.

In der so lebhaft in Erzählung und Autobiographie geschilderten Begegnung mit der nymphomanen Dresdner Bildhauerin Gela Forster mag Kokoschka das Satyrspiel seiner eigenen Alma-Puppen-Geschichte erkannt und genossen ha-

90. OK, Dresden-Neustadt IV (vom Atelierfenster), 1922

91. ROBERT STERL, Kalmückenboot auf der Wolga, 1922

ben. Vielleicht ist das »Mädchen mit der Tonpuppe«, 1922, diese Gela Forster, die bald darauf mit Archipenko nach New York ging? Er baut ihr Bild auf dem unerlösten Klang von Braun-Rot und Blau auf, die komplementäre Erlösung bleibt aus. Otto Gußmann tat ähnliches in Umkehrung bei seiner »Mutter mit Kind«, aber er nimmt den Farbengegensatz ungleichgewichtig, tiefdunkles Rotbraun, davor helles, leichtes Blau. Die fast animalische Schwere im Ausdruck von Kokoschkas Bild trägt bei Gußmann allein der üppige Frauentyp, sie ist nicht in Farbe aufgelöst.

Endlich gibt Kokoschka seinen Beitrag zum Triumph der Farbe mit seinen Dresdner Elblandschaften. Er hat nun zu einer sparsamen Verteilung roter Funken im Bild gefunden, die das lebhafte Farbenmosaik erfrischen und in Spannung halten. »Dresden Neustadt IV«, 1922 (*Abb. 90*), verschränkt Erscheinung und Spiegelung im Wasser zu einer überwirklichen Szenerie. Eine wie nach abziehendem Regen reingewaschene Atmosphäre macht die fast rein und unvermischt gesetzten Farben juwelenhaft aufleuchten. In seiner Gebundenheit an den Impressionismus hat Robert Sterl ähnliches vermocht, besonders in seinen Erinnerungsbildern an die Rußland- und Ukraine-Reisen bis 1914, wie etwa im 1922 gemalten »Kalmückenboot auf der Wolga« (*Abb. 91*). Trotz modernerer fauvistischer Haltung bleibt Otto Gußmann dagegen in seiner Dresdenlandschaft enger am Augenschein kleben, komponiert sein Bild längst nicht so souverän wie Sterl. Aber er steht in den Rhythmen des Parallelismus und in der rein malerischen Farbperspektive doch wieder Kokoschka näher.

Robert Sterl wurde vielleicht eher andersherum für Kokoschka wichtig, nicht als Vorbild der Anlehnung, auch nicht als Gegenstand überzeugender Einwirkung, sondern in seiner menschlichen Souveränität, seine in früheren Zeiten verwurzelte Kunstsprache im Vertrauen auf die Wahrheit der fünf Sinne auch gewandelten Zeiten zuzumuten. Erst räumliche und zeitliche Distanz bricht dieser Einsicht bei Kokoschka Bahn. Die Städteporträts von der siebenjährigen Weltwanderung ebenso wie das ganze spätere Werk Kokoschkas zeigen dieses sicher auch von Sterl abzuleitende Bestreben, einst durch revoltierende Neuerung gewonnene Modernität nun in einer erneuerten Tradition zu befestigen zu einer zeitgemäßen Kultur.

Am Ende der sieben Dresdner Jahre Kokoschkas steht sein »Selbstbildnis mit gekreuzten Armen«, 1923 (*Abb. 92*), souveränes Mosaik der Farben um das beherrschende Blau der Jacke, wohlig aufgefangen im roten Blitz der Krawatte, die gleichsam mit den Inkarnatflecken und den braunroten Hintergrundflächen eine Fuge in Rot anstimmt. Geistig stellt er sich als Mensch am Scheidewege dar, lauschend auf einen geheimnisvollen Anruf, verinnerlicht im Blick, ambivalent in den wägenden Gesten der Hände.

92. OK, Selbstbildnis mit gekreuzten
Armen, 1923

93. MAX BECKMANN, Selbstbildnis mit
blauer Jacke, 1950

Im Frühjahr und Sommer 1923 verdichten sich in Kokoschkas Briefen die Un-
mutsregungen gegen den schon zu lange währenden Dresdner Aufenthalt. Er
haßt sein Atelier, in dessen nach Norden gerichtete Fenster nie ein Strahl Sonne
dringt, seine Umgebung und Verhältnisse, auch das seltsam innige zur Reserl
genannten Bedienerin Hulda; »mir tun alle Nerven weh, alles ärgert mich«,
seufzt er auf.[14]
Dresden wird zu Plage und Verdruß. Seit dem Kriegsende ist es Grenzstadt, ver-
landender See, durch den nichts mehr durchfließt. Auch Posse klagt immer wieder, daß keine Angebote des Handels mehr nach Dresden in die Galerie gelan-
gen. Die Revolution ist verebbt, die Inflation taumelt tiefer und tiefer, die
Kunstszene ist gründlich verändert, der Expressionismus passé, bald nach Kokoschkas Abgang wird Dix der Hecht im Dresdner Karpfenteich, Verismus,
Sachlichkeit herrschen. Erst zwingt der sterbende Vater zu längerem Wien-Auf-
enthalt, dann reißt das Fernweh den Maler auf den Weg durch die Welt, ins Exil,
in die Legende des alten Meisters überm See. Fernweh war lange aufgestaut, nur
kurz gestillt 1920 bei einigen Monaten Wien – die Zeichnungen zum »Konzert«
entstehen und einige Porträts, eher angestachelt durch Venedig und Florenz an-

läßlich der Biennale 1922, auf der Posse zum deutschen Hauptbeitrag Kokoschka macht, wo der Maler seine Bilder, wie einst im Wiener Atelier, auf schwarze Wände hängt und es genießt, als Lenin der Malerei verschrien zu sein.

Er nahm mit sich die in Dresden gereifte malerische Erfahrung – Erfahrung, die seine Dresdner Zeitgenossen in lokaler Wirkung befangen hielten, auch in akademischer Verhaltenheit, wie Gußmanns »Selbstbildnis« zeigen mag, Erfahrungen aber, die über Zeiten und Räume zu wirken vermögen. Ist es doch, als ob Beckmann 1950 aus New York über ein Vierteljahrhundert und über den Ozean hinweg mit seinem letzten »Selbstbildnis in blauer Jacke« (*Abb. 93*) Antwort gibt auf Kokoschka. Abschiede beide, hie von Dresden, da vis-à-vis du rien, vom Leben.

Das Dresdner Rot verläßt Kokoschkas Malerei nicht mehr, es scheint bald auf im Regen überm Genfer See, 1923, es blitzt durch alle Stadt- und Menschenporträts, es triumphiert in der »Schlacht von Thermopylae«, 1954. Dieses Rot ist die führende Stimme im Generalbaß der Malerei Kokoschkas. Aber in den Tutti herrscht das Blau.

Keine direkte Fortsetzung erfährt das in Dresden nur episodisch angeschlagene Thema der Simultaneität zeitlicher Bewegungsabläufe. Auf so picasseske Art wie im »Selbstbildnis von zwei Seiten« kehrt es nicht wieder. Aber geläutert an Rubens wird es zur beherrschenden Bildidee der Raumbilder Kokoschkas in der Verschränkung mehrerer Blickpunkte. Oskar Kokoschka ist der Meister, der die Revolten der Moderne in einer erneuerten Tradition verankert hat.

ANMERKUNGEN

1 Oskar Kokoschka, Mein Leben. München 1971, S. 52.
2 Der Sturm, 1. Jg., Nr. 21, 1910.
3 Oskar Kokoschka, Briefe 1, 1905–1919. Düsseldorf 1984, S. 230.
4 Mein Leben, a. a. O., S. 173.
5 Briefe I, a. a. O., S. 266.
6 Mein Leben, a. a. O., S. 192.
7 Frontispiz in Katalog OK Die frühen Jahre, Aquarelle und Zeichnungen. Wien, Hannover. Höchst 1983.
8 Werner Schade in: Katalog OK Graphik und Zeichnungen, Staatliche Museen zu Berlin, Kupferstichkabinett, und Kulturbund der DDR, Stiftung Olda Kokoschka. Berlin 1983, S. 25.
9 Harry Graf Kessler, Tagebuch. Frankfurt a. M. 1961, S. 523.
10 Briefe I, a. a. O., S. 275.
11 Hans Meyboden (1948) in: H. M. Wingler, OK. Salzburg 1956, S. 78 f.
12 Brief im OK-Archiv Villeneuve, an L. v. Ficker.
13 Text u. a. in: Das Kunstblatt. Potsdam 1920; die ganze Diskussion am besten dokumentiert in: Roland März, John Heartfield. Der Schnitt entlang der Zeit. Dresden 1981.
14 Briefe II, 1919–33. Düsseldorf 1985, S. 86 an die Mutter.

RICHARD CALVOCORESSI

Kokoschkas Reise nach Schottland 1929

Es ist hinreichend bekannt, daß Oskar und Olda Kokoschka während des letzten Krieges des öfteren die Sommermonate, manchmal auch den Herbst und das Frühjahr, in Schottland verbrachten. In den Jahren 1941, 1942, 1944 und 1945 weilten sie im House of Elrig bei Port William, an der südwestlichen Küste Schottlands; 1944 und 1945 besuchten sie auch Ullapool, ein im 18. Jahrhundert erbautes Zentrum der Fischereiwirtschaft an der Nordwestküste, inmitten einer der ursprünglichsten und eindrucksvollsten Landschaften der britischen Inseln. Man kann behaupten, daß sie dort in der Hauptsache glückliche Tage verbrachten; Tage, in denen sie London verlassen und den Krieg vergessen konnten, um sich im Freundeskreis zu erholen. Diesen Aufenthalten verdanken wir eine Reihe ausgezeichneter Aquarelle von wilden Blumen, Früchten, Fischen und Wild, sowie auch zahllose Skizzenbücher mit Farbstiftzeichnungen, die mit wenigen Strichen das Essentielle eines Ortes oder einer Szene erfassen – Menschen, Landschaften, Bauwerke, Tiere und vieles mehr. Es gibt auch eine Anzahl von Ölbildern aus dieser Periode.

Weniger ausführlich belegt ist jedoch Kokoschkas überhaupt erste Reise nach Nordschottland, die er mehr als ein Jahrzehnt zuvor – im August und September 1929 – unternahm. Wir wissen, daß er im Verlauf dieser Reise drei Ölbilder malte; Landschaften, deren Motive bis heute nicht zweifelsfrei identifiziert worden sind. Aber dieser Reise gilt mehr als ein bloß flüchtiges Interesse, denn Kokoschka verarbeitete später seine Eindrücke und Erlebnisse, die er in den schottischen Highlands sammelte, in der Kurzgeschichte »Ann Eliza Reed«, die 1952 erstmals ungekürzt veröffentlicht wurde.[1]

Zeichnen wir kurz die einzelnen Stationen der Reise in jenem Sommer nach. In Begleitung seines Händlers Walter Feilchenfeldt besuchte er Mitte August Rudolph Hahn und dessen Bruder Kurt Hahn, den Pädagogen und Begründer der Salem-Schule in Deutschland, der 1934 die nicht minder bekannte Schule Gordonstoun in Schottland einrichtete. Obwohl sich Kurt Hahn erst fünf Jahre später gezwungen sah, Deutschland endgültig den Rücken zu kehren, verbrachte er in den zwanziger Jahren beinahe jeden Sommer im Nordosten Schottlands, einem Landstrich, dem er sich seit seiner Studentenzeit in Oxford in besonderem Maße verbunden fühlte, da einer seiner engsten Freunde aus dieser Gegend stammte. Hahns Bruder Rudolph war begeisterter Jäger, und so mieteten sich die Brüder 1929 in einem abgelegenen Landhaus mit reichen Jagd- und Fisch-

220

gründen im Bergland südlich von Nairn ein, nicht weit vom Fluß Findhorn. Das Haus wurde und wird heute noch Glenernie genannt. Durch das Grundstück fließt ein kleiner Fluß, der Dorback; als reißender Sturzbach bricht er aus einer Schlucht hervor. Flußabwärts trifft der Dorback mit dem Divie-Fluß zusammen, um sich drei bis vier Kilometer weiter an einer dramatischen Stelle mit dem Findhorn zu vereinigen; diese hat Kokoschka zum Motiv seines zweiten Gemäldes bestimmt.

Das Auffinden der Motive und das genaue Datieren von Kokoschkas vielen »Reisebildern« aus den zwanziger Jahren wird durch die Folge von Ansichtskarten erheblich erleichtert, die er seiner Familie in Wien und seinen Freunden sandte, oftmals sogar zwei- oder dreimal in der Woche. Diese Postkarten existieren heute noch und bieten Informationen über den Fortgang seiner Arbeit an den einzelnen Gemälden, über die Wetterverhältnisse, seine weiteren Reisepläne und dergleichen mehr.

15. August, Glenernie
»Schau, wo ich schon wieder bin, ganz dicht am Meer im Norden. Ich möchte sehr gern nach Helsingfors hinüberspringen, das in der Luftlinie nicht weit wäre.«[2]

15. August, Glenernie
» . . . Hier ist ein Landhaus mit entzückenden Leuten, Wildbach wie in unseren Alpen, ziemlich im Norden nahe am Meer. Ich weiß noch nicht, was ich mache, wahrscheinlich bleibe ich einige Zeit im Land, muß aber erst den Platz finden . . . F. ist reizend mit mir, und ich bin sehr froh.«[3]

Die folgende Postkarte, eine Ansicht der Dulsie-Brücke, ist eine ganze Woche später, mit dem 24. August, datiert; die Adresse hat sich inzwischen geändert. Kokoschka hat Glenernie verlassen und wohnt nun »bei Mr. Stewart, Dulsie Bridge«. Mit Genugtuung berichtet er von der Aufnahme der Arbeit an seinem ersten Bild.

24. August, c/o Stewart, Dulsie Bridge
»Das ist mein erstes Bild, es hat lang gebraucht, bis ich auf die praktische Art kam, mich gleich neben meinem Malplatz anzusiedeln. Mir gehen die Hotels schon nachgerade fürchterlich auf die Nerven. Feilchen war unendlich nett, das Wetter ist wie zu erwarten, meist schlecht.«[4] (*Abb. 94*)

Die Brücke bei Dulsie wurde im Jahre 1754 von einem Major William Caulfield erbaut, einem Nachfolger von General Wade, dem berühmten Erbauer von Heerstraßen und Brücken. Sie stellte eine wichtige Verbindung auf der Heer-

94. Ansichtskarte: Dulsie Bridge

95. OK, Dulsie Bridge, Schottland, 1929

straße von Perth und Edinburgh im Süden nach Fort George bei Inverness im Norden her. Vor dem Bau der Brücke gab es hier eine Furt; das Überqueren konnte an dieser Stelle gefährlich werden, denn der Fluß rauscht durch ein enges, felsiges Bett, und bei Regen schwillt er bald zu einem tiefen und reißenden Strom an. Die Brücke steht in einer Landschaft ursprünglicher Schönheit; umgeben von hügeligen Feldern und Moorland, stehen zu beiden Seiten der Brücke kleine Wälder. Der felsige Untergrund besteht aus einem rötlichen, porphyritischen Granit, den man auf Kokoschkas Gemälde deutlich erkennen kann (*Abb. 95*). Der Name »Dulsie« kommt aus dem Gälischen und bedeutet sinngemäß »Hügel der Feen«. Das Haus an der nördlichen Zufahrt zur Brücke war einst ein Gasthaus, in das der Dichter Robert Burns am 3. September 1787 auf seiner Reise durch die Highlands einkehrte. Burns notierte in seinem Tagebuch: »Kam durch Nebel und Dunkelheit bis nach Dulsie. Dienstag – Findhorn Fluß – felsige Ufer . . .«

Im Jahre 1929 war das Haus ein Bauernhof. Der Pächter nannte sich Robert Stewart, Kokoschka wohnte eine Zeitlang bei ihm und seiner Familie. Stewart war im Jahre 1923 von Kanada nach Schottland zurückgekehrt, um den Hof von seinen Eltern, die in finanzielle Not geraten waren, zu übernehmen; ein weiterer Grund für die Rückkehr war der schwache Gesundheitszustand seiner älteren Tochter Dulsie, die sentimentalerweise nach dem Heimatort der Stewarts benannt war; später stellte sich heraus, daß sie an spinaler Kinderlähmung litt. Dulsie (1913–1976) und ihre Schwester Pearl (geb. 1914) waren beide in Kanada geboren; zwei Söhne wurden in Schottland geboren, der jüngere, William, am 10. August 1929 – etwa zehn Tage vor Kokoschkas Ankunft. Der ältere Sohn, Douglas (geb. 1926), lebt heute in Nairn, nachdem der Hof in den fünfziger oder frühen sechziger Jahren verkauft wurde. Seine Schwester Pearl, die nach Kanada zurückkehrte, erinnerte sich an Kokoschkas Ankunft:

»Es war ein überraschender Tag, als ein Chauffeur bei unserem bescheidenen Hof ankam und meinen Eltern mitteilte, daß Herr Kokoschka, ein Künstler, im Golf View Hotel in Nairn wohnte. Zu dieser Zeit war das Golf View in Nairn das erste Hotel am Platz. Anscheinend fühlte sich der Künstler in der Umgebung anderer Hotelgäste nicht wohl.

Einige Speisen, die er bevorzugte, waren für unsere Eßgewohnheiten eher ungewöhnlich; frisch geernteter Honig schien zum Beispiel für ihn ein regelrechter Luxus zu sein. Beim Frühstück aß er ihn gleich löffelweise.

Unser Haus war sehr bescheiden und ohne moderne Annehmlichkeiten; aber der Künstler wollte bei uns im Bauernhaus wohnen, das einst ein Gasthaus am Rande einer alten Heerstraße war.

Die Brücke von Dulsie war eine große Touristenattraktion, und es gab oft Besu-

96. Ansichtskarte: Zusammenfluß von Findhorn und Divie

97. OK, Landschaft in Schottland, Findhorn River, 1929

98. Divie-Fluß bei der Einmündung in den Findhorn

cher in dieser Gegend. Der Künstler bat aber darum, während der Arbeit nicht gestört zu werden, kein leichtes Unterfangen mit all den Touristen, die sich immer die besten Aussichtspunkte suchten . . .
Der Künstler wird sich nicht an mich erinnern, da ich oft in der Schule war. Manchmal habe ich ihm die Pinsel ausgewaschen. Aber Dulsie wird ihn besser gekannt haben.«[5]
Die nächste Ansichtskarte zeigt den Zusammenfluß von Findhorn und Divie.

25. August, c/o Stewart
»Diesen Wildbach male ich, nur ist mein Platz noch viel wilder. Hier ist es sehr windig und stürmisch und oft Regen am Tag . . . Ich mache hier 3–4 Bilder, so viel brauche ich, nicht mehr, für Feilchen!« (*Abb. 96*)

Kokoschka besaß offensichtlich ein feines Gespür dafür, besonders eindrucksvolle und malerische Stellen ausfindig zu machen. Es ist sehr wahrscheinlich, daß der Erwerb einer Ansichtskarte in einem der Läden in der Umgebung ihn dazu animierte, hinauszugehen, um das abgebildete Motiv zu suchen. Schließlich war er ja allein, ohne Feilchenfeldt, nachdem er das Haus der Hahns in Glenernie verlassen hatte: es war kein Lütjens oder Goldschmidt da, oder sonst jemand aus der Cassirer-Gruppe, der im vorhinein die am besten geeigneten Motive für ihn ausgewählt hätte. Die Brücke bei Dulsie befindet sich in einem

225

entlegenen Teil Schottlands. Im Jahre 1929 lebten nur ungefähr 600 Menschen in der Gemeinde Ardclach, einem großen Gebiet, welches sowohl die Dulsie-Brücke wie auch den Zusammenfluß von Findhorn und Divie umfaßt, den Kokoschka als Sujet für seine zweite schottische Landschaft wählte. (*Abb. 97, 98*) Heute ist die Einwohnerzahl der Gemeinde noch weiter zurückgegangen – man zählt nicht mehr als 400 Bewohner. Ohne gewisse Unterstützung, wie zum Beispiel durch Photographien oder natürlich durch Gespräche mit den Einheimischen – obgleich ihm das Englische, geschweige denn das Schottische, damals noch große Schwierigkeiten bereitete – hätte er niemals rechtzeitig die passenden Motive auffinden können. Und im Falle des dritten und letzten Ölbildes, das er im Verlauf dieser Schottlandreise malte, wissen wir, daß er seiner Mutter eine Ansichtskarte mit dem Motiv schickte, wenige Tage bevor er die Arbeit an dem Bild aufnahm, vielleicht sogar bevor er überhaupt daran dachte.

Genau hundert Jahre bevor Kokoschka den Findhorn-Fluß malte, wurde diese Gegend von einer schweren Überschwemmungskatastrophe heimgesucht: an der Stelle, wo das Bild gemalt wurde, stand das Wasser 14 Meter hoch. Einige Meter neben dem Punkt, an dem Kokoschka gestanden haben muß, steht ein Gedenkstein, den er wohl bemerkt haben wird, auf dem die Worte »Findhorn und Divie vereinigten hier ihre Fluten in der Überschwemmung vom 3. und 4. August 1829« eingemeißelt sind. Nach Berichten eines Augenzeugen der großen Überschwemmung aus dem folgenden Jahr, 1830, bot sich am Zusammenfluß von Findhorn und Divie, dem Motiv von Kokoschkas zweitem Gemälde, folgendes Bild: »Die Wellen, die sich an diesem Zusammenfluß bildeten, waren einfach ungeheuer, manchmal sechs Meter hoch, sie schleuderten losgerissene Bäume und anderes Treibgut in große Höhen empor.« Weiter flußabwärts, im Mündungsbereich des Findhorn, waren Felder und Dörfer in einem Umkreis von mehr als 50 Kilometer überschwemmt, die Bevölkerung und die Tiere mußten mit Hilfe der Fischereiflotten aus den umliegenden Seehäfen evakuiert werden. Im Oberlauf des Flusses bei Dulsie-Bridge lag der Flutpegel nur knapp einen Meter unter dem Scheitel des großen Bogens der Brücke. Kokoschka wird sicherlich Erzählungen über diese Ereignisse gehört haben: er traf dort wenige Tage nach dem hundertsten Jahrestag der Katastrophe ein. Die Leute sprechen heute noch davon.

Anfang September übersiedelte Kokoschka nach Inverness.

2. September, Royal Hotel, Inverness
»Ich hab 1 Bild, aber es regnet verdammt, und die Aussichten sind immer dort, wo kaum Höhe ist. Jetzt war ich sogar eine Woche lang bei einem Bauern in Dulciebridge mit Torffeuer, Roggenkuchen und Moor rundherum. Inverness

226

ist die kleine Hauptstadt der Highländer und ich hoffe, in der Umgebung was machen zu können . . . Das Land wäre zauberhaft wie Irland, nur ein bißl Sonne noch dazu!«[8]

5. September, Royal Hotel, Inverness
»hier regnet es unbarmherzig, und dichter Nebel ist auch da. Heute gehe ich in ein kleines Gasthaus an einem wilden Fluß im Hochland.«[9]

Die erste Postkarte, die er von diesem »kleinen Gasthaus an einem wilden Fluß« abschickte, ist mit dem 9. September datiert.

9. September, Tomich Hotel, Strathglass
» . . . ich habe zweites B. fertig, brauche im ganzen 5, um für heuer ausgeglichen zu sein. Der Anfang ist immer am schwersten. Ich übersiedle abermals und wohne jetzt wie oben. Nebenan ist ein ganzer Haufen guter Motive, und das Gasthaus ist klein, aber sympathisch.«[10]

Am folgenden Tag sandte er eine Karte nach Hause, die eine Ansicht der Plodda-Fälle auf dem nahe gelegenen Areal des Guts von Guisachan zeigt; es gibt aber keinen Hinweis, daß er diesen Wasserfall zum Gegenstand seines dritten Bildes erwählt hätte oder daß er das Motiv selbst besucht hätte.

10. September, Tomich Hotel, Strathglass
» . . . Hier war mit Ausnahme der letzten zwei Tage immer Regen. Jetzt heitert es aber auf. Lächerlich, daß nicht weit von hier, in England eine Hitzewelle war! Ich habe bis jetzt 2 Stück. Brauche 5. Bin gesund und habe neue Knickerbockers echt Schottischer Stil . . .«[11] (*Abb. 99, 100*)

Erst am 16. September erwähnt er: »mein drittes Bild – ein Wasserfall«. Fünf Tage später schreibt Kokoschka, daß das schlechte Wetter ihn behindert, und daß er die Arbeit voraussichtlich nach einer weiteren Woche abschließen werde. Endlich verkündet er in einer Postkarte vom 27. September aus Inverness die Vollendung seines Gemäldes, »trotz Regen und schlechten Lichtverhältnissen.«[12]
Früher war Kokoschkas Gemälde als »Wasserfall, Findhorn-Fluß« bekannt, wie es noch in einer Ausstellung in London im Jahre 1960 betitelt wurde.[13] Das Motiv liegt jedoch nicht einmal in der Nähe des Findhorn, sondern in einer Entfernung, die allein in der Luftlinie mehr als 60 Kilometer beträgt; in einer anderen Grafschaft, dem Inverness-shire, einem bergigen Teil der Highlands; 1929 waren es von dort ungefähr 40 Kilometer bis zur nächsten Bahnstation.
Von den drei schottischen Landschaftsbildern ist dies sicherlich das eindrucksvollste. Das Wasser stürzt in den Plodda-Fällen über 36 Meter in die Tiefe. Im

227

99. Ansichtskarte: Plodda-Fälle, Guisachan

ausgehenden viktorianischen Zeitalter galten sie als beliebtes Ausflugsziel. Das Gut von Guisachan, auf dessen Areal von 9000 Hektar die Wasserfälle liegen, wurde im Jahre 1856 vom ersten Lord Tweedmouth erworben. Er ließ Pfade anlegen und Holzstege über die Bäche bauen, die er umleitete, um das Wasseraufkommen für die Fälle zu steigern. In den umliegenden Parkanlagen pflanzte er Laub- und Nadelbäume und ließ das Dorf Tomich im alpenländischen Stil erbauen. Außerdem baute er Unterkünfte für die Bediensteten mit Stallungen, Hundezwingern, einer Wäscherei und landwirtschaftlichen Einrichtungen, einem Warenkontor, einem Postamt und Schulgebäuden. Für seine auserwählten Gäste, zu denen die maßgeblichen Politiker jener Tage und hohe Mitglieder der Aristokratie zählten, gab er oft Jagdgesellschaften im Moor, und an zahlreichen Flüssen und »Lochs« gab es reiche Fischwasser. Die Damen ergötzten sich an den Naturschönheiten der Plodda-Fälle und den bewaldeten Hügeln der Umgebung. Die Maler Landseer und Millais zählten zu den Gästen, und 1901 war Winston Churchill zu Besuch in Guisachan. Im Jahre 1905 sah sich jedoch die

100. OK, Plodda-Fälle, Schottland, 1929

Familie gezwungen, das Gut zu verkaufen; bereits 1919 stand Guisachan wieder zum Verkauf. Als Kokoschka 1929 dorthin kam, waren die glanzvollen Tage längst vergangen.

Ein Weg von fünf Kilometern Länge führte von Kokoschkas Hotel zu den Plodda-Fällen. Er schlängelt sich am Ufer des Glass entlang, vorbei am Herrschaftshaus von Guisachan (heute eine Ruine), den Katen und Stallungen und weiter durch einen kleinen Wald. Eine tiefe, bewaldete Schlucht muß durchquert werden, ehe sich die Fälle dem Auge des Wanderers darbieten. Die Holzbrücke – auf Kokoschkas Gemälde am unteren Rand – ist in den frühen sechziger Jahren zerfallen.

❊❊❊

Kehren wir nun kurz zur Dulsie-Bridge, dem Motiv seines ersten Gemäldes, und zur Familie Stewart zurück. (*Abb. 101, 102*) Pearl Stewart in Kanada kommentierte bestimmte Passagen von Kokoschkas Kurzgeschichte »Ann Eliza Reed«. Ihre Kommentare sind außerordentlich aufschlußreich; sie belegen, daß

101. Dulsie Bridge mit dem Bauernhaus (oben links)

102. Die Familie Stewart, 1930

einige Ereignisse und Erlebnisse in dieser makabren »Phantasie« einen wahren Ursprung haben. Eine Gruppe von Fachleuten lehnt Kokoschkas Autobiographie »Mein Leben« und seine zahlreichen halb-autobiographischen Schriften in großen Teilen als Fiktion ab.[14] Aufgrund von Pearl Stewarts Aussagen wird ein neues Licht auf »Ann Eliza Reed« geworfen, das ein Überdenken dieser Theorie erforderlich macht.

Am Beginn der Geschichte steht eine lange Passage, in deren Verlauf der Erzähler auf einem Spaziergang im Nebel von seinem Weg abkommt und sich in einem Sumpfgebiet verirrt. Er spricht von dem Bauern, der ihm Unterkunft gewährt, seinem harten Leben, dem feuchten Haus und dergleichen.

Pearl kommentiert: »Der Vorfall, daß er sich einmal in den Hügeln verlaufen hatte, ist wahr. Der kleine Hügel heißt Tom-Nan-Meann; weiter oben ist ein Sumpfgebiet, wo die Möwen im Frühjahr ihre Eier legen. Es gibt dort auch Löcher vom Torfstechen. Ich erinnere mich daran, daß der Künstler sich verlaufen hatte, und meine Eltern sich große Sorgen machten, als er nicht zurückkam. Vater machte sich auf die Suche nach dem Künstler, denn es hatte sich dichter Nebel über die Hügel ausgebreitet. Ein vollkommen durchnäßter Künstler kehrte schließlich mit meinem Vater zurück.«[15]

Der Erzähler sagt, daß er seit seiner Ankunft dieselben feuchten Kleider getragen habe.

Pearl Stewart: »Das Gemäuer des alten Gasthauses hielt die Kälte und die Feuchtigkeit. Seine Kleider wurden wohl über dem Herdfeuer getrocknet. Damals gab es nur Sitzwannen zum Baden.«

Der Erzähler bemerkt, wie einige Kühe zur sumpfigen Seite des Hügels hinüberschweifen, und macht sich Sorgen über die Herde des Bauern.

Pearl Stewart: »Die jungen Kälber wurden mit Grünfutter gemästet und auf einer eingezäunten Weide gehalten, während die ausgewachsenen Tiere frei umherstreifen konnten. Das Leittier hatte eine Glocke umgebunden; das Vieh kehrte von alleine zurück, um die Jungen zu säugen.«

Der Erzähler erwähnt ertrunkene Fischer; er will auch Robben gesehen haben.

Pearl Stewart: »Die Wanderdünen bei Cullun, nicht weit von der Mündung des Findhorn, könnten hier eine Rolle spielen. Heute sind dort Bäume gepflanzt, um den Lauf der Dünen aufzuhalten. Es gibt Erzählungen von Häusern, die der Sand unter sich begraben hat. In der Gegend gibt es auch Robben, meines Wissens aber nicht entlang des Flusses.«

Er beschreibt, wie der Bauer ihn in einem behelfsmäßigen Boot zu einer Insel hinüberrudert, wie sie an einem Felsen festmachen und er eine glitschige Leiter emporklimmen muß, um den Weideplatz der Schafherde des Bauern zu erreichen.

103. »Ein halbwüchsiges Mädchen, lahm auf einem Bein«

Pearl Stewart: »(Ungefähr) fünf Meilen flußaufwärts von der Brücke gab es einen Bauern, der große Schafherden hatte, und um die Gehöfte von Quilichan und Ballachrochin zu erreichen, mußte man den Fluß überqueren. Es gab da einen eimerartigen Kasten an einem Drahtseil, mit dem man sich über den Fluß ziehen konnte. Man erreichte diesen Eimer, indem man einige Stufen hinabstieg. Nur bei niedrigem Wasserstand konnte der Bauer seine Schafe über den Fluß treiben. Bei Ballachrochin hat man zeitweise auch ein Boot eingesetzt.«

Der Erzähler beschreibt die Ehefrau des Bauern, die ans Bett gefesselt ist; eine sehr fromme Frau, die eine altmodische Haube trägt.

Pearl Stewart: »Mein Bruder William wurde am 14. August 1929 geboren und Mutter lag mit einer Venenentzündung im Bett. Die alte Frau mit der Haube war meine Großmutter, die in einer Kate auf der anderen Seite des Flusses wohnte. Großmutter war eine sehr religiöse Frau, die an Prophezeiungen glaubte.«

Der Erzähler erwähnt »ein halbwüchsiges Mädchen, lahm auf einem Bein«. Damit war natürlich Dulsie gemeint. Er fährt fort: »Das Heimweh hat den Farmer aus Amerika herübergetrieben, nach Hause, von wo er als Kind mit seinen Eltern, so wie alle Pächter rundherum, über Nacht mit Gewalt ausgesiedelt worden war . . .«[16] (*Abb. 103*)

In diesem Ausschnitt erinnert Kokoschka an die großen Vertreibungen, welche Mitte des 18. und Ende des 19. Jahrhunderts in Schottland stattfanden, letztere in einer Zeit landwirtschaftlicher Rezession. Zahlreiche kleine Pächter, die ihre

Höfe nicht mehr rentabel bewirtschaften konnten, wurden von den Großgrundbesitzern vertrieben, um weite Landstriche der Schafzucht widmen zu können und um lukrative Jagdgebiete zu schaffen. Kokoschka schrieb später in seiner Autobiographie: »Auch diese öde Moorlandschaft ist vom Menschen geschaffen worden, als die schottischen Lairds ihre Bauern zu Anfang des 19. Jahrhunderts enteignet hatten, um eine höhere Pacht, als sie die Bauern entrichten konnten, von den Engländern als Jagdpacht zu erzielen.«[17]

1860 war die Einwohnerzahl der Gemeinde Ardclach mit 1300 doppelt so hoch wie 1929, als Kokoschka dort zu Besuch war.

Pearl Stewart: »Mein Vater kehrte nach Schottland zurück, da sich seine Eltern in einer schlechten finanziellen Lage befanden; meine Schwester Dulsie brauchte außerdem unbedingt eine Operation. Vater kam auf einem anderen Hof als dem, von dem seine Eltern vertrieben worden waren, zur Welt; sie zogen dann auf den Hof bei Dulsie.«

»Mein Freund hatte Glück gehabt«, so der Erzähler von »Ann Eliza Reed«, »und konnte die Stelle erkennen, wo sein Vaterhaus, halb eingesunken im Boden, noch wie ein Gerippe der Vergangenheit dastand ...«[18]

Er fährt damit fort, den Bauern seinen »Bruder Freimaurer« zu nennen.

Pearl Stewart: »Die Ruine oben auf dem Hügel war nicht das Haus der Vorfahren meines Vaters. Es gehörte einer alten Witwe, die Vater ›Oma‹ nannte; immer wenn er hinaufging, um die Schafe zu hüten, brachte er ihr Suppe, Milch und Eier.«

»Ja, Vater gehörte einem Freimaurerorden an.«

Es gibt noch weitere Passagen aus Kokoschkas Geschichte, die Pearl Stewart mit tatsächlichen Ereignissen, Details aus ihrem einfachen, bäuerlichen Leben oder mit der landschaftlichen Umgebung in Verbindung bringen konnte: die Beschreibungen der Wasserfälle, des Forellenfangs, der wilden Kräuter beispielsweise können als exakte und naturgetreue Schilderungen angesehen werden. Als der Erzähler von »Ann Eliza Reed« am Ende der Geschichte aus dem Morast kriecht, entdeckt er auf dem Boden ein »Sporran«, einen jener traditionellen schottischen Fellbeutel; er stellt sich vor, daß dieser »Sporran« seit jener Zeit dort gelegen haben mag, als »Bonny Prince Charles« gegen die Hannoveraner kämpfte. Kokoschka hatte offensichtlich gehört, daß die blutige Schlacht von Culloden (1746) nur zwölf Kilometer nordöstlich stattgefunden hatte, in deren Verlauf der katholische Prinz Charles, der junge Thronprätendent, mit seinen 5000 schottischen Gefolgsleuten von dem 9000 Mann starken englischen Heer unter dem Herzog von Cumberland geschlagen worden war.

Als Kokoschka 1949 aus Anlaß seiner großen Wanderausstellung nach Amerika reiste, gab er vor seinen Gemälden in der Phillips Collection in Washington ein

Interview. Obwohl dieses Interview nie veröffentlicht wurde, gab mir der Journalist, Burke Wilkinson, die Erlaubnis, hier einige Auszüge zu verwenden.

»(Kokoschka) steht vor einer schottischen Szene, einer jener Brücken, die mit weit ausladendem Bogen einen klaren Strom unten in der Tiefe überspannen – ein magisches, leuchtendes Gemälde, das keinem anderen gleicht.

›Ich ging mit einigen englischen Freunden zum Angeln‹, erinnert er sich, ›Forellen und Lachse. Das wurde mir bald langweilig. Ich traf dann diesen Bauern und wohnte bei ihm . . . in seinem Haus – es war sehr feucht und der Kamin funktionierte nicht richtig.‹ (Dieses Detail wird in ›Ann Eliza Reed‹ wiederholt.) ›Ich liebte jenen Bauern sehr – gemeinsam waren wir Philosophen. Wie alle meine Bilder, ist dieses direkt vor der Natur gemalt, ohne Vorskizzen oder Retuschen.‹ Befriedigt berührt er den weiten Bogen. ›Möglicherweise ist das von den Römern; sie sind so weit nach Norden gekommen, wissen Sie.‹«

ANMERKUNGEN

1 In dem Band mit Erzählungen A Sea Ringed with Visions, 1962 erstmals in Englisch veröffentlicht.

2 Oskar Kokoschka, Briefe II, 1919–1934, hg. von Olda Kokoschka und Heinz Spielmann. Düsseldorf 1985, S. 17.

3 Ebda., S. 218.

4 Kokoschka-Archiv, Villeneuve.

5 Erklärung, die dem Autor von Pearl MacKenzie im November 1985 übermittelt wurde.

6 Kokoschka-Archiv, Villeneuve.

7 Sir Thomas Dick Lauder, Bt., An Account of the Great Floods of August 1829 in the Province of Moray and Adjoining Districts. Edinburgh 1830, S. 101.

8 OK, Briefe II, S. 218.

9 Ebda.

10 Ebda., S. 219.

11 Kokoschka-Archiv, Villeneuve.

12 Ebda.

13 Oskar Kokoschka in England and Scotland, Marlborough Fine Art, November-December 1960, No. 8.

14 S. z. B. Peter Vergo und Yvonne Modlin in ihrem Essay »Murderer Hope of Women: Expressionist Drama and Myth«, in: Katalog Oskar Kokoschka 1886–1980, Tate Gallery, London, 1986, S. 22.: ». . .›My Life‹ is itself a piece of (albeit somewhat belated) Expressionist writing, of self-mythologizing of a kind that recurs elsewhere in the artist's scattered reminiscences«; oder Frank Whitford in: Oskar Kokoschka: A Life, London 1986, S. 202–204: » . . . his (Kokoschka's) autobiographical writings are an intentional mixture of fact and fantasy. . . . episodes in the allegedly fictional ›A Sea Ringed with Visions‹ are interchangeable with episodes in the allegedly factual ›My Life‹«.

15 Diese und die folgenden Passagen sind einer Erklärung entnommen, die Pearl MacKenzie dem Autor im November 1985 übermittelt hat.

16 Oskar Kokoschka, Erzählungen, Das schriftliche Werk, Bd. II. Hamburg 1974, S. 364.

17 OK, Mein Leben. München 1971, S. 263.

18 Das schriftliche Werk, II, S. 364.

JOSEF PAUL HODIN

Nahbild eines genialen Menschen

Persönliche Erinnerungen an den Künstler Oskar Kokoschka

Polperro

Kurz vor Kriegsausbruch übersiedelte Kokoschka mit Frau Olda aus London nach Polperro in Cornwall. Kokoschka, von der dramatischen Küstenlandschaft beeindruckt, malte dort einige Landschaften mit Hafeneinfahrt und einige größere Kompositionen politischen Inhalts mit Polperro als Hintergrund.

Als das Zeichnen und das Malen im Freien wegen Spionagegefahr untersagt worden war, kehrte das Künstlerpaar 1940 nach London zurück, wo es eine Wohnung in St. Johns Wood mietete, also im Nordwesten der Stadt, in der Boundary Road. Eine liebenswerte Episode aus der Polperro-Zeit sei hier erzählt. Eines Tages, als das Ehepaar einen Laden in Polperro besuchte, wo es gewöhnlich seine Einkäufe machte, sprach ein junger Mann Kokoschka an. Er wäre Reklamezeichner, Designer, und als er erfuhr, daß ein berühmter ausländischer Maler im Orte lebte, wollte er ihn bitten, ihm seine eigenen Arbeiten zeigen zu dürfen. Sein Name war Philip Moysey.

Er stand damals im Militärdienst, war also in Uniform. Oskar Kokoschka erfüllte ihm seinen Wunsch, und als er die Arbeiten betrachtet hatte, sagte er zu diesem jungen Menschen: Ich werde Sie beraten, aber vorher müssen Sie eines tun. Sie werfen Ihren Malkasten mit den Pinseln ins Meer. Nachdem Sie das getan haben, kommen Sie zu mir. Und dann wies er ihn auf das ernste, ungekünstelte, ehrliche Betrachten von Naturformen hin: »Sieh, der einfachste Grashalm, Muscheln, Steine, das ist alles sehr wichtig. Diese müssen Sie sorgfältig skizzieren und mit Crayon zu zeichnen versuchen.« Und Moysey, angeregt, tat das Seine dazu und wurde als Schüler von Kokoschka ein guter Maler. Jahrelang lebte er arm in einem Zigeunerwagen, auf die billigste Weise, und statt seine Zeit mit Kartenspielen und Bierhallenbesuchen zu vergeuden, lernte er das Beobachten der Natur und die Liebe zu den einfachen Dingen.

***

Zwei wichtige Aspekte in bezug auf einen Künstler sind vom Kunstwissenschaftler und Kritiker stets zu bedenken. Zum ersten muß die Begegnung mit

235

dem Werk und dessen Studium, stilistisch und kunsthistorisch in bezug auf die Tradition, so ausschlaggebend wie dies auch immer sein mag, mit dem Erfassen der Persönlichkeit ergänzt werden. Denn erst die Konfrontation der Persönlichkeit mit dem Werk, das vom Künstler hervorgebracht worden ist, wird eine vollkommene Einsicht ermöglichen. Und wenn es sich sogar um einen Zeitgenossen handelt, dann wird all dies von einem direkten und wesentlichen Einfluß nicht nur auf die Interpretation seiner Kunst sein, sondern auf die Erfahrung und Durchdringung einer geschlossenen geistigen Welt, eines Mikrokosmos, sich auswirken. Im Falle Kokoschkas bewahrheitete sich das in einer erstaunlichen und überraschenden Weise. Kokoschka hatte eine unheimliche Menschenkenntnis und Weisheit, ein Charisma von außerordentlicher Intensität, eine derart starke Ausstrahlung, daß er seine Zuhörer, Besucher oder Freunde, in seinem Gedankenkreis geradezu bannte und, wie er es selbst einmal ausdrückte, er->zauberte«. Das fiel ihm leicht, denn sein Geist entzündete sich an jeder bemerkenswerten Begegnung mit einem Menschen. Ein Wort, ein Gedanke, ein Gesichtsausdruck konnte das ausschlaggebende Medium sein, aus dem das Feuerwerk seiner seelischen Kraft zu sprühen begann. Ich habe ihn oft »zaubern« gesehen: Die Menschen umstanden ihn, er sprach eifrig, und wenn seine Hand irgendwohin wies, drehten sich alle Köpfe dahin, und sie sahen plötzlich Dinge, von denen sie vorher gar nichts gewußt hatten, oder es erschien ihnen Bekanntes in einem überraschenden neuen Licht. Alles was er berührte, wurde von seiner Seele durchleuchtet, Welt und Leben schienen verwandelt, wurden wesenhaft, bedeutsam.

Nicht notwendig mußte man im Falle Kokoschka Werk und Künstler zueinander in Beziehung bringen, man konnte sich auch bloß auf den Menschen einstellen oder, wahrer noch, man mußte es tun, ohne Bezug zu irgendwelchen ästhetischen Eindrücken oder Werturteilen, ganz einfach um im Bann seiner visionären Anziehungskraft zu verbleiben.[1]

***

Ich traf Kokoschka zum erstenmal persönlich in Prag im Jahre 1934, zur Zeit, als er den ersten Präsidenten der tschechoslowakischen Republik, Professor Thomas Garrigue Masaryk, porträtierte. Er wohnte damals im Hotel Ambassador, links unten am Wenzelsplatz. Ich war aus Paris gekommen, um ihn zu treffen. Aber ich wagte es nicht, mich ihm zu nähern. Etwas hielt mich zurück. So stand ich denn unschlüssig vor dem Hotel, bis eines Tages ein großes, vornehmes schwarzes Auto vorfuhr und ein uniformierter Chauffeur dem Künstler aus dem Wagen half. Kokoschka trug einen hellen Anzug, hatte keine Kopfbedeckung, mir fielen auch die Sandalen auf, in denen weiße Socken steckten – damals waren weiße Strümpfe das Wahrzeichen nationalsozialistisch gesinnter Sudetendeutscher –, aber das scherte Kokoschka gar nicht. Er dankte, lächelte dem Chauffeur freundlich zu und verschwand im Hoteleingang. Er war eben von einer der Porträtsitzungen mit Masaryk vom Schloß Lany zurückgebracht worden, es war der persönliche Wagen des Präsidenten, ein Hispano Suiza, ein tschechischer Rolls Royce mit der Nummer I. Ich folgte Kokoschka nicht, preßte aber mein Gesicht an die große Glasscheibe, um ihn von der Straße aus zu beobachten. Im Foyer warteten mehrere Menschen auf ihn, er küßte eine Damenhand hier und eine andere dort, bewegte sich wie ein Tänzer unter ihnen, gestikulierte, sprach ein wenig mit dem einen oder dem anderen, lachte auf und verabschiedete sich dann von allen.

Warum hatte ich es nicht gewagt, ihn anzusprechen, mich bei ihm anzumelden? Damals in den zwanziger Jahren war sein Name auf aller Lippen. Das Buch Paul Westheims mit seiner dithyrambischen Prosa hatte den Künstler über Nacht gleichsam zu einer legendären Figur verwandelt, er war einem Halbgott gleich, dem man gar nicht genügend Ehrfurcht erweisen konnte. Das war meine erste Begegnung mit dem Menschen Kokoschka. Meine erste Begegnung mit dem Werk fand in Dresden statt, wo 1926 eine große internationale Kunstausstellung eröffnet worden war. Alle europäischen Länder und Amerika waren vertreten. Dort sah ich zum erstenmal einen ganzen Raum mit Kokoschka-Bildern. Erschütternd war der Eindruck, den vor allem das Bildnis der zwei Kinder, »Bruder und Schwester« aus dem Jahre 1906, und dann die majestätische Themselandschaft aus dem Jahre 1926 in mir hervorriefen. Es waren nur sieben Arbeiten ausgestellt, neben den schon genannten eine Elblandschaft, eine kleine Themselandschaft, das Bildnis Dr. Blass, das Selbstbildnis im Meer, sowie Himself und Herself als Pendant dazu. Die zwei »spielenden Kinder« mit ihren erotisch-psychologischen Obertönen und der tiefen Einsicht in das Wesen ganz junger Menschen sprachen mich besonders an. Und dann war da ein Raum mit elf Bildern von Edvard Munch, auch eine erste Begegnung und eine ebenso erschütternde, mit den Gemälden »Melancholie« und »Das Leben«. Diese Kokoschka- und Munch-Bilder bewegten mich mehr als alle die schönen Bilder der Franzosen, die nicht weniger als 102 Werke ausgestellt hatten, darunter solche von Cézanne, Gauguin, Degas, Manet, Monet, Matisse, Henri Rousseau und anderer mehr. Und so ergab es sich in der Folge, daß mich das Werk dieser beiden Meister durch mein ganzes Leben hindurch begleitet hat und daß ich die Biographien beider verfaßte.

Erst im Jahre 1939 kam ich wieder mit Kokoschka in Kontakt, als ich, damals in Stockholm lebend, erfuhr, daß der Künstler 1938 nach England emigriert war. Ich versuchte, zusammen mit Kokoschkas alten Freunden aus seiner Stockholmer Zeit 1917, vor allem dem Kunsthistoriker Professor Gregor Paulsson und Dr. Ragner Hoppe vom Stockholmer Kunstmuseum, eine Ausstellung in Göteborg zu organisieren. Denn die Verhältnisse, unter denen Kokoschka in den ersten Jahren seiner Emigration litt, ließen viel zu wünschen übrig – es war ein Notzustand, von dem die Briefe, die ich damals von ihm aus Polperro erhielt, vieles verrieten und vieles erraten ließen. Eine Ausstellung wäre sehr wünschenswert gewesen. Der Ausbruch des Krieges verhinderte jedoch das Versenden von Kunstwerken nach Schweden.

Erwähnenswert ist die Sorge des Künstlers um seinen Bruder in Wien, die in diesen Briefen zum Ausdruck kam. OK war immer mit seiner Familie eng verknüpft, er wollte sein Häuschen im Liebhartstal als »Archiv« erhalten und seinem Bruder dort die Stelle als Verwalter sichern – dazu erbat er sich die Hilfe der schwedischen Freunde. Er war auch um die Wohlfahrt seiner Schwester in Prag sehr besorgt. Sobald es seine Künstlerlaufbahn gestattete, unterstützte Kokoschka finanziell seine Eltern, er war der Verdiener und auch derjenige, der die Ehre der Familie aufrecht erhalten sollte – dazu hatte ihn seine Mutter bestimmt, deren Andenken er stets hoch und heilig hielt. Sie hatte ihn, sein Werk und seine Freiheit zu »retten« versucht, als sie ihn in eine rasende Leidenschaft verwickelt fand. Er hat diese Leidenschaft selbst unter großen Qualen überwunden. Sein Leben glich zuweilen einem Roman.

**

Im Februar 1944 wurde ich in einer diplomatischen Mission von Stockholm nach London geschickt, und die Aussicht, Kokoschka dort anzutreffen, war wie Balsam in dieser grausamen Kriegszeit. So stand ich denn endlich vor ihm selbst, den ich bewunderte, in seinem Atelierraum im Hause 99A Park Lane im Zentrum Londons, zur Zeit, als die letzten Angriffe der Luftwaffe auf diese Stadt erfolgten.

Kokoschka arbeitete damals an dem Porträt der Gräfin Kathleen Drogheda, für das er an die achtzig Sitzungen aufwandte. Ich war bei ihm, als die Alarmsirenen zu tönen begannen, sah ihn aufrecht und ruhig mitten im Raum stehen, mit den Augen fast horchend, um die Bombeneinschläge zu registrieren. Die Lippen zusammengepreßt, verblieb er regungslos, bis die »all clear«-Signale ertönten und der Alarm abgeblasen war. Der Hyde Park, der an die Park Lane grenzt, verschluckte damals Unmengen von Bomben, was den Schaden, den sie sonst der Stadt zugefügt hätten, verminderte. Wir traten in den feuchten Abend hinaus, gingen langsam den Park Lane entlang, bis wir zu Nummer 55 gelangten. Es war pechschwarze Nacht. Wir traten in das Haus ein, denn hier war Kokoschkas Wohnung – er war aus der seinen in Boundary Road ausgebombt worden –, fuhren im Lift sieben Stockwerke hoch, überquerten eine schmale Brücke, die zwei Häuser verband und sich im Dunkel wie ein freischwebendes Gerüst ausnahm. Auf der Brücke angelangt, pfiff Kokoschka mehrere Male ein kurzes Signal. So kündete er seiner Frau sein Kommen an. Wir fanden die Türe offen.

Kokoschka hatte seine Frau Olda 1934 in Prag im Kreise der Familie Palkowsky kennengelernt. Sie begleitete ihn vier Jahre später auf seiner Flucht nach England. In der wirtschaftlich sehr schwierigen Situation, die Kokoschka in England umgab, hielt sie standhaft zu ihm. In Cornwall, 1939, half sie den Lebensunterhalt zu bestreiten, indem sie gastronomische Spezialitäten ihrer Heimat herstellte und in lokalen Läden zum Verkauf brachte. Ihre Standhaftigkeit stützte ihn. Sie sprach ihm Mut zu, und wie er mir einmal später sagte, hätte er sich ohne sie umgebracht.

Frau Olda, eine hohe, knabenhafte Gestalt, begrüßte uns mit einer von überstandener Sorge fast lautlosen Stimme. Ein kleines Mahl war bald in der an den Wohnraum anschließenden Kitchenette hergerichtet. Es folgten Kaffee und Zigaretten. Kokoschka hatte seine Schuhe mit bequemen Sandalen vertauscht, was er stets tat, wenn er nach Hause kam. Frau Olda begann abzuräumen, Kokoschka folgte ihr in die Küche, um ihr beim Trocknen des Geschirrs zu helfen. Er drückte mir etwas zum Lesen in die Hand. Bald hörte ich Stimmen von nebenan, ein freundliches Gezänk, weil Frau Olda ihn aufforderte, nach seinem Gast zu sehen, aber Kokoschka lieber ihr helfen wollte. »Geh, Hold, laß mich das noch tun, du mußt auch müde sein.« Manchmal nahm er eine solche Gelegenheit wahr, um sich einem unerwünschten Besuch zu entziehen.

Als beide dann die Küche verließen, hörte ich OK zu seiner Frau sagen: »Es ist doch eine Überraschung, den schwarzen Adler nach so langer Zeit wiederzusehen, und so unerwartet!« Sie machte ihn darauf aufmerksam, daß er mich mit jemand anderem verwechselte, Adler müßte ja viel älter sein. Doch OK blieb dabei, es war, als wünschte er so recht, daß jemand aus seiner Wiener Jugend sich zu ihm gesellte, aus jener Zeit, da der »schwarze« Adler, ein Bankprokurist und Kunstliebhaber, zu dem inneren Kreis der Freunde gehörte, die Kokoschka damals umgaben: Peter Altenberg, Karl Kraus, Adolf Loos und andere mehr. Der »schwarze« Adler verbrachte die Kriegsjahre in Stockholm, wo ich mich mit ihm befreundete. Er erzählte mir vieles aus jenen frühen Jahren. Nach dem Krieg kehrte er nach Wien zurück, wurde aber bald danach schwer krank. Ich bat Kokoschka, ihm einen Brief zur Aufmunterung zu schreiben. OK verheimlichte ihm, daß er um seine Krankheit wußte; er schlug ihm vor, nach Meran zu reisen und dort eine Zeitlang mit ihm zu verbleiben. In einem von Adlers Briefen an mich hieß es dann, daß er wohl kaum nach Meran reisen werde, denn er hätte ein Rendezvous mit dem heiligen Petrus.

Wir saßen dann noch eine Weile, Kokoschka, Frau Olda und ich, und besprachen die Arbeit an der von mir geplanten Biographie. Dann verabschiedete ich mich. Kokoschka sagte noch vorsorglich: »Sollte nochmals ein Alarm kommen, dann suchen Sie einen Schutzraum auf, am besten die Untergrundbahn. Sie sind noch nicht daran gewöhnt.«

London wurde damals jede Nacht von der Luftwaffe angegriffen. Kokoschka folgte bald darauf einer Einladung von Freunden, nach Schottland zu gehen, und ich sehe ihn noch vor mir am Tage seiner Abreise. Eine englische Tweedkappe auf den Kopf gestülpt, mit weit aufgerissenem Blick, so stand er da, blaß, sein Gepäck erwartend. Mir fiel erst da auf, wie gespannt und ermüdet seine Gesichtszüge erschienen, die tiefen Schatten unter den Augen, äußerlich aber stets Ruhe bewahrend. Mir gelang es später ebenfalls, mich von London loszulösen, und zusammen mit einem jungen tschechischen Journalisten und seiner Frau, einem Enkel des berühmten Prager Bildhauers Stursa, bestieg ich den Nachtzug nach Schottland, wo wir tags darauf, über Edinburgh und Inverness kommend, in dem Fischerdorf Ullapool anlangten, wo Kokoschka bereits eingetroffen war. In den kurzen Wochen dort, als ich an der Biographie arbeitete, lernte ich den Künstler näher kennen. Er schrieb damals an seinem Comenius-Drama, das sich in den unruhigen Zeiten des Dreißigjährigen Krieges abspielt, in Amsterdam, was Kokoschka die Gelegenheit gab, diese Zeitperiode mit der Situation, in der wir damals lebten, in Beziehung zu bringen und den alten Rembrandt in seinem Atelier, mitten in dem grausamen Getümmel antijüdischer Ausschreitungen, zu schildern – auch das kleine jüdische Mädchen in Weiß, das sich in Rembrandts Atelier gerettet hatte, um dem sicheren Tod zu entgehen, in sein unvollendetes Bild hineinzukomponieren, wie wir es auf der monumentalen »Nachtwache« im Amsterdamer Museum sehen können, was uns Kokoschkas persönliche Interpretation dieser zauberhaften Gestalt bietet. (s. Abb. 69) Oft blieb Kokoschka bis tief in die Nacht hinein auf, er las und schrieb, und ich sah das Licht in seinem Fenster im ersten Stockwerk in die Dunkelheit strahlen. Nach der Abendmahlzeit in dem Hotel, in dem wir untergekommen waren, gingen wir noch längs der Dorfstraße spazieren, bis wir in die Nähe einer Insel gelangten, die mitten im dortigen See lag, einem »Loch«, wie es auf schottisch heißt, und wo Kraniche sich in den Bäumen zur Ruhe begeben hatten. Sie zeichneten sich schwarz gegen den helleren Himmel ab. Auf diesen Wanderungen weilten Kokoschkas Gedanken stets unruhig und besorgt bei den Begebenheiten auf dem Kontinent, wo der Krieg raste, wo unersetzbare Kulturwerte der Vernichtung anheimfielen und wo er um seine Familie und seine Freunde bangte. Er verfolgte ängstlich die Tagesnachrichten und verarbeitete sie auch kreativ, indem er sie oft wortgetreu in sein Comenius-Drama einbaute.

Dort in Ullapool, weit von London und dem Krieg entfernt, klammerte er sich in der friedlichen Landschaft an die Naturerlebnisse, die ihm diese Umgebung bot. Er machte Aquarelle und Zeichnungen von Schafen und Ziegen und Felsen, mit kleinen Bächen, die über Steine dahinflossen, weidenden Kühen . . .
Ein halbwildes scheues Pferd hatte es ihm ebenfalls angetan. Er näherte sich vorsichtig Tag für Tag der Wiese, wo es graste, so daß sich das Tier an seine ruhige Gegenwart gewöhnte. Auf dem Wege dahin blieb er oft bei einer alten Frau stehen, die vor ihrem Häuschen saß und nur gälisch sprach, aber den stets höflich grüßenden Fremden gerne sah. Auch ruderten wir manchmal in einem kleinen Boot auf den See hinaus, auf beiden Seiten von Delphinen begleitet, die sich mit ihren glänzenden Leibern flink im Wasser wälzten. Einmal schwamm der aufgedunsene Körper eines toten Schafes vorbei. Wir wollten verhindern, daß Kokoschka es erblickte, aber er bat darum: »Laßt es mich sehen, ich mag so was Grausliches gern.« Einmal fuhr ein Mann mit einem Leiterwagen, der von einem Pferd gezogen wurde, langsam daher. Kokoschka sah ihm nach und sagte: »Der hat noch einen schönen Beruf.« Dann aber fesselten ihn wiederum die tragischen Begebenheiten seiner Zeit, mit denen er sich in seinen politischen Bildern und den damaligen Schriften auseinandersetzte, wobei er vor allem seine geistige Klarheit, Freiheit und Unbeirrbarkeit bewies, indem er politisch nicht Schwarz gegen Weiß setzte, wie die meisten, sondern allen am Krieg Beteiligten die Schuld an den politischen Extremen gab und sich nichts vormachen ließ. Das Gemälde »What we are fighting for« (»Wofür wir kämpfen«) beweist das offen und unerschrocken.

***

Eine der wichtigsten Aussagen über Charakter und Wesen seiner eigenen Zeit machte Kokoschka eines Tages im Herbst des Jahres 1965, als ich mit einem Freund und Bewunderer des Künstlers, dem früheren albanischen Diplomaten Chatin Sarachi, der sich unter Kokoschkas Anweisungen auch in der Kunst des Malens und Zeichnens versuchte, das Haus in Villeneuve besuchte. Ein Wort gab das andere, und langsam und dramatisch baute sich diese Aussage wie ein monumentales Bekenntnis auf – nur schienen die Anwesenden nicht ganz erfaßt zu haben, worum es ging. Es handelte sich um Aussagen über das alte Griechentum, die in das Vorwort einer endgültigen Biographie von Maulbertsch eingeflochten waren – das Buch einer ungarischen Kunsthistorikerin, das zu finanzieren Kokoschka mitgeholfen hatte.
Sarachi, früher Generalkonsul in Wien und später Chargé d'affaires in London, ein Freund von König Zogu, war ein hinreißender Geschichtenerzähler, voller Humor und Beobachtungsreichtum und einem seltenen savoir vivre. Ko-

koschka hat ihn auch so porträtiert, als orientalischen Phantasiemenschen, und er hörte ihm gerne zu. Für mich wurde das gefährlich, denn ich mußte den Redefluß des Freundes unterbrechen, um eine meiner weiteren Fragen einzuschieben, denn ich fühlte, daß ich auf der Spur eines wesentlichen Bekenntnisses war, sowohl über das antike Griechenland und seine Ideale als auch über die beklagenswerte Tatsache unserer Kulturkrise.

Oft stieß ich Sarachi unter dem Tisch mit dem Fuß, um ihn zum Schweigen zu bringen, und endlich gelang es mir zu erfahren, was ich in dem Kapitel »Die Dorische Leistung« meines Buches »Kokoschka und Hellas« zu Papier gebracht habe.

Heute ist mir der Wert des von mir Niedergeschriebenen ganz klar bewußt, denn ohne das wäre diese Aussage nicht existent. In dieser Aussage gelang es Kokoschka, die dramatischen Ereignisse, das ökonomisch-politische Chaos nach der Zerstörung von Athen, mit dem formschaffenden Genius des griechischen Volkes in der Antike in Verbindung zu bringen, und so sagte er damals auch über die Rolle des Künstlers in seiner Zeit aus, daß kein Künstler sich zu einer falschen Aussage zwingen lassen dürfe. Nach der Zerstörung Athens durch die Perser seien bis zur Erbauung der Akropolis nur fünfunddreißig Jahre vergangen. Dann war es Schluß; Perikles, das war schon das Ende. Dann kamen die Peloponnesischen Kriege. Die ganze Renaissance, bemerkte Kokoschka, habe auch nicht länger als vierzig Jahre gedauert, und dann war wieder dreihundert Jahre Finsternis. Das sei Europa: immer wenn der Fisch Flügel bekäme, müsse er wieder schwimmen. Darum sei die europäische Geschichte tragisch. Als er auf Herodot zu sprechen kam, der in seinen Geschichten aufzeichnete, was der Mensch damals im Leben tat und wie er dazu stand, hat er damit den Menschen entdeckt. Die Amerikaner, die Afrikaner haben keine Geschichte. Und deshalb auch hat der Europäer das Recht gehabt, die Welt zu entdecken und zu erobern. Die Welt war ja so ein Morast, von einem solchen geistigen Dreck, vom sinnlosen Fressen, Vergewaltigen und Morden erfüllt! Heute geht es wieder darum, den Menschen zu entdecken, das sei die Aufgabe des Künstlers. Wenn man eine Form geschaffen hat, kann man die nach dreitausend Jahren noch verstehen. Ideologien überleben nicht, und der Rest ist Krapüle. Das soll vergehen, und es wird auch vergehen. Was sichtbar wird, ist die Totenhand. Geist aber ist Leben – so die Griechen! Die Olympischen Spiele, die Fackel, die man dem anderen übergibt, rennen, bis das Herz zerspringt, das war griechisch. »Ich bin kein Denker«, sagte Kokoschka, »ich denk' nicht nach, ich krieg' es von einer inneren Kraft. Erfahren ist Erleben. Und das Leben ist nur in einem europäischen Sinne wert, gelebt zu werden. Alles andere ist Nirwana, Aufgeben, man wird Ameise, Mollusk . . .« Und plötzlich schrie Kokoschka geradezu

auf: »Ich will überhaupt nicht weiterleben. Aber die Flamme muß weiterleben!«
Und nach einer Weile: »Die Atombombe ist wie das Zündholz. Die Steinzeit
war so viel intelligenter und weiser als unsere Gegenwart. Sie hat das Feuer er-
funden. Glaubst du, daß sie sich deshalb gegenseitig umgebracht haben? Auch
das zeigt wieder den Tiefstand von heute. Das alles ist wie ein Witz, man kann
sich zu Tode lachen. Chruschtschow, der Angst hat um seinen Kreml, daß er
nicht neben Lenin wird liegen dürfen und deshalb die Keule schwingt! Ein Grie-
che wäre davongelaufen, erschreckt von einem solchen Tiefstand. Wenn Xeno-
phon das lesen müßte, was Kennedy und Chruschtschow zwei Stunden lang
miteinander sprachen! Das gab es noch nie, selbst nicht im tiefsten Mittelalter,
denn die hatten noch griechisch gelesen – bald wird Griechisch nicht einmal in
Oxford und Cambridge mehr studiert werden, Russisch ja, Chinesisch. Das Geheimnis ist, daß sie Angst vor dem Leben haben und blöde sein wollen und fett
und dick und satt und nichts riskieren.«

***

In London war Kokoschka von einem engen Kreis von Menschen umgeben, die
um seine Bedeutung wußten und sich für seine Kunst einsetzten. Hans Maria
Wingler umriß die damalige Situation mit den Worten: »Nahezu mittellos und
unbekannt muß Kokoschka von vorne beginnen, eine Existenz aufzubauen!«
Unbekannt? Gewiß! Kokoschka hatte im Juni 1928 eine Ausstellung in den Lei-
cester Galleries in London, in der vierunddreißig Gemälde gezeigt wurden. Es
waren alles heute durchwegs berühmte Arbeiten, viele von Museen erworben,
die Blüte von Kokoschkas reifem Werk. Die damaligen Preise bewegten sich
zwischen 1000 und 1200 Pfund pro Bild – heute stellen sie einen Millionenwert
dar. Kein einziges Bild wurde damals angekauft. Also unbekannt in England,
trotzdem er in Zentraleuropa berühmt war. Sarachi, der eine Zeitlang in Wien
studiert hatte, wußte ihn zu schätzen und mobilisierte seine Freunde, vor allem
die Gräfin Kathleen Drogheda, Earl und Lady Strafford und andere. Da waren
auch Sir Edward Bedington-Behrens, der damals mit einer russischen Prinzessin
verheiratet war, und einige wenige mehr. Dieser enge Kreis von Menschen be-
wirkte, daß der Meister leben und arbeiten konnte, und die Bilder, die sie damals
von ihm erwarben, geben ihnen einen Ehrenplatz in der Lebensgeschichte des
Künstlers. Sir Edward hatte OK das Atelier und die Wohnung auf dem Park
Lane zur Verfügung gestellt. Kokoschka stellte nicht aus. Die Preise, die man
ihm damals vorschlug, hätten seine Stellung vor 1934 untergraben. So wartete er
geduldig, bis die Zeiten es ihm ermöglichen würden, dort anzuknüpfen, wo er
im Vorkriegseuropa gestanden hatte.

***

Als der Direktor der National Gallery, Sir Kenneth Clark, eine wichtige Stellung beim Arts Council of Great Britain innehatte, meldete ich mich einmal bei ihm, um dafür zu plädieren, daß Kokoschka die Königin porträtieren dürfe. Ich hatte noch nicht zu sprechen aufgehört, als die Antwort schon sehr entschieden »nein« lautete. Das war also von vornherein ausgeschlossen. Aber mediokre Porträts der Königin wurden regelmäßig von englischen Akademikern in den Sommerausstellungen der Royal Academy vorgeführt.

Ganz anders stellte sich der Sammler und in London lebende österreichische Graf Antoine von Seilern zu der Frage Kokoschka. Er hatte den Künstler beauftragt, ein großes Deckengemälde für ihn zu malen, und so entstand 1950 zwischen Januar und Ende Juli das Triptychon »Die Prometheus-Saga« auf drei zusammen über acht Meter breiten Leinwänden (s. Abb. 109–111). Kokoschka malte sie in Tempera in der Londoner Residenz des Grafen, die in der Exhibition Road, nicht weit vom Victoria and Albert Museum, lag. Es ist dies das Panorama der europäischen Kulturentwicklung, der Ideen, die unserer Kultur zugrunde liegen. In einem großen Raum des Seilernschen Hauses, so sehe ich noch heute Kokoschka vor mir, die Fenster weit geöffnet, draußen hohe sommerliche Bäume, warme Schatten und Vogelgezwitscher. Die Leinwände lagen schräg auf einem Gestell, etwa 45 Grad erhoben, so daß der Künstler die nötigen Verkürzungen der Perspektive direkt erzielen konnte. Das Gemälde war als Plafonddekoration gedacht. So war es auch eine Zeitlang, wurde aber später vertikal an den Seitenwänden befestigt. In kurzen Hemdärmeln arbeitete Kokoschka in stiller Konzentration. Er erlaubte nicht, daß man ihn dabei beobachtete. Wenn ich kam, sprach er des längeren über den Mythos Europas. Auf dem linken Feld des Triptychons ist das Reich des ewig Weiblichen, die Urgeschichte Europas, dargestellt, auf dem rechten das des spekulativen Geistes, des leidenden Prometheus. Die Mütter, das ist die Vision der europäischen Kultur, das Reich des Wachstums und des Sterbens, die befruchtende Nacht und das Wasser, der Urquell des organischen Werdens. Dann die Gefahren, die der Kultur drohen, versinnbildlicht in den Apokalyptischen Reitern, die von rechts, also von der Seite des gefesselten Prometheus, heranstürmen.

Das Reich der Mütter ist in Mondlicht getaucht. Es ist jene Seite des Daseins, in der Liebe, organisches Wachstum und Mysterium eingebettet sind, und deshalb auch der Schoß des Lebens und der Kultur. Demeter, Persephone und Hades sind hier abgebildet, der Mythos von dem Saatkorn, das vorerst in der Erde vergraben werden muß, um ins Licht keimen zu können, Leben aus Tod erzeugend; deshalb im griechischen Mythos die Entführung der Persephone, der jungfräulichen und schönen Tochter der Demeter durch Hades, den Gott der Unterwelt. Die blauen Farben dominieren hier, die Farben der Nacht, der Ferne und der Sehnsucht, während rechts, im Prometheusbild, das Gelb vorherrscht – dort, wo das Prinzip des Denkens und des Forschens den Prozeß des Keimens ersetzt, der Mann das Weib, wo der Wille den Lebenspuls verdrängt und der Tag die Nacht. Und so wie in dem uranfänglichen Hin und Wider von Ebbe und Flut spielt sich zwischen diesen beiden Polen die menschliche Existenz ab, in Freude und Leid, im Aufbauen und Niederreißen, dann wieder von den Vätern angezogen, hier verflucht und dort gesegnet.

Wer Kokoschka in jener Zeit gesehen hat, als er dieses mythologische Gedicht malte, wer die Leiden kannte, durch die er zu dem einmaligen Kunstinstrument geschmiedet wurde, das er war, wer der *katabasis eis entron,* seinem Abstieg in die Unterwelt, gefolgt ist, der ihm Urwissen erschlossen hat, der versteht auch, warum er sich selbst als Hades (Pluto) malte, der mit seinem mächtigen Arm die fliehende Persephone zu ergreifen sucht, während die andere Hand schwer auf dem Gorgonenhaupt ruht. »Ich gehöre zur Unterwelt«, sagte Kokoschka in dem vom dichten Laub verdunkelten Zimmer der Londoner Residenz des Grafen Seilern. »Ich gehöre zu den Müttern, und das« – auf das Bild weisend – »ist mein wirklicher Kopf.« Aus seinem Schoß stürzt die Todes-, Liebes- und Frühlingsgöttin Kore (Proserpina, Persephone) – in der indischen Mythologie ist es Kali –, den Bildraum gleichsam sprengend, auf den Zuschauer zu, ähnlich wie der in die Luft schnellende Knabe im Dresdner Bild »Die Macht der Musik«. Demeter (Ceres), die Mutter und Fruchtbarkeitsgöttin, ohne deren Zutun nichts reifen und gedeihen kann – deswegen ist sie auf Kokoschkas Gemälde zwischen Ober- und Unterwelt in einem mächtigen Bogen dargestellt –, ist auch in anderen Figurationen vorhanden. Das Motiv der Mütter setzt sich auf dem unteren Rand des Mittelfeldes fort. Alle weiblichen Gestalten dort, vor- und alttestamentliche Urmütter, spenden aus Schalen, schöpfen Wasser in Urnen, aus dem Meer. »Wasser erzeugt immer Leben. Der Schoß ist auch Wasser. Aus Geas Schoß, aus dem Erdschoß, kommt der erste Mensch, Adam. Er ist der Ur-Mann. Schwer wie ein Erdkloß und ungelenk ist er dahingestreckt. Er gehört noch mehr dem Lehm an als dem Geist. Über ihm finden die einzelnen Stadien des europäischen Mythos ihre Darstellung. Das Alte und das Neue Testament und das Pantheon; Kain und Abel, der blutige Übergang vom nomadischen zum seßhaften Leben; David singt zu seiner Harfe Gottespsalmen, in der Höhle liegt ein zerbrochenes Götzenbild. Das Goldene Kalb versinnbildlicht nicht den Mammon; es ist die Unzucht. Virgil, mit der Ziege (die Bucolica), sieht dem spielenden David zu; er selbst besingt die Wiederkehr, das kommende Reich. Oberhalb der Höhle sind die Propheten, Seher und Zeugen, die den Erlöser, den Heiland, den Salvator verkünden. Ganz oben das Kreuz.

»Die tiefste Weisheit der europäischen Kulturgeschichte, ihre innerste Seele, ist in dem griechischen Ausspruch enthalten, daß der Mensch das Maß aller Dinge sei. Auch das Kruzifix ist ein Mensch«, fügte Kokoschka hinzu.

Ein milder Spätsommernachmittag, vereinzelte Vogelstimmen klingen schüchtern aus dem dichten Zweigwerk der alten Bäume, sonst ist es sehr still. Kokoschka blickt lange aus dem Fenster. »Die Nemesis«, sagt er, »will immer das Leben unterbrechen; immer wieder werden ihr die Kinder gereicht, wird ihr die Jugend geopfert – sie überleben jedoch das Gewitter der Apokalypse wie durch ein Wunder. Eine neue Welt entsteht aus der Sintflut, Gea gibt immer wieder neues Leben.«

✳✳✳

Als Kokoschka die Kritiken las, die in den Londoner Zeitungen über seine retrospektive Ausstellung in der Londoner Marlborough Gallery, Old Bond Street, März/April 1966, erschienen, äußerte er sich zu mir in dem Sinne, daß er nunmehr auch die englischen Kritiker auf seiner Seite wüßte, »meine lieben englischen Kritiker«, so sagte er schmunzelnd. Unter seinen wirklichen Bewunderern in England war Lord Croft, dessen Porträt, und das seiner Schwester, der erste Auftrag war, den Kokoschka in der Emigration erhielt, dann der Kurator der Graphischen Sammlung des Britischen Museums, Edward Croft-Murray, der den Künstler mit einem Tusch von Fanfaren empfing, als dieser die große Ausstellung seiner Graphik im Museum betrat. Das war im Jahre 1967. »Pst«, zischelte Kokoschka mit dem Zeigefinger auf den Lippen, »pst – sonst wecken Sie mir alle die Mumien im Britischen Museum auf.«

✳✳✳

1954 verließ OK sein Exil in England und übersiedelte nach Villeneuve, nicht weit von Montreux, im Kanton Waadt in der Schweiz. Sein bescheidenes Haus erhielt den Namen Villa Delphin, weil sich die Figur eines Delphins als Wasserhahn am Waschbecken seines Ateliers befand. Das Haus liegt mitten in einem großen Gartengelände nicht weit von dem Ort Villeneuve auf der einen Seite und Montreux auf der anderen. Es liegt oberhalb des friedlichen Lac Leman, des Genfer Sees. Den Freunden in England fehlte von da an der geistige Kristallisationspunkt, der sie alle mit seelischen Energien jahrelang versehen hatte. Bald entdeckten sie, wie klug die Wahl Kokoschkas in bezug auf die Lage seiner Schweizer Residenz war. Das Haus bildete gleichsam das Zentrum eines Radius, in gleicher Entfernung von Deutschland, Österreich und Italien gelegen, ebenso von Frankreich, wo sich die Reisewege vieler kreuzten, die mit ihm in Kontakt verblieben.

Es ist die Gegend, in der Kokoschkas europäische Karriere seinerzeit begonnen hatte.

Im Winter 1908 hatte Adolf Loos einen entscheidenden Schritt in der Förderung seines jungen Günstlings getan. Er nahm ihn mit sich in die Schweiz. In Leysin sur les Avants, bei Montreux, in einem Sanatorium, lebte seit einiger Zeit seine kranke Frau Bessie. In Leysin gab es vornehme Kurgäste. Dort konnte sich Kokoschka einen Namen machen und seine Porträtkunst entwickeln. Kokoschkas Mutter sträubte sich zunächst gegen diese Reise. Sie war besorgt. »Der Bub« war nie im Ausland gewesen, in Wien hatte er wenigstens zu essen. Sie beschwor Loos, von dem Plan abzulassen. Wer wußte so gut wie sie, wie maßlos ihr so eigenartig begabter Sohn sein konnte, daß er als Knabe, von der Militärmusik verlockt, oft halbe Tage lang herumwanderte, hungerte und erst im Dunkeln nach Hause kam! Loos war jedoch gebieterisch; er kannte die Welt, und dann wollte er ja mitfahren. Von seiner Mutter erhielt der erwartungsvolle, aber auch verängstigte Jüngling ein Goldstück als eiserne Reserve, das er aber bei der ersten Gelegenheit verlor. Mit einem kleinen Koffer und einem Farbkasten machte er sich auf den Weg. Loos brachte Kokoschka im Sanatorium in Leysin unter, wo seine Frau zur Kur weilte. Er vereinbarte, daß der junge Künstler dort auf halber Pension verbleiben solle, was nur eine Hauptmahlzeit bedeutete. Es war für Loos, der wenige Aufträge als Architekt erhielt, ein kostspieliger Aufenthalt; auch hatte Kokoschka keinen Smoking, der abends getragen werden mußte. Die Rechnung sollte wöchentlich von Loos bezahlt werden. In dieser fremden, eleganten, vom Tod gezeichneten Umgebung ließ ihn der Gönner am nächsten Tag allein.

1910 schickte Adolf Loos Kokoschka wieder in die Schweiz. Diese zweite Reise wurde durch Vermittlung von Loos von Herrn von Ficker, dessen Porträt Kokoschka nach seiner Rückkehr malen sollte, mit 400 Franken finanziert. Diesmal ging es darum, Auguste Forel zu porträtieren. »Male diesen bedeutenden Forscher«, hatte Loos zu ihm gesagt, »und sein Bildnis wird der Menschheit erhalten bleiben, wenn er und auch du nicht mehr sein werden.« So fuhr Kokoschka ins Rhônetal. Forel lebte in einem kleinen Ort namens Aigle (s. Abb. 12).

Hier also, unweit der ihm aus seiner Jugend schon wohlvertrauten Orte, siedelte sich Kokoschka an, und hier verbrachte er die letzten dreißig Jahre seines Lebens. Hier auch empfing er die vielen Besucher, die in einem nie endenwollenden Strom zu ihm drängten, Freunde, Neugierige, Journalisten, Bewunderer. Er war unermüdlich in seinem Entgegenkommen, empfing oft mehrere während eines Tages, so daß selbst Frau Olda sich zurückziehen mußte, denn ihre Nerven konnten manchmal versagen. OK hingegen ertrug all das gleichmütig, und er sagte einmal zu mir, er hätte eine Viehnatur.

Nicht weit von Villeneuve, in Clarens, lebte Wilhelm Furtwängler, mit dem OK sehr befreundet war und der ihm den bedeutenden Auftrag anvertraut hatte, Kostüme und Dekor für Mozarts »Zauberflöte« bei den Salzburger Festspielen zu entwerfen. Das verband Kokoschka noch inniger mit dem von ihm verehrten Dirigenten.

In diesem Kanton Waadt entstanden auch die Porträts von Pablo Casals und Ezra Pound. Unter den vielen Besuchern waren Yehudi Menuhin, der mit seinem indischen Guru kam, und der Pianist Wilhelm Kempff. In Kokoschkas Leben spielte Musik eine bedeutende Rolle, schon von Wien her, und so sehen wir ihn auch, so oft sich die Gelegenheit bot, die Konzerte in dem nahe liegenden Vevey besuchen. Kokoschka empfing seine Gäste oft zum Nachmittagstee in dem Raum, der an sein Atelier grenzte. Dieses Atelier war relativ klein, aber hoch. Kokoschka brauchte nicht viel Raum, auch für große Kompositionen nicht, wie zum Beispiel »Thermopylae« oder »Amor und Psyche«, die hier entstanden waren. Er war kurzsichtig und brauchte nicht weit zurückzutreten, um seine Arbeit kritisch zu betrachten. Mir war natürlich sehr daran gelegen, ihn bei der Arbeit beobachten zu können, und zwei Gelegenheiten boten sich mir 1954, als er das Porträt meiner Frau Pamela malte, Kopf und Büste. Frau Olda begleitete seine Arbeit mit dem Lesen von Euripides' »Bacchae«. Ich mußte heimlich dafür sorgen, daß der Boden seines Glases stets mit etwas Whisky, dem Lieblingsgetränk, bedeckt war. »Ich brauch' die Peitsche«, sagte er einmal, »früher war es ja nicht nötig.« Bei der Stelle, als Euripides einen der Alten im Stück eine erotisch geladene Ansicht ausrufen läßt, lachte OK kurz und etwas heiser auf – »großartig, wunderbar – diese Vitalität und Lebensfreude, lies das noch einmal, Hold, das ist so erfrischend.« Dabei betrachtete er das Bildnis, an dem er arbeitete, aufmerksam, malte weiter, blickte wieder auf. Ich durfte nicht sehen, was er malte, die Leinwand war so gestellt, daß ich nicht darauf schauen konnte. Als mich Kokoschka 1959 zeichnete, hielt er das Reißbrett mit dem Papier so, daß er ganz nahe vor mir zu sitzen kam. Ich mußte unentwegt sprechen und bemühte mich, meine Themen so zu variieren, daß sich beim Erzählen meine Gesichtszüge stets veränderten, was Kokoschka zusagte. »Mach weiter!« Er verfertigte vier Zeichnungen von mir, und ich saß jeweils zwei bis zweieinhalb Stunden. Er radierte oft Stellen weg und arbeitete mit einem ganz kurzen Zeichenstift. Die erste Zeichnung stellte mich als jungen Mann dar, den er gleichsam auf dem Prager Graben vor sich sah, mit einem Ebenholzstock mit Silberknauf, voller Lebensüberschwang, so wie er es sehen wollte. Als er die zweite Zeichnung nach etwa eineinhalb Stunden vor meinen Augen zerriß, meinte er nur: »Das warst nicht du, das war dein Vater.« Auf der dritten Zeichnung, erklärte er, hätte ich schon meine ersten Schläge über den Kopf erhalten, sah deshalb etwas ermüdet, enttäuscht und erstaunt aus. Die letzte Zeichnung dauerte am längsten. Er beobachtete mich sehr scharf, sah oft auf, radierte viel, bis er zuletzt sein Gesicht wie im Schmerz verzog und einen tiefen Brustton erklingen ließ, wobei die Hand mit dem kurzen Stift sich in das Papier grub. »So, wenn diese Linie falsch wird, dann ist das Blatt verdorben.« Er schien jedoch zufrieden. »Pamela«, sagte er, »wird es nicht mögen, du versuche aber so auszusehen.« Das waren seine eigenen Worte, und dann schrieb er die Widmung hin, links unten auf das Blatt: »Dies ist mein letzter Freund, Pepi Hodin, genannt der Magister Artis aus meiner großen Wiener Zeit.«

Ich hatte viele Fragen an ihn, seine Person und auch Verhältnisse zu bestimmten Menschen betreffend, mir lag daran, diese Gelegenheit des Porträtsitzens gut zu nutzen – und was er sagte, füllte oft die Lücken, die mein Manuskript noch aufwies, klärte gewisse Situationen und Aussprüche.

Aus dem Mittelraum der Kokoschka-Residenz öffnet sich eine breite Tür zum Garten. Und dort, wenn das Wetter günstig war, wurde der Tee eingenommen. Ein sehr hoher Kirschbaum stand mitten auf der Wiese, gegen den See zu, und allerlei bunte Vögel kamen, flatterten um das Futter herum, das ihnen OK vorsorglich jeden Tag in einen Behälter füllte, der von einem der Äste herabhing. Einmal brachte ihm jemand eine Schildkröte, die er gerne beobachtete, zeichnete und über Nacht zwischen Brettern im Freien beließ, so daß sie sich nicht weit entfernen konnte. Schließlich beunruhigte ihn das Tier, es wollte sich freier bewegen, als er vorgesehen hatte. Und als er einmal lange nach ihm suchen mußte, gab er es auf und schenkte es weg. Gerne half OK seiner Frau bei der Gartenarbeit, und sie sah es als eine sehr erfreuliche Bewegungsübung an, die seiner Gesundheit guttat. Ein Hang im Garten, nahe am Hause, ist mit Rosensträuchern bestanden. Kokoschka hatte Rosen schon immer geliebt, bevorzugte Damenfreunde stets mit ihnen beschenkt, und als er eines Tages nach dem Ersten Weltkrieg erfuhr, daß die von ihm besonders geschätzte Maréchal-Niel-Rose nicht mehr erhältlich war, denn sie wäre keine kommerzielle Rose mehr, war er böse und bestürzt. Diese Rose hatte er mit Vorliebe einer schwedischen Freundin in Stockholm verehrt, zur Zeit des Ersten Weltkrieges. (Sie wurde später die Gemahlin von Göring.)

Im Garten stehend beobachtete er einmal den weißen Personendampfer, der stets zu einer bestimmten Zeit vorbeikam, und als er die Sirene tönen hörte, sagte er beschwichtigend: »Klage nicht.« Der Ton klang wirklich etwas wehmütig über dem glatten See. Das Schiff hat er dann auf einem seiner Bilder verewigt.

Wann immer ein Gast sich von ihm verabschiedete, begleitete ihn Kokoschka mit vollendeten eleganten Wiener Manieren stets bis zur Gartenpforte, blieb dann noch stehen und winkte, ehe er sich zurückwendete. Ich blickte ihm oft nach und ertappte mich bei dem Gedanken, daß es vielleicht das letztemal sein könnte. Und dann kam es einmal so.

Auf dem Heimweg fielen mir jedesmal bemerkenswerte Einzelheiten aus unseren Gesprächen ein – und ich blieb stehen und notierte sie mir. Uli Nimpsch, der deutsche Bildhauer und Freund Kokoschkas, in dessen Londoner Atelier er oft Akt zeichnete, war tief besorgt, als seine Frau, die Tochter eines deutschen Bankiers, eine Riesensumme als Wiedergutmachung angewiesen bekam. Kokoschka beruhigte ihn, er dürfe nicht an das Geld denken, einfach weiterarbeiten, als wäre nichts geschehen. »Geld ist wie ein Fahrrad, es hat seinen Nutzen, wenn man es braucht.«

Einmal hielt ihn ein Betrunkener an. OK blieb stehen, um ihm etwas zu geben. Sein Begleiter Sarachi bemerkte nur, ob er denn nicht sehe, daß der Mann ganz betrunken sei. »Er braucht es eben, laß sein, er will noch mehr haben.«

Im letzten Frühjahr, das Kokoschka in London verbrachte, ehe er in die Schweiz übersiedelte, traf ich ihn und Frau Olda einmal eingehakt in Hampstead spazieren gehend. Er freute sich an den zarten Blättchen, die alle Zweige bedeckten, und sagte: »Ich würde es rot malen, nicht grün – das ist wie eine Explosion!«

Einmal in seinem hohen Alter äußerte er kritisch, er hätte stets und viel gegeben, jetzt wolle er erhalten. Dem war auch so. Er hatte nur den Mund zum Reden aufzutun gebraucht, und schon fühlte man sich beschenkt mit den Gedanken, die er äußerte. Bei einem meiner frühen Besuche bei ihm zeigte ich Kokoschka das Photo von Edvard Munch auf dem Totenbett. Er betrachtete es lange. »Er war schön, und so schön, wie er war, hat er auch gemalt.« Und dann, nach einer Pause, »Munch war rein. An mir ist noch sehr viel Erde . . .«

Bei einem Nachmittagsbesuch des in England gut bekannten Wiener Schauspielers Anton Wohlbrück – es war während des Krieges – waren Nachrichten eingetroffen, daß Wien bombardiert worden war – »Komm morgen«, sagte OK, »dann wollen wir zusammen weinen.«

Einmal kam ein Knabe, um Abschied zu nehmen, denn er sollte mit seinen Eltern nach Amerika emigrieren. OK wollte ihm etwas auf den Weg mitgeben: »Dort drüben sind sie alle nur auf das Geld versessen, du aber bedenke, daß dir das Leben bloß einmal geschenkt sei, und daß es allzu kurz ist, halte deine Sinne offen, erfasse alles wie ein Wunder, sei romantisch.«

✳✳✳

Diese wenigen persönlichen Streiflichter können den Reichtum dieses großen Lebens nur andeutungsweise beleuchten. Sie sind als bescheidener Beitrag gedacht zum Andenken an Unwiederbringliches.

***

Kokoschka ist nicht mehr. Seine letzten Jahre waren wie das Abebben einer von Ideen und Inspiration erfüllten Existenz. Alle Aspekte des Lebens spiegelten sich in seinem Geist in einer neuartigen und atemraubenden Weise, so sehr verschieden von der der anderen. Es war ergreifend zu sehen, wie sein Leben langsam verlöschte, wie eine Flamme, die kleiner und kleiner wird, um dann schließlich nur noch zu glimmen und ein letztes Mal aufzuflackern. Friedlich erlosch es, das Öl war versiegt.

Wenn er, wie so oft, in Villeneuve spätnachmittags ruhig in seinem Zimmer saß, bedächtig nach dem Glase greifend, dessen Boden ein Fingerbreit mit dem köstlichen Getränk bedeckt war, das er so liebte, erschien er mir wie ein Bildnis aus Marmor gehauen, der Rücken kerzengerade, die schweren Hände, als gehörten sie einem Bildhauer, auf den Knien ruhend, der Kopf etwas zurückgeneigt, was typisch für ihn war.

Und eines Tages drehte er sich mir langsam zu und sagte mit einer etwas rauhen Stimme, jedes einzelne Wort betonend: »Ich bin am Sterben!« Das waren die letzten Worte, die er an mich richtete.

ANMERKUNG

1. S. J. P. Hodin, Oskar Kokoschka, Eine Psychographie. Wien 1971.

JAN M. TOMEŠ

Kokoschkas Verhalten zu seinen Zeitgenossen und dessen Widerspiegelung in seinen Porträts

In dem Essay, den Paul Valéry nach seiner Rückkehr aus Holland schrieb, finden wir eine besondere Stelle, in der der Dichter die Frage stellt, ob bekannt ist, unter welchen Umständen sich Frans Hals und René Descartes begegneten. Es scheint, sagt Paul Valéry, daß es über diese, so seltene Begegnung keine Dokumente gibt. Wir würden gerne wissen, wer den Maler zu dem Philosophen oder den Philosophen zu dem Maler geführt hat, wie oft und wie lange Descartes dem Künstler gesessen ist und ob er ein gutes Modell war, und auch worüber sich die beiden unterhielten. Man könnte kaum ein geeigneteres Vorzeichen, einen präziseren Eröffnungszug für die nachfolgenden Ausführungen finden, die auf wenigen Seiten versuchen wollen – wohl mit übermäßiger Kühnheit – zumindest einiges über die Beziehung Oskar Kokoschkas zu seinen Zeitgenossen, deren Bildnisse er der Zukunft hinterließ, anzudeuten.

Die Parallele zwischen Frans Hals und Oskar Kokoschka ist nicht ohne Bedeutung; ganz im Gegenteil. Mit dem Namen des großen Holländers vergegenwärtigen wir uns sofort die elf Gestalten auf den beiden Gruppenbildnissen der Regenten und Regentinnen des Siechenhauses von Haarlem (1664). Und mit ihnen die außerordentliche Stellung, die der berühmte Porträtmaler zu seiner Zeit einnahm. In der zweiten Hälfte des 17. Jahrhunderts war es eine extreme Position. Im gleichen Zusammenhang spricht Paul Valéry über die Bildnisse Rembrandts. Über diesen stellt er fest, daß unser Bewußtsein die im Bild ausdrucksvoll dargestellten Gegenstände, Angaben und Tatsachen in klarer Abgegrenztheit wahrnimmt und benennt, daß wir uns aber dennoch nicht dem Einfluß der gedämpften Einwirkung von Lichtflecken und Halbdunkel entziehen können. Diese Landschaft von Licht und Schatten hat dem Verstand nur wenig zu sagen; das Auge aber nimmt wahr, was der Geist nicht zu bestimmen und zu interpretieren vermag.

Valérys Erwägung bildet auch deshalb einen guten Hintergrund für unsere eigene, weil sie sich mit der hervorragenden historischen Porträtmalerei, mit der klassischen Einstellung zum Porträt auseinandersetzt. – Und Hals' Darstellung von Descartes ist ein ausgezeichnetes Bildnis. Ebenso ausgezeichnet wie Tizians Edelmann Castrecano, wie Tintorettos Jacopo Sansovino, wie der Großinquisitor von Domenikos Theotokopoulos oder Innozenz X. von Velasquez.

Wir aber wollen uns mit den Darstellungen von Menschen unseres Jahrhunderts befassen. Sie sind in einer Weise abgebildet, die sich – philosophisch gesehen – auf eine völlig andere Weltanschauung und die davon abgeleiteten künstlerischen Anschauungen stützt; und auch auf anders gehandhabte, vervielfältigte malerische Mittel. Wir sprechen von einer Zeit, in der sich der Künstler dem Menschen mit weitaus größerer Rücksichtslosigkeit, mit einer unerbittlichen Analyse zuwendet, denn seit Hals' Zeiten bis zum Anfang unseres Zeitalters hat die Malerei andere Positionen bezogen: gefährlichere.

Einer der ersten, der Prototyp eines Künstlers, der in dieser Weise an den Menschen herantrat, war Oskar Kokoschka.

Die Potenzierung des Bildnisses, seine Vervielfachung um eine neue, bisher unbekannte – und deshalb überraschende, aufreizende und aggressive Qualität, ist sein Werk. Carl Einstein, dessen negative Einstellung zum Schaffen Oskar Kokoschkas bekannt ist, bemerkte sogar sachlich: ». . . kaum ein Künstler dieser Generation hat gleich hartnäckig eines versucht: Menschen, die einsamen Individuen, zu malen.« Überdies verblüffte die schnell erzielte Sicherheit des Ausdrucks, die dem Künstler – trotz bestimmter, in der traditionellen Auffassung des Porträts E. Ebensteins zum Beispiel, leicht erkennbarer Residuen – fast sofort eigen war. Wir dürfen nicht vergessen, daß er zur Zeit, da er diesen hohen Ton ansetzte, erst zwanzig Jahre alt war.

Man kann heute gewiß nicht behaupten, Oskar Kokoschka sei in erster Linie ein Porträtmaler gewesen. Die Entwicklungsbreite und der Umfang seines bereits abgeschlossenen Werkes, seine reiche thematische und inhaltliche Gliederung überzeugen vom Gegenteil. Am Anfang seiner künstlerischen Laufbahn jedoch war er fast ausschließlich Porträtmaler. Es ist kennzeichnend, daß die ersten fünfzig Nummern seines Werkverzeichnisses fast zur Gänze Bildnisse sind; von den ersten hundert, in den Jahren 1907 bis 1917 entstandenen Gemälden analysieren mehr als achtzig die Physiognomie des Menschen. Wenn sich auch später dieses Verhältnis wesentlich veränderte, so blieb das Porträt auch weiterhin ein konstituierender Bestandteil seines Schaffens. Eine Reihe der Schlüsselgemälde in seiner späteren Entwicklung sind eben Porträts.

Wir haben bereits angedeutet, daß nicht in allen Bildnissen Merkmale extremer schöpferischer Anstrengungen zu finden sind. Es gibt unter ihnen auch Werke, die bei allen unbestreitbaren Werten nicht unbedingt die überkommenen Traditionen und die rahmenmäßige Entwicklung dieser schwierigen malerischen Art überschreiten.

Aber der Kern seiner Fähigkeiten zur Darstellung des menschlichen Antlitzes ist – nach Vincent van Gogh, Toulouse-Lautrec – *dessen Analyse der Wirklichkeit so messerscharf ist, daß sie direkt in den geistigen Bereich mündet* – nach

Edvard Munch – einer der Schlüssel zum Porträt des Menschen unseres Zeitalters.

Erst in unserem Jahrhundert kann das Bildnis – um es mit einer Metapher auszudrücken – über analytische Verfahren und Prozesse fast physikalischer oder chemischer Art verfügen, der Wirkung eines besonderen Scheidewassers ausgesetzt sein, welches das 19. Jahrhundert nicht kannte. Künstlerisch konnten sie mit bisweilen radikalen Verlagerungen der Morphologie ausgedrückt werden, und zwar in allen Komponenten: in Linie, Farbe, Raum, Licht. Im Grunde genommen also mit den Ausdrucksmitteln des Expressionismus. Das wenige, was dem vorangeht, wir erwähnten es bereits, sind beispielsweise die Selbstbildnisse Vincent van Goghs. Das war aber ein grausames, rücksichtsloses, vor allem an sich selbst angewandtes Experiment. Zu diesen morphologischen Verschiebungen gehört nicht allein die Wahl von Farbkontrasten und Disharmonien, sondern auch die malerische Handschrift: nervös, krampfhaft, zerfahren. Es geht darum . . . *durch Farbenwahl und Pinselführung zu signalisieren, welche Art Mensch es sei, dessen Bekanntschaft man in dem Porträt machen werde . . .*
All dies ist nichts anderes als eine Vergegenwärtigung altbekannter Wahrheiten. Diese werden erst durch die Feststellung vertieft, daß die Entwicklung der europäischen Malerei zu diesen Möglichkeiten gelangte, noch bevor die gesellschaftlichen Voraussetzungen herangereift waren. Auch hier war die Kunst ein Signal, eine Prognose, eine Art Prophezeiung. Objektiv waren die erwähnten gesellschaftlichen Voraussetzungen schon herangereift, die Gesellschaft wehrte sich jedoch noch dagegen. Sie wollte das Bewußtsein über die eigene Lage nicht aufkommen lassen. Das hat Theodor Adorno erkannt und glänzend ausgedrückt, als er in sehr ähnlichen Zusammenhängen über das Entstehen der neuen Musik sprach. (Und die neue Musik, das sind Namen wie Arnold Schönberg, Anton von Webern, Egon Wellesz – Musiker, die – mit Ausnahme von Alban Berg – von Kokoschka porträtiert worden sind.)
Die Parallele zwischen der Ausdrucksweise in der bildenden Kunst und der Musik, die wir hier ziehen, ist organisch und legitim. Nicht wegen dem, was Oskar Kokoschka in seiner Biographie über die Beziehung zur Musik und den Musikern schreibt, sondern deshalb, weil Theodor Adorno über eine Kunst spricht, die eigentlich in der gleichen Zeitperiode, in der gleichen historischen Situation und überdies am gleichen Ort – in Wien – entstand. Er sagt ». . . während dem Publikum die äußere Form der neuen Musik überraschend klang, seien ihre auffallendsten Phänomene eben von jenen gesellschaftlichen und anthropologischen Voraussetzungen ausgegangen, die den Zuhörern eigen sind. Die Disharmonien, die sie entsetzen, sprechen über ihren eigenen Zustand. Und allein deshalb sind sie ihnen unerträglich.«

Das betrifft allerdings ein philosophisch und kulturell unvorbereitetes Publikum. Schöpferisch veranlagte Menschen, deren künstlerische Arbeit von ähnlichen Voraussetzungen ausging, fürchteten sich naturgemäß nicht: Oskar Kokoschka wußte sehr bald ihre Sprache zu sprechen. Das gegenseitige Vertrauensverhältnis zwischen den Porträtierten und dem Porträtisten macht aus ihren Bildnissen jene unwiederholbare Zwiesprache. Die bittere Zwiesprache der Elite, die voranschreitet und weiß, was die anderen nicht wissen – oder nicht wissen wollen. Oskar Kokoschka weicht diesem Dialog nicht nur nicht aus, sondern baut seine Konzeption im Gegenteil häufig darauf auf. Selbst eine Persönlichkeit, weiß er die Individualität der anderen zu achten und zu schätzen. Er sucht und braucht sie. Aber unter Vorbehalt seines Rechts auf ein eigenes Urteil. Es handelt sich um Gesellschaftskritik von der Art eines Karl Kraus und Adolf Loos, was eigentlich selbstverständlich ist, denn weit mehr als ein Schüler von Professoren und akademischen Berühmtheiten war er eben *ihr* Schüler. Das bestätigt die Auffassung, Formenlehre und Inhalte seiner Frühbildnisse seien sowohl für Karl Kraus, den Verfasser der »Demolierten Literatur«, und für Adolf Loos, den Autor von »Ins Leere gesprochen«, als auch für Anton von Webern, den Komponisten von »Fünf Stücken für Orchester« (opus 10, 1913) oder für Georg Trakl, den Dichter des »Herbstes des Einsamen« und des »Siebengesanges des Todes« völlig naturgemäß.

Und wenn wir feststellen, daß Kokoschkas Frühschaffen in Beziehung zu Klimts Werk, das er bewunderte, bald den gegenüberliegenden Pol erreicht, so sagen wir damit nicht viel. Wir betreten nämlich eine allzu – und anders – komplizierte Innenwelt, als daß wir von dort aus eine eindeutige und zufriedenstellende Antwort an den Tag bringen könnten. Man hat bereits eine Reihe von Lösungen, Erklärungen gefunden – und sie sind nicht gleichwertig, äquivalent. Sie multiplizieren sich vielmehr. Dennoch scheinen sie resultierende Feststellungen eines langwährenden Erkenntnisprozesses theoretischer Überlegungen – und Intuition – zu sein. Wir finden drei Schichten von nicht gleichmäßiger Tiefe vor, welche die drei nachfolgenden Propositionen anbieten:

Schon durch die erste wurde Kokoschkas Sehvermögen eine ganz ungewöhnlich durchdringende Wahrnehmungsfähigkeit zuerkannt. Häufiger wurde – schon von Anton Faistauer und Paul Westheim – die Metapher über Röntgenstrahlen, die die Materie durchdringen, wiederholt. Zunächst schien es also, als stünde in den mit unbarmherzigen Röntgenstrahlen geglühten Porträtwerken ein Maler von seismographischer Sensibilität vor seinen Modellen, der diese Gabe – übrigens ein Danaergeschenk – dazu nutzte, um aus ihrem Innern sozusagen die Physiognomie der Seele hervorzubringen. Und daß er dies in einer manchmal außerordentlich rauhen Weise tat, buchstäblich die Haut vom Gesicht reißend, das ein weiteres, zwar ähnliches, aber lediglich immanent ähnliches und, was wesentlicher ist, ein wahrheitsgetreueres Antlitz verbarg. Eben in diesem Zusammenhang wurde der charakteristische Ausdruck über das Porträtieren mit einem Skalpell geprägt. Ein andermal mag es wohl eine künstlerische Diagnose dessen gewesen sein, wofür Sigmund Freud die medizinische, psychiatrische Diagnose fand. »Eine klinische Atmosphäre umgab sie . . .«, sagte Julius Maier-Graefe.

Nicht alle gaben sich mit einer solchen Erklärung zufrieden. Sie schien ihnen sogar allzu einfach. Es wurde festgestellt, daß es diesem Maler weder um eine psychologische noch um eine psychoanalytische Analyse ging, und noch weniger um die äußere Ähnlichkeit. Von hier setzte sich – wir würden fast sagen – der Verdacht in Bewegung, daß Kokoschkas Bildnisse eine besondere Art von Selbstdarstellung seien. Und von hier war es nicht mehr weit zu einer anderen Erklärung, die behauptet, daß ein jedes der Frühporträts von seiner Hand eigentlich ein Selbstbildnis ist.

Kein Dialog also, sondern eine Projektion des eigenen Geisteszustands in das porträtierte Gesicht. (Wenn Amiel über die Landschaft als Geisteszustand sprach, so geht es hier also um das Antlitz unseres Nächsten als Geisteszustand des Malers.) Alle Entstellungen wären hier dann also nicht durch die Optik eines ungewöhnlich ausgebildeten oder von irgendeiner Anomalie betroffenen Sehvermögens gegeben, nicht dadurch, was der Künstler aus den Tiefen der Psyche des Modells ausschöpfte, sondern durch die virulente Optik der psychischen Zustände des Malers. Auch so wäre das Porträt allerdings das Ergebnis eines, wenn auch virtuellen Dialogs, es wäre aus einer Beziehung zwischen Maler und Modell geboren, wenngleich aus einer hinter mehreren, sei es durchsichtigen oder undurchdringlichen Plänen geistiger Prozesse verborgenen Beziehung. (Eine wichtige Frage ist, ob eine derartig aufgefaßte These gleichermaßen für den Autor der zahlreichen, nicht etwa selbstgefälligen, sondern unbarmherzigen Autoporträts gilt. Diese nehmen im Werk Oskar Kokoschkas einen so bedeutenden Platz ein, daß sie eine ausführliche Sonderstudie erfordern würden.) Aber auch den Analytikern, welche Oskar Kokoschka als einen allzu durchgreifenden Analytiker erfaßten, reichte eine solche Erklärung nicht. Der geistige Prozeß des Künstlers wurde sogar aus dem Bereich des Bewußten verwiesen, sei es auch ein unter vielen psychischen Schichten verborgenes Bewußtsein, und sein Schaffen wurde als *Traum und Vision* bezeichnet. Visionen und Halluzinationen, also ein Bereich besonderer Automatismen, werden hier als jene Räume betrachtet, aus denen die von ihm gemalten Bildnisse auftauchen. Das Visionäre, meistens als die Sicherheit eines Mondsüchtigen charakterisiert, wird sogar – rückwirkend – objektiviert, und zwar dort, wo Oskar Kokoschka eine Hellsichtigkeit von solcher Art unterstellt wird, daß er Jahre im voraus das Aussehen zu erblicken oder zu erahnen vermochte, das seine Modelle infolge ihres Lebens und Schicksals, häufig eines tragischen, erst nach und nach annehmen würden. Das, was wir von dem Leben etlicher Persönlichkeiten wissen, denen die von Kokoschka *abgenommenen* Gesichter gehörten, scheint allerdings ihre beunruhigenden Gesichtszüge anzudeuten, um nicht zu erklären und zu bestätigen. Erinnern wir uns einiger Namen. Sie sprechen für sich: Rudolf Blümner – Albert Ehrenstein – Walter Hasenclever – Herwarth Walden – Georg Trakl – Anton von Webern – Käthe Richter – Kamilla Swoboda – Maria Orska . . . Welch eine tragische Generation! Oskar Kokoschka war ihr Chronist, sogar auch in dem Sinn, daß er neben den gemalten auch eine Reihe von geschriebenen Porträts hinterließ, die einen spezifischen Vergleich ermöglichen.

Bewegen wir uns hier an den Grenzen der Legende und auf der Messerschneide der Autostilisierung? Der Künstler selbst hat durch seine Texte dazu beigetragen (»Von der Natur der Gesichte«, »Mein Leben«) – vielleicht. Vor allem bewegen wir uns hier aber an der äußersten Grenze dessen, was in der gegebenen historischen Periode 1907 bis 1911/1914 in der Porträtmalerei überhaupt möglich war und was erst viel später zu dem Preis der einmal selbstquälerischen, ein andermal wiederum sadistischen Zerfleischung der physischen und physiognomischen Konsistenz überschritten werden konnte. Zum Beispiel von Chaim Soutine in den dreißiger Jahren und Francis Bacon heute.

Für einen Künstler, dessen Sensibilität ihn zu derartigen Ahnungen vorbestimmte, bedeutete all dies äußerste Anspannung, einen schwerwiegenden inneren Druck. Die künstlerischen Wahrheiten, oft messerscharf, *die Emanzipation der Dissonanz,* die Befreiung der Mißklänge, das ist nicht allein ein Grenzpunkt, zu dem gesetzmäßig die formalen Vorstöße der Musik im 19. und 20. Jahrhundert gelangten; das ist eine Weltanschauung, eine innere Überzeugung. Es ist auch ein Urteil. Und Schicksal. Auch in Kokoschkas Schaffen ist diese in die Welt bildlicher Wiedergabe verlagerte Emanzipation der Dissonanz vorhanden.

Das waren die Wesenszüge seines frühen Porträtschaffens. Es ist daher kaum verwunderlich, daß die Aufmerksamkeit der Analysen, die, je tiefschürfender sie waren, desto beschwerlicher nach dem in sich versinkenden, verschwindenden Grund menschlicher Psyche suchten, vor allem, ja ausschließlich eben seinen Frühporträts galt. Und dennoch stand der Maler vor manchen seiner Modelle in Augenblicken innerer Harmonie, sogar in seltenen, flüchtigen Momenten der Bezauberung. Dann vergaß er seine grausame Hellsichtigkeit und auch das, daß *. . . was er will, ja nicht schöne Malerei, sondern der elementare Ausdruck ist . . .* Schon in seinem Frühschaffen gibt es Bildnisse, die Ruhe, ja sogar

257

104. OK, Bessie Loos, 1909/10

Anmut ausstrahlen und das wie eine Versuchung entfernte Echo des Verses *süß ist das Leben*. Das vor Jahren wiederentdeckte herrliche Bildnis der Bessie Loos (*Abb. 104*) lädt uns nicht allein in die Welt schroffer Angst, bohrender Unruhe auf dem Grund eines bedrohten Wesens. Es ist das Porträt einer zwar sehr zerbrechlichen, aber nicht geringen Anmut. Und so eine Anmut an sich ist Brüchigkeit, nebelumwobener Traum von Gefühl und Intellekt – das ist das Porträt der Lotte Franzos. Das mag verwunderlich sein, denn die malerischen Mittel, mit denen es ausgeführt wurde, sind eigentlich die gleichen, mit denen der Künstler die bebenden Lichter im Gesicht Professor August Forels schuf oder die für immer das leicht geneigte Haupt der Frau de Rohan-Montesquieu fixierten. Der halb hieratische Umriß der abgemagerten Gestalt der schwerkranken Fürstin ist ein Gegenpol der wonnevoll atmenden Haut der Schultern und der lebhaften, abgerundeten Bewegung, die das Sujet des Bildnisses von Helene Kann bilden. Etwas lind Liebliches, zusammen mit der Farbskala, erinnert hier nur allzusehr an die Welt anziehender und vielversprechender Reize. Außerdem ist Helene

258

Kann – neben den individuellen Zügen – ein Frauentyp, ein Symbol ihrer Zeit, ihres Milieus, ihrer Gesellschaft. Ein solches Symbol wird mit einer Anzahl ihrer Wesenszüge noch Mitte der zwanziger Jahre die Physiognomie der der angelsächsischen Welt angehörenden Nancy Cunnard darstellen. Das ist allerdings schon eine Zeit, in der *das psychologische und seelisch Verquälte* aus Kokoschkas Werk *verschwindet*. Das durchdringendste Beispiel dieses verkörperten Liebreizes ist allerdings – im Rahmen eines weit hinter die Grenzen des Porträts, in die virtuellen Räume der Allegorie zielenden Bildes – die schicksalhafte schlafende Schönheit der Wagnerschen Heldin: der »Windsbraut« (*s. Abb. 9*). Neben den Selbstbildnissen, die nicht Gegenstand dieser allgemein gehaltenen Erwägung sind, sowie Doppelporträts und einigen Gruppenbildnissen, die eine Besonderheit von Kokoschkas Schaffen darstellen und eine eigene, und nicht immer leicht zu lösende Problematik der oft durchaus komplizierten Wechselbeziehungen mit sich bringen, entstanden in mehreren Zeitebenen (von der Frühperiode bis zu den dreißiger Jahren) einige Bildnisse allegorischer Orientierung und allegorischen Gehalts.

So ist die »Veronika« in der Budapester Galerie, mit dem Thema einer der Passionsstationen Jesu, in der symbolischen Überbetonung des reizlosen, jedoch durch das in ihren Zügen eingeprägte Leid schöngewordenen Gesichts im Grunde genommen ein Bildnis. Ihr ganzes Wesen, der Ausdruck der zusammengepreßten Lippen, der müde und erloschene Blick sind von der inneren Größe des menschlichen Wesens durchdrungen – aber sie sickert hindurch wie Blut. Das Gegenüber ist ein Schweißtuch mit dem Abdruck des gepeitschten Antlitzes, und dieses Tuch halten die edelsten Hände, die Oskar Kokoschka je gemalt hat. – Aber die Hände auf seinen Bildnissen, das ist ein eigenes Kapitel. Auch das ist ein Thema für eine selbständige Studie (*Abb. 105*).

In den Jahren 1907–1914 war Kokoschkas Porträtkunst, ebenso wie später in Dresden, und bis in sein Alter, in seine Spätperiode, von der Fähigkeit getragen, aus dem Gesicht des Menschen zu lesen; diese Fähigkeit potenzierte sich durch seine oft in Verwundbarkeit gesteigerte Empfindsamkeit. Aber auch von einer selten so intensiv vorkommenden Fähigkeit zur Freundschaft.

Nur deshalb konnte er sehen, wie Dichter sehen – und er selbst war ein Dichter – *mit Alaunstein, Salz und Wermut sowie bittersüßen Weisen gezeichnete Gesichter . . .*

Der Künstler, der so oft und so dringlich intim vertraute Gesichtszüge befragte, ist in den Jahren seines Spätstils häufig unter völlig anderen Umständen an seine Modelle herangetreten. Als er sich mit seiner Malerei ihrer Innenwelt bemächtigte, lernte er neue, unbekannte Physiognomien kennen. Das Affetuoso des Bildnisses der englischen Aristokratin Countess of Drogheda, das Grave, durch

105. OK, Veronika mit dem Schweißtuch, 1909

das die Züge und die gesamte Körperhaltung des Schweizer Geschäftsmagnaten und großen Sammlers Werner Reinhart, des Gastgebers Rainer Maria Rilkes, und eine Reihe weiterer Bildnisse aus den sechziger und siebziger Jahren gekennzeichnet sind, erschließen uns eine ganz andere Welt als die der Musik, Literatur, des Theaters und der Architektur.

Die Gruppe von Menschen, die Träger der Wiener, der österreichischen und damit mitteleuropäischen Kultur oder typische Repräsentanten einer Welt waren, die durch den Ersten Weltkrieg vernichtet wurde, gehörten damals schon der Geschichte an – und ihr Äußeres der Kunstgeschichte. Ihre Porträts bedeuten für Oskar Kokoschka wahrhaftig etwas wie die Kehrseite seines eigenen Lebens. Ebenso auch jene besondere Gruppe von weiblichen Physiognomien, die er vor und während seiner Dresdner Periode zeichnete und lithographierte, und darunter vor allem das unvergeßliche Antlitz der Ruth Landshof. Das sind mit unwidersprüchlicher Dringlichkeit individualisierte Gestalten, die offensichtlich überall tief unter die Oberfläche gingen.

Das alles – besonders das von Max Dvořák mit solcher Sicherheit analysierte »Konzert« – sind Mitteilungen über Persönlichkeiten und Menschenwesen, die ihm selbst sowie für seine geistige Zielrichtung und Formung so viel bedeuteten. Schon Anton Faistauer bemerkte einst: »die Menschen, die er fand, waren immer die für ihn wichtigsten . . .«

Als der Künstler, und mit ihm sein Werk und die Art seiner Sicht, nach dem Zweiten Weltkrieg von der Gesellschaft akzeptiert wurde, als man ihn begriff oder wenigstens bewunderte, in der Zeit seines Spätstils, ging es um eine ganz andere Ausschließlichkeit: Repräsentanten hoher Staatsämter, der Industrie, Sammler, Damen der großen Welt. Die Beweggründe zum Porträtieren hatten sich geändert. Oskar Kokoschka wurde zu einer berühmten Künstlerpersönlichkeit, und die Mächtigen dieser Welt wollten, daß ihre Gesichtszüge mit Hilfe seines Pinsels der Zukunft erhalten bleiben. Sie waren damit einverstanden, daß sie der Künstler in einer den offiziellen Bildnissen sehr entfernten Weise interpretierte. Das ist nicht mehr das gegenseitige Vertrauensverhältnis zwischen dem Maler und seinen Modellen vom Anfang seines erwähnten Schaffensweges; es handelt sich um ein ganz anders motiviertes Vertrauen – Vertrauen in die Kraft, Größe und Beständigkeit der Kunst.

Zu der Zeit führt der gesellschaftliche Auftrag Menschen ganz anderen Schlags zu ihm. Persönlichkeiten der Politik, der Finanzen und der Wissenschaft. Aber auch vor ihnen bewahrt sich Oskar Kokoschka – wie einst Edvard Munch – seine Unabhängigkeit. Bildnisse von Freunden, Menschen der Kulturwelt und schöpferischen Persönlichkeiten, gemalte und gezeichnete, fehlen allerdings auch in dieser Spätperiode nicht: davon zeugen die Bildnisse von Pablo Casals

106. OK, Doppelbildnis eines schottischen Ehepaares, 1969

107. OK, Ezra Pound, 1964

108. OK, Michael Tippett, 1963

262

(1954), des russischen Pianisten Richter . . . Staatsoberhäupter, Bürgermeister der europäischen Großstädte, das sind ja offizielle Porträts; also ziemlich schwierige und äußerst gefährliche Themen. Das Offizielle der Bildnisse besteht jedoch nicht darin, daß die Porträtierten hohe Staatsämter bekleiden, reiche Industrielle, Sammler oder berühmte Musiker sind, sondern in der Anschauung. Ein Bild ist entweder ein Monolog des Künstlers, schmeichelnd, höflich und glatt, wie man ihn gerne hört, und dann ist es offiziell – oder aber ist es ein Zwiegespräch der Geister – und vielleicht sogar ein Streit über unterschiedliche Anschauungen. Tizians Porträt des Edelmanns Castrecano, Tintorettos Alvise Cornaro, der Großinquisitor Domenikos Theotokopoulos', Velásquez' Dichter Góngora y Argote, Descartes von Frans Hals – und das in seiner Schlichtheit atemberaubende und als Gemälde unübertreffliche männliche Bildnis Rembrandts aus der Amsterdamer Sammlung von Six – das sind ganz gewiß Bildnisse der Mächtigen oder Großen dieser Welt. Vor allem sind es jedoch Gespräche mit Männern, deren Macht sich auch auf die Welt des Geistes erstreckte. Auch Kokoschkas Porträts von Karl Kraus, Adolf Loos, Anton von Webern und auch die unvergeßliche geistige Physiognomie von Tomáš Garrigue Masaryk, aus dem allegorischen Doppelporträt mit Jan Amos Comenius, erreichen eine in der europäischen Malerei ganz einzigartige Ebene. Im Abschluß von Kokoschkas Schaffen: Countess of Drogheda und Kardinal della Costa, Werner Reinhart, auch die glänzende Skizze zum Bildnis von Ralda Nash, Theodor Heuss und Konrad Adenauer. Manche der Porträtierten verstehen sich nicht immer vollkommen mit ihrem Maler, sie sprechen aber über sehr ernste Dinge miteinander. Oder sie schweigen – wie Ezra Pound (*Abb. 107*). Es ist ein Dialog der Geister, oder – falls die Gesichtszüge des Menschen wirklich ein Spiegel sind – es sind Fragen an die Seele. Und von solcher Beschaffenheit waren die Modelle von Kokoschkas Spätstil (*Abb. 106, 108*). Das, was in seinem Schaffen andeutungsweise wohl schon in den dreißiger Jahren auftauchte, in dem verhältnismäßig kleinen, lebendig farbigen und natürlichen Bildnis von Doktor K. B. Palkovský (in dem ja doch die langjährige, vertrauliche Kenntnis des Modells hinzukommt), das beseelte Kokoschkas Spätwerk in zunehmend dringlicherer Weise. Nicht etwa deshalb, wie Julius Maier-Graefe bemerkte: ». . . später hielt er auch in der Malerei auf besseres Exterieur und brachte es zuweilen zu einer smarten Virtuosität . . .« Das neue, wir könnten sagen freundlichere Herangehen reicht – um zumindest ein Beispiel anzuführen – bis zum Doppelporträt der Hamiltons aus dem Jahr 1969. Werke dieser Prägung sind Beweis der geistigen Frische und inneren Kraft des fast fünfundachtzigjährigen Künstlers. Keine Emanzipation der Dissonanz mehr. Im Gegenteil, nach einem unruhigen, stürmischen und dramatischen Leben Suchen – nach Harmonie. Suchen und Finden von

Nachsichtigkeit, Ruhe, menschlicher Weisheit. Von hier entspringt die Läuterung der Farben, der Strahlenglanz der Töne und die Aufhellung des die Menschen umgebenden Raumes. Der Sehnsucht des alten Goethe nach mehr Farben und Licht folgend, umgab er auch andere mit ihnen.

WERNER HOFMANN

Der Irrende Ritter

»Der Irrende Ritter«, 1915 (s. *Abb. 70*), ist ein Schlüsselbild. In diesem Selbstbildnis gibt Kokoschka sich die Haltung des Saulus, der zum Paulus wird, doch
suchen wir vergebens nach einem bildhaften Zeichen für die Stimme Gottes. Ich
schließe nicht aus, daß Kokoschka die »Bekehrung des Paulus« im Kunsthistorischen Museum kannte. Das Bild ist seit 1912 ausgestellt und wird abwechselnd
dem Parmigianino und dem Niccolo dell'Abate zugeschrieben. Kokoschkas
Gestürzter trägt die Spuren des Taumelns, einer offenen, von Ungewißheit geprägten Verhaltensweise, die für den Maler charakteristisch ist. (Ich komme darauf zurück.) Hodin hat den Sturz so gedeutet: »Sah er sich nicht als den irrenden
Ritter, zwischen Himmel und Erde schwebend, zwischen dem lächerlichen,
ewig drohenden Weib in einer aufgewühlten, sturmgepeitschten Landschaft,
mit dem flammenden ES in der Luft, dem Ruf des verzweifelt Einsamen: Mein
Gott, mein Gott, warum hast du mich verlassen (Eli, Eli, lama asabthani, Mat-
thäus 27,46)?« Dort, wo im Bild des italienischen Manieristen im Hintergrund
ein winziges Tier zu sehen ist, malt Kokoschka eine nackte Frau, auf der Erde
kauernd, als würde sie sich mit ihr vermählen. Der linke Arm stützt den Kopf –
das ist der traditionelle Gestus der Melancholie. Die Gestalt erinnert an den bü-
ßenden Johannes Chrysostomus, der sich in der Natur verkriecht (Holzschnitt
von Cranach). Ich kann Hodin nicht folgen, wenn er im Hinblick auf diese Gestalt vom »lächerlichen, ewig drohenden Weib« spricht. Fest steht, daß zwischen den beiden keine Partnerschaft herrscht, daß beide sich fragend verhalten.
Die Frau mag der Anlaß für die Ungewißheit sein, in die sich der Irrende Ritter
verstrickt hat, aber sie ist längst nicht mehr deren Thema. Im Gestürzten steckt
der Keim der spezifisch männlichen Selbstbefragung und -prüfung, die Kokoschka fünfunddreißig Jahre später im »Prometheus-Triptychon« auf drei
Rollenträger verteilen wird. Auf dem *linken* Flügel (*Abb. 109*) ist der Saulus-
Paulus zu einem Erweckten geworden, der *uns* mit seinem Werk erwecken will:
Kokoschka als Seher und Rufer. Im *Mittelbild* (*Abb. 110*) versucht ein plump
hingelagerter Adam, seinen Körper und seine Gliedmaßen zu gebrauchen: er ist
die dumpfe Kreatur vor der Bewußtseinsschwelle des Sturzes, der aus Saulus
Paulus macht. Im *rechten* Flügel (*Abb. 111*) glauben wir einen Stürzenden zu
sehen – doch diese anscheinend nach Halt suchende Gestalt ist ihrer Bewe-
gungsfähigkeit beraubt: es ist der an den Felsen gekettete, sich unter Schmerzen

109. OK, Prometheus-Saga, 1950, linker Flügel: Hades und Persephone

windende Prometheus. Auch er ist ein Erwecker. Den in seiner Stofflichkeit befangenen Adam flankieren also zwei Lichtbringer, die auf unterschiedliche Art Rebellen sind: rechts Prometheus, links der Künstler – wieder ein Selbstbildnis. In dem Maße, in dem beide an ihrem selbstgewählten Auftrag leiden, treffen sie sich mit dem Erlöser, dessen Kreuz in der obersten Bildzone des Mittelstücks wahrzunehmen ist.

Damit sind nur die männlichen Protagonisten des Triptychons aufgezählt. Als Rahmung und Folie ihres Tuns treten Frauen auf: links die riesenhafte Demeter,

110. OK, Prometheus-Saga, Mittelbild: Apokalypse

die nach dem Feigenbaum greift. Im heftigsten Gegensatz zur mütterlichen
Göttin der Fruchtbarkeit und des Wachstums lauert am unteren Bildrand die
Fratze der Medusa, deren Blick jeden, der ihr ins Auge sieht, versteinert. Der
guten Mutter steht die böse entgegen. Dazwischen die eilende Persephone,
Tochter der Demeter und Gemahlin des Hades, die ihr Leben zwischen der To-
ten- und der olympischen Götterwelt teilt. Davon kündet ihre zwischen Hell
und Dunkel schwankende Körperfarbe. Die drei Frauen sind in den Kreislauf
von Leben, Tod und Wiedergeburt eingebunden: dieses Thema paraphrasieren
auch die kleinfigurigen weiblichen Gestalten, die Wasser schöpfen und wieder
ausgießen. Der Stetigkeit ihres Tuns kontrastiert am unteren Rand des Mittelbil-
des Äneas, der seinen Vater Anchises auf dem Rücken trägt – ein Wanderer, ein
irrender Ritter auch er, auf der Suche nach dem Ufer, an dem die Frauen ihre
befruchtende Tätigkeit entfalten. Für sie ist das Wasser das lebenspendende Element überhaupt – für den Mann ist es eine Verlockung ins Ungewisse, zu immer
neuen Stränden. Ich erinnere daran, daß Kokoschkas geistige Orientierung sehr
früh von Bachofen gelenkt wurde. Aus der Sicht des Mutterrechtes wäre die
schöpfende und wieder ausgießende Tätigkeit der Frauen auf dem Prometheus-
Triptychon eine Art Besitznahme der phallischen Kraft, die der Mythos in den

267

111. OK, Prometheus-Saga, rechter Flügel: Der gefesselte Prometheus

chthonischen Gewässern wirken sieht, von wo sie in den alljährlichen Über-
schwemmungen ausbricht, um sich mit der Erde, dem weiblich-empfangenden
Stoff, zu verbinden. In diesem Zusammenhang ist eine *Episode* bedeutsam, die
im linken Flügel den Raum zwischen Demeter und ihrer Tochter Persephone
füllt: zwei Frauen – eine Stehende, die einer Sitzenden Wasser über den entblößten Leib gießt. Eine Taufe, das heißt ein Reinigungsritual, das seinen Ursprung
im vegetativen Zeugungsakt hat. Die Sitzende erinnert an eine mythische Gestalt des Frühwerks, die Frau, die den Leib eines toten Mannes in ihrem Schoß

112. OK, Skizze für ein Plakat, Sommertheater der Kunstschau, 1908

trägt (*Abb. 112*). Dies ist der erste Bildgedanke für die »Pietà« (*s. Abb. 47*), das berühmte Plakat, das Kokoschka 1909 für die Aufführung von »Mörder, Hoffnung der Frauen« schuf. Kokoschka preßt den Leib des Mannes so heftig in die ihn umfangenden Gliedmaßen der Frau, daß er verstümmelt und zerbrochen anmutet – ähnlich der gewaltsamen Umarmung auf einem Holzschnitt von Gauguin. Zugleich aber ist der Mann für Kokoschka ein geborstenes Gefäß, aus dem der bleiche Kopf der Frau herauszuwachsen scheint. Hinter der christlichen Pietà, die der Anatomie ein Äußerstes an Brüchen und schroffen Kanten abfordert, taucht ein mythischer, mutterrechtlicher Grundgedanke auf. Für Kokoschka ist der Mann sterblich, das Weib unsterblich: demnach zielt das Männliche auf die Individuation, das Weibliche auf den Typus. Das bedeutet, unter diskriminierenden Vorzeichen, eine gewisse Übereinstimmung mit dem dichotomen Weltbild Weiningers, wonach der Mann sich im Genie, das Weib in der Sexualität vollendet.

Kokoschkas mutterrechtliches Weltbild bildet später die Basis, auf der sich seine Auseinandersetzung mit Herkunft und Tradition vollzieht. 1945, als Österreich am Boden lag, suchte er nach einer Metapher für die Unvergänglichkeit seiner Heimat. Er machte Österreich zur Mutter, der ein pervertierter Mann – ihr Sohn noch dazu! – Gewalt angetan hat. Folgerichtig führte er das Wesen der österreichischen Kultur auf den prähistorischen »Kult der Erdmutter« zurück. Diesen Kult sah er in Gestalt von Fruchtbarkeitsgöttinnen neuerlich Fuß fassen, welche der Madonnenverehrung des Christentums – Kokoschka verweist auf die »Ährenmadonna« von Kremsmünster – den Boden bereiteten. Aus diesen Ursprüngen sieht Kokoschka schließlich die »dynamische Kultur« des Barock hervorgehen, »die schöpferisch blieb bis zum Ende, weil sie im Wesen war, was wir heute abschließend Humanismus nennen dürfen«. Schon 1934 hatte Kokoschka an die friedenstiftende Kraft der Frau und ihren erzieherischen Auftrag appelliert:

»Europa könnte Frieden haben, wenn da nicht mehr das Schwert des faustischen Mannes die gesellschaftliche Situation bestimmte. Wenn die ›Mütter‹ der Eleusinischen Mysterien – worunter man nicht die Einführung der Zöglinge in den Hokuspokus von Priesterzauberinnen, sondern in die Weisheit zu verstehen hat – wieder zu Wort kämen! Die ›Mütter‹, Erfinderinnen des Ackerbaus, der Tierzucht, der Handwerke und Künste, des gesellschaftlichen Lebens, hatten eben manche Geheimnisse mitzuteilen, die dem wilden Manne mysteriös waren und, wie man heute langsam einsieht, auch blieben.«

Wir sind wieder beim Prometheus-Triptychon angelangt. Der wilde, faustische Mann ist hier Prometheus, dem die Fackel mehr entfällt, als daß er sie schleudert, und dessen Herrschaftsinsignien in der linken unteren Ecke – die Krone, eine Kette, das Rutenbündel und die ungleichgewichtige Waage – auf die Kehrseite männlichen Machtstrebens hinweisen. Ihnen antwortet rechts die Eule, das Attribut der Pallas Athena, der Göttin der Weisheit und des Friedens. Dem männlichen Aufbegehren antwortet mahnend die weibliche Einsicht in die Mäßigung. Zugleich ist dies eine dialektische Antwort an das Negativ-Weibliche, die Medusa, welche Todesstarre ausstrahlt, und ein Brückenschlag hinüber zu Demeter und Persephone. Aus dieser Sicht deutet sich der wesentliche Unterschied – wenn nicht Gegensatz – zwischen Prometheus und dem uns zugewand-

113. PARIS BORDONE, Hochzeitsallegorie (Allegorie mit Victoria), um 1560

ten Künstler an: dieser ist in den Wirkungskreis des Weiblichen eingebunden, er sucht in seinem Werk den Spannungsbogen bannend zu gestalten, der Demeter, Persephone und Medusa umfaßt, indes Prometheus mit sich und dem ihn quälenden Adler allein ist. Er verkörpert die Ausweglosigkeit, die bereits im »Irrenden Ritter« anklingt: dessen fragender Zweifel steigert sich im Prometheus zur grellen Verzweiflung.

Ich möchte jetzt einige Bilder erörtern, die zum Prometheus-Triptychon hinführen. In den Jahren nach dem »Irrenden Ritter« entstanden drei Gemälde, die sich zu einem Triptychon der suchenden Unrast zusammenfügen lassen: »Die Heiden«, »Die Auswanderer« und »Die Freunde«. »Die Heiden«, 1918/19 (s. Abb. 84), versuchen noch einmal die körperliche Vereinigung. Wie sie das tun, gleichen sie dem paganen Liebespaar, das Paris Bordone in seiner »Hochzeitsallegorie« (Abb. 113) dargestellt hat. Kokoschka mag das Bild im Kunsthistorischen Museum gesehen haben. Die erotische Faszination, die bei Bordone erwacht, scheint bei Kokoschka abzuklingen. »Die Auswanderer«, 1916/17, versetzen den Typ des romantischen Freundschaftsbildes aus dem Miteinander in ein Nebeneinander, das Kontaktverlust verrät. Dieses Fürsichsein kennzeichnet auch »Die Freunde«, 1917/18: »Jeder in seiner Leidenschaft«, schrieb Kokoschka später, »nackt zum Erschrecken, und alle eingetaucht in eine Farbigkeit

271

höherer Ordnung, die sich zusammenbindet wie das Licht ein Ding und sein Spiegelbild.« Diese drei Bilder sind gleichsam einander ergänzende Nachspiele zu dem Erweckungspathos, das zehn Jahre davor mit den »Träumenden Knaben« einsetzte. Auf dem Gestaltengemenge liegt jetzt das Gewicht der Resignation. Zweimal tritt der Maler selber auf, doch gibt er sich keine herausragende Rolle; inmitten der »Freunde« sitzt sein amorpher Kopf zwischen den ungleich leichter lesbaren Bildnissen von Käthe Richter und Walter Hasenclever. Unmittelbar nach diesen Gruppenbildern entstand 1919 »Die Macht der Musik« (s. *Abb. 85*). Kokoschka zählte das Bild zu seinen Hauptwerken, ich sehe darin eine entscheidende Wende, die den Weg zu den Bildgedanken der beiden Triptychen der fünfziger Jahre öffnet.

Kokoschka reißt darin seine Malerei aus der privaten Sphäre subjektiver *Erwartungen* heraus und macht sie zu einem Instrument der *Erweckung*. So kommt ein neues Handlungsmoment in den Bildbau: er wird offen, fließend, ja sogar überfließend angelegt – wie später im »Prometheus«. Wie er das Licht als geistige Erleuchtung auffaßt, so gibt Kokoschka dem musikalischen Klang eine geistige, befreiende Macht . . . Auch der ursprüngliche Titel des Bildes – »Die Kraft und die Schwäche« – weist auf die Triptychen und auf die im Londoner Exil entstandenen politischen Allegorien voraus.

Kokoschka bricht mit den herkömmlichen Kompositionsregeln der Konvergenz und deutet ein formales Aufbrechen an, das er im Prometheus zur multifokalen Konsequenz führen wird. Die Mitte ist unbetont, die beiden Gestalten scheinen nur widerstrebend miteinander zu kommunizieren. Man denkt an Josef, der sich der Frau des Potiphar entzieht, doch in der Abkehr steckt eine Betroffenheit höheren Grades. Die Macht der Musik zwingt die zentrifugale Distanz der Körper zusammen. So entstehen zwei Pole: die verhaltene Stoßkraft der Posaunenbläserin und die abgewandte Krümmung des Jünglings, dessen Körperklumpen noch Schwäche ausdrückt, aber schon Stärke ankündigt. Der ursprüngliche Titel machte aus den Partnern ein Gegensatzpaar, doch letztlich kehren sich die Gewichte um, und der Schwache wird, überwältigt, ein Gekräftigter.

Aber diese Erweckung bewirkt kein Apoll, kein Orpheus, kein David – die Musik ist weiblichen Geschlechts, ein Posaunenengel, den der Blumenstrauß zum Erzengel der Verkündigung macht. (Man könnte von einer ikonographischen Kontraktion sprechen im Hinblick auf Darstellungen der »Verkündigung« mit einem Engelskonzert. Ein Beispiel: eine Zeichnung von Federico Zuccari in den Uffizien. Die Verkündigung wird von der Musik bekräftigt.)

Die Botschaft des Posaunenengels richtet sich an einen Jüngling, der gleich der überraschten Maria sein Erschrecken nicht verbirgt, zugleich aber diesen Appell aus dem Bildraum hinausträgt. Die Geste der hochgerissenen Arme intensiviert jene des »Irrenden Ritters«. Sie ist von wunderbarer Ambivalenz: so reagiert ein Hilfesuchender, aber auch jemand, der andere aufrufen will. Über den Bildraum hinausweisend, ohne das innerbildliche Gefüge zu desavouieren, drückt der von der Musik Heimgesuchte aus, daß er einer geistigen Sprengkraft erliegt, welche die herkömmliche Bildkomposition souverän übersteigt.

Die Musik als Mittlerin und Erweckerin nutzend, malt Kokoschka Bildnisse von Lauschenden. Das beginnt 1920 mit den gezeichneten Köpfen von Camilla Swoboda, die bei Hauskonzerten entstanden. Eine Auswahl von zehn Blättern erschien 1921 unter dem Titel »Variationen über ein Thema«. In seinem Geleitwort sprach Max Dvořák von der »unerschöpflich und ununterbrochen fließenden Bewegtheit der seelischen Belebung«. Das trifft die entspannte, gelöste Menschlichkeit, auf die Kokoschkas Frauenbild der zwanziger Jahre abgestimmt ist. In der »fließenden Bewegtheit« der Köpfe und Leiber ist auch das enthalten, was er zur gleichen Zeit in seinen Landschaften und Städtebildern sich vornimmt, eine Dynamik nämlich, welche die von Perspektive und Guckkastenbild gezogenen Grenzen und Achsen zwischen Körper und Raum, Materie und Licht aufheben möchte. Werden die Menschen jener Jahre zu Landschaften, so nehmen die Landschaften physiognomische Eindringlichkeit an.

Dieser Wechselbezug ist nicht neu. Er betrifft Kokoschkas ureigensten Beitrag zur Bildsprache unseres Jahrhunderts. Ich meine seinen quellenden und schwellenden *Bildraumkörper*, der folgerichtig die stabile Ordnung des Staffeleibildes und dessen Achsenkreuz sprengt und im expandierenden Bildgedanken des Triptychons seine schönste Ausprägung findet – wobei nicht vergessen sei, daß der »Prometheus« als Deckenbild gedacht war. Das Mittelbild ist ein Lichtraum von strahlender Intensität, der mühelos in eine kreatürliche und vegetative Gestaltenwelt übergeht, in der das Dämonische und das Burleske – im Sinne des Brueghelschen Welttheaters – eng beisammen wohnen. In den Seitenflügeln wird diese Symbiose von Mensch und Natur noch deutlicher: Demeters Körper hat die Geschmeidigkeit des fruchttragenden Baumes, nach dem sie greift, indes Prometheus dem zerklüfteten Felsen gleicht, an den er geschmiedet ist.

Der Mensch als Landschaft – diese Metamorphose (und damit möchte ich abschließen) ist der zentrale Gedanke, die Primäridee, von der Kokoschkas Kunst ihren Ausgang nahm und in den sie schließlich wieder einmündete. Das machen die frühen Zeichnungen deutlich: sie kreisen um die Erde als Leib, um den Leib als geologische Zerklüftung, um Gliedmaßen als quellende *Fangarme* – alles ist hier von eruptiven und verschlingenden Kräften durchzogen. Eine *offense erotique* – so der Titel einer Zeichnung – wächst aus schroffen Felskanten hervor und steigert sich in eine Umarmung im kosmischen Raum.

114. OK, Schlangenzeichnung

115. OK, Friß, Vogel, oder stirb!

116. OK, Ausruhende Tänzerin

Nähe schlägt in Ferne um. Mann und Frau bilden einen physiognomischen Zwitter. »Vorüber« ist ein schrill zuckender Landschaftsleib, ein lineares Staccato, das an Geburtswehen denken läßt. Die »Schlangenzeichnung« (*Abb. 114*) ist eine gefräßige tropische Pflanze – eine Mantis religiosa. »Friß, Vogel, oder stirb« (*Abb. 115*) enthält nicht nur die Aufforderung, die der Adler des Prometheus in die Tat umsetzen wird, sondern auch dessen formales Grundmuster, die steif-dissonante Leibhaftigkeit, die Raum nicht voraussetzt (wie das die Zentralperspektive tut), sondern ihn aus ihrer Mitte heraustreibt. Ein Blatt wie die »Ausruhende Tänzerin« (*Abb. 116*) zeigt in nuce die herrliche Körperwölbung der Demeter: jede Zone dieses Leibes ist ein Gestaltkeim für Pflanzliches, das sich zu leidenschaftlichen Raumkörpern entfalten kann (»In Gedanken«, 1928; *Abb. 117*).

In der »Geburt Christi« (*Abb. 118*) kommt dieses Gemenge aus Körper und Raum dem Bildgedanken des »Prometheus« am nächsten – nicht nur, weil Kokoschka da schon das Thema des Erlösers anschlägt, sondern weil ihn der Zeichentrieb zu einer geradezu obsessiven Verschränkung von Belebtem und Unbelebtem verführt, die sich über empirische Grenzen hinwegsetzt und ein Amalgam aus stoßenden, schiebenden und wogenden Kräften entstehen läßt, in deren Mitte, von den Tieren des Stalls beschnuppert, wie eine zarte Knospe der künftige Erlöser auftaucht. Hier wie in den anderen Zeichnungen ist auch das Grunderlebnis des Taumelns Gestalt geworden – nicht an eine Person gebunden, sondern als gebärende Erdbewegung zur umfassenden Signatur einer Welt ausgeweitet, die keine anderen Koordinaten als jene kennt, welche aus der physischen Bemächtigung zur geistigen Erhellung führen. In den »Träumenden Knaben« beschrieb Kokoschka sich selber als einen »Kriechenden«, solange er die Tiere suchte. Er wurde ein »Taumelnder«, als er sein Fleisch erkannte. Dieses Taumeln ist nicht nur die Signatur von Kokoschkas Menschen, es erfaßt auch seine Landschaften. Es evoziert nicht den Verlust der körperlichen Kräfte, sondern deren Überwindung in ein trancehaftes Enthobensein, das sich zur Schwerelosigkeit steigern kann.

Auf diesem Weg gelangte der Irrende Ritter in Bereiche, die nach der Ära der großen Freskanten des 18. Jahrhunderts – sein Vorbild hieß Maulbertsch – von der europäischen Malerei verlassen worden waren. Dort angekommen, erschloß er sich und uns nicht nur einen Bildbegriff, der größer und weiter ist als der des Staffeleibildes, sondern auch eine visionäre Gedankenwelt, die aus einer Kraft lebt, die selten geworden ist. Ich meine die Kraft der *Erweckung*.

Die Dimensionen, die er dabei zurücklegte, verdeutlicht der Vergleich von Früh- und Spätwerk. Das dichte Liniengestrüpp der frühen Zeichnungen gleicht einer tastenden Ursprache, einem stofflichen Chaos, in das Blitze der geistigen

117. OK, In Gedanken

118. OK, Geburt Christi

Erhellung hineinfahren. Graphisch ist es ein Konfliktgeschehen, das in sich selber kreist. Diesen Verstrickungen und Verschränkungen gibt das Spätwerk eine wegweisende Klärung. Der Haß der Geschlechter ist abgeklungen – bezeichnend, daß aus der Pietà-Gruppe eine Taufszene wurde. Das Männliche und das Weibliche stehen einander als komplementäre Kräfte gegenüber. Aber unverändert ist das *Erlebnis* geblieben, in dem Kokoschkas Anschauung gründet. Er nannte einmal das Erlebnis einen Akt des Gebärens. Von dieser weiblichen Erfahrung ist Kokoschkas Gestaltungsakt geprägt: die zeugende ist Teil der gebärenden Kraft.

WOLFGANG HILGER

Kokoschka und seine Rezeption
nach dem Zweiten Weltkrieg in Österreich

In meinem Beitrag möchte ich mich vor allem mit jenen Gegebenheiten auseinandersetzen, die hier in Österreich nach dem Zweiten Weltkrieg das Verhältnis
zur Person und zur Kunst Oskar Kokoschkas entscheidend bestimmt haben.
Der eigentliche Titel meines Beitrages kann und soll jedoch polemisch-ironisie-
rend verstanden werden, behauptet er doch das angebliche Faktum einer Rezeption, über deren Realität und Relativität hier zu handeln sein wird.
Den kritischen Zeitgeschichtlern ist längst jenes Phänomen bekannt und bewußt, wonach es nach dem Zusammenbruch von 1945 nur einer vergleichsweise
geringen Zahl von Remigranten möglich war, zu Ämtern und Würden zu gelan-
gen, die – gleichgültig in welchem Bereich – auch ihrer Bedeutung entsprachen.
Eine stets latente, auch gegenüber ehemaligen Emigranten wirksame Xenopho-
bie und die Dominanz der zuvor politisch Neutralen oder angeblich Minderbe-
lasteten haben dafür gesorgt, daß besonders im kulturellen Bereich der sogenannte Zusammenbruch nur in sehr gemäßigter Form stattfand.
Dabei hätte gerade Oskar Kokoschka ein Mann der ersten Stunde werden können. Während des Krieges, in der Londoner Emigration, unterhielt er enge Kontakte zur politisch linksorientierten Gruppe des »Free Austrian Movement«, einer Organisation, die entschieden für die Wiederherstellung eines freien und unabhängigen Österreichs eintrat. Als konsequenter Individualist stand er jedoch
allen Massenbewegungen skeptisch gegenüber, bezeichnete er sich doch selbst
als »one man underground movement«.[1]
Allgemein bekannt ist Oskar Kokoschkas humanitäres Engagement, das in der
unmittelbaren Nachkriegszeit bevorzugt seiner österreichischen Heimat galt.
Bezeichnenderweise berichtet die erste Wiener Pressenotiz über Kokoschka
nach dem Krieg am 27. August 1945 über seine Hilfsaktion für Kinder gefallener
österreichischer Freiheitskämpfer.[2] Dazu war die Gründung eines Fonds geplant, für den er den Erlös seines Gemäldes »Wofür wir kämpfen« stiften wollte.
Auch dachte er an die Organisation einer Wohltätigkeitsausstellung, an der teil-
zunehmen namhafte österreichische, in der Emigration lebende Künstler zuge-
sagt hatten.
Berühmt wurde sein auf eigene Kosten gedrucktes und in 5000 Exemplaren in
London affichiertes Weihnachtsplakat des Jahres 1945 mit dem sich vom Kreuz

herabbeugenden Christus, das er den frierenden und hungernden Kindern Europas widmete. Eine weitere Auflage dieses Plakates, diesmal ausdrücklich den Kindern von Wien zugedacht, überließ Kokoschka den österreichischen diplomatischen Vertretungen in Südamerika.[3]

Georg Eisler, der als junger Kunststudent seit 1944 in London mit Kokoschka in Verbindung stand, weiß als einer der wenigen authentischen Zeitzeugen zu berichten, wie sehr sich Kokoschka selbst als Österreicher verstand und daß er in hoffend-bereitwilliger Haltung eine Berufung in seine alte Heimat erwartete.

Eine soeben erst erschienene Dokumentation hat aufgezeigt,[4] daß es nicht Wien, sondern die oberösterreichische Landeshauptstadt Linz war, wo man Oskar Kokoschkas zuerst gedachte, und zwar im Zusammenhang mit einer neu zu gründenden Kunstschule. Bereits im November und Dezember 1945 wurde auf Anregung von Dr. Justus Schmidt, dem Leiter des Oberösterreichischen Landesmuseums, mit dem Linzer Bürgermeister Dr. Ernst Koref der Plan beratschlagt, in Anlehnung an das ehemalige Dessauer Bauhaus ein »Werkhaus Linz« einzurichten. Oskar Kokoschka und dem damals noch in Ankara wirkenden Architekten Clemens Holzmeister sollte die künstlerische Leitung der Schule angetragen werden.

Es hat den Anschein, als habe Kokoschka selbst von dieser ernsthaften und Jahre später wieder aufgegriffenen Linzer Initiative nie etwas erfahren, denn nach den ersten Beratungen scheint das Projekt im Kompetenzdschungel zwischen Land Oberösterreich und Magistrat Linz in Vergessenheit geraten zu sein. Auch erzwang die Not der Zeit vorerst andere Prioritäten.

In Wien geschah vorerst überhaupt nichts, sieht man davon ab, daß die Künstlervereinigung Secession im Dezember 1945 Kokoschka zum Ehrenmitglied ernannte. Der offensichtlich einzige Kulturpolitiker dieser Tage, der mit Nachdruck dafür eintrat, jene Persönlichkeiten aus Wissenschaft und Kunst, die unter Zwang Österreich hatten verlassen müssen, möglichst rasch zur Heimkehr einzuladen, war Viktor Matejka, der Wiener Stadtrat für Kultur und Volksbildung. Er forderte in Gesprächen mit Bundes- und Landesdienststellen, mit allen politischen Parteien und mit Verfolgtenorganisationen eine allgemeine offizielle Erklärung, einen Aufruf, der die Emigranten wieder in ihrer Heimat willkommen heißen sollte. In dieser Form ist dies nie erfolgt, und wie Viktor Matejka später drastisch formulierte, holte er sich bei diesen Bemühungen »die kältesten Füße seines Lebens«.[5]

Im Falle Oskar Kokoschkas jedoch scheinen die Bemühungen Viktor Matejkas vorerst gar nicht so aussichtslos gewesen zu sein. Der 60. Geburtstag am 1. März 1946 wäre ein willkommener Anlaß gewesen, den Künstler wieder in

Wien begrüßen zu können. Matejka schlug vor, Kokoschka die Ehrenbürgerschaft zu verleihen, scheiterte jedoch an Vorurteilen und Unverständnis. »Er soll erst mal siebzig Jahre alt werden«, »Ausländer is er ja a« – waren die Gegenargumente. Auch die Auszeichnungen »Bürger ehrenhalber« oder »Ehrenring der Stadt Wien« konnten nicht bewirkt werden. Geradezu herzlich erscheint die von Matejka überlieferte ablehnende Begründung »und gesund is er ja a no, er hat ja erst vor gar net langer Zeit g'heiratet«.[6] Kokoschkas künstlerischer Rang wurde nicht zur Kenntnis genommen, und Matejkas Politikerkollegen aus allen Parteien beriefen sich dabei entschuldigend auf ihr Banausentum.

Dennoch erging auf Betreiben Stadtrat Matejkas an Oskar Kokoschka zum 60. Geburtstag ein Glückwunschschreiben des Wiener Bürgermeisters Theodor Körner, das sogar auszugsweise von Wiener Zeitungen veröffentlicht wurde. Darin heißt es:

»In den vergangenen Zeiten haben Sie durch die Stadt Wien – deren Sohn Sie sind – nicht die Ehrung erfahren, die Ihnen, dem repräsentativen Maler und großen Menschen, gebührt hätte. Inzwischen sind Sie weit über die Grenzen unseres Landes hinaus, ja dort draußen mehr noch als bei uns, als einer der bedeutendsten Künstler bekannt geworden.

Während der sieben Jahre der Unterdrückung wurden Sie und Ihre Kunst als »entartet« abgetan und den Verfolgungen des kulturlosen Nazipöbels preisgegeben . . . Ihre Kunst ist nicht zuletzt auch im Feuer des Kampfes gegen die faschistische Barbarei groß geworden, und Sie haben der Welt ein Beispiel eines reinen und mutigen Lebens gegeben, dessen Echo umso größer war, als Sie ein Künstler sind, auf den die ganze Welt blickt.

Daß Sie Österreicher geblieben sind, daß Sie nie vergaßen, für unser unglückliches Land sich einzusetzen, daß Sie durch Ihre Kunst Österreich der ganzen Welt näherbrachten, sei Ihnen nie vergessen.

Wie sollen wir dafür unseren Dank sagen?

Wir laden Sie ein, nach Wien zu kommen, um hier Ihrer Kunst zu leben. Wien hat es nötig, seine größten Söhne in seinen Mauern zu wissen, wenn diese Mauern auch brüchig geworden sind. Heute mehr denn je.

Wir wollen Ihnen bei Ihrer Ankunft eine Ehrung bereiten, die gleichzeitig manches Versäumnis gutmachen soll.«[7]

Dieser offizielle Kontakt zeitigte vorerst kein Ergebnis. Zwar besuchte Kokoschka noch 1946 seine in Prag lebende Schwester Berta, eine Reise nach Wien kam jedoch erst im November 1947 zustande.

In diesem Jahr hatte er einen britischen Paß angenommen, der ihm zu reisen erlaubte, wohin er wollte. Seine nach Kriegsende zweifelsohne vorhandene Neigung, wieder dauernd nach Österreich zurückzukehren, mäßigte sich auch angesichts der fraglichen politischen Zukunft des vierfach besetzten Landes.[8] Im Herbst 1947 schrieb Kokoschka an Fritz Novotny, den Direktor der Österreichischen Galerie:

»Ich komme übrigens nach Wien, falls man mir die nötigen Papiere und Formulare auf offiziellem Wege zustellen kann. Ich betone aber gleich, daß ich in Wien nichts für mich beanspruche, . . . [und] ich ja nichts anderes will, als nachzuschauen, wie es dort zugeht, und eventuell mir den Kopf zerbrechen, wie man Hilfe für die Jugend von auswärts bringen könnte.«[9]

Die Bahnreise nach Wien erwies sich als beinahe lebensgefährliches Unterfangen, denn ausgerechnet Kokoschka passierte es, daß er wie andere Reisende mit englischen Pässen von russischen Soldaten bedroht wurde und nachts und bei Schneesturm, »in einer Einöde kurz nach Linz«, das heißt an der Demarkationslinie an der Enns, den Zug verlassen mußte. Erst dem couragierten Eingreifen eines kommunistischen Lokomotivführers verdankte er nach längerem Aufenthalt die Weiterreise.[10]

In Wien fand Oskar Kokoschka Aufnahme bei seinem Bruder Bohuslav, der mit seiner Familie das frühere Elternhaus im Ottakringer Liebhartstal bewohnte. Bohuslav Kokoschka, dessen künstlerische Begabung sich gleichfalls früh in literarischen und zeichnerischen Versuchen geäußert hatte, war während der NS-Zeit als Bruder eines »entarteten« Künstlers politischem Druck und persönlicher Demütigung ausgesetzt gewesen.[11] Durch Arbeit in landwirtschaftlichen Betrieben überstand er eher schlecht als recht die Kriegszeit, und mit der Rückkehr seines angesehenen Bruders werden sich wohl durchaus berechtigte Hoffnungen hinsichtlich besserer Lebensverhältnisse verbunden haben.

Wieder ist es Viktor Matejka, der von einem bisher unbeachteten Projekt zu berichten weiß, das während Oskar Kokoschkas Wien-Besuch erstmals erörtert worden sein dürfte. Man kam damals darauf zu sprechen, daß die Stadt Wien den beiden Brüdern ein kleines Landgut im Umkreis der Stadt pachtweise zur Verfügung stellen solle, um dort unter beider Leitung eine »Kunstschule des Sehens« ins Leben zu rufen. Sogar nachträglich, in der historischen Reflexion, scheint dieses nicht unwichtige Detail aus den Beziehungen zwischen Oskar Kokoschka und Wien unter keinem guten Stern zu stehen, denn durch einen unglücklichen Eingriff der Herausgeber des im Vorjahr erschienenen Buches »Österreich im April '45« wurde, wie Viktor Matejka bedauernd feststellen mußte, die erste Nachricht über eine »Kunstschule des Sehens« inhaltlich verändert. Nun heißt es dort irrtümlich, die Stadt Wien habe sogar zu diesem Zweck ein kleines Landgut pachtweise zur Verfügung gestellt.[12]

Wie real diese Überlegungen tatsächlich waren, müßte durch Nachforschungen nach konkreten Quellen noch untersucht werden, doch es steht fest, daß bereits während des ersten Wien-Besuches Oskar Kokoschkas im November 1947 von jenem Projekt die Rede war, das Jahre später, 1953, unter anderen Bedingungen und Voraussetzungen in Salzburg realisiert werden sollte.

Bei all den vagen Versuchen, Kokoschka wieder an Österreich zu binden, stellt sich eigentlich wie von selbst die Frage, wo in diesem Zusammenhang die Wiener Kunstakademien geblieben sind. Hier stehen wir ohne Zweifel vor einem der dunkelsten und wenig ruhmreichen Kapitel der österreichischen Kunstgeschichte. Georg Eisler und Viktor Matejka versichern absolut glaubwürdig, daß eine von Kokoschka erwartete Berufung an die Akademie der bildenden Künste intern verhindert und von vornherein abgeblockt wurde, und zwar auch von solchen soeben erst als Professoren installierten Künstlern, die sich der Kunstdiktatur des Dritten Reiches nicht gebeugt hatten. Oder war es die Angst der zu Hause gebliebenen Generationskollegen vor dem Charisma des im Ausland Erfolgreichen, daß sie – wie Georg Eisler schrieb – »die Festung Schillerplatz vor ihm verrammelten«?[13] Es müssen persönliche, lange zurückliegende, wohl auch von Konkurrenzdenken bestimmte Gründe gewesen sein, die im Detail nicht mehr recherchierbar sind und aus Pietät vor allen längst verstorbenen Beteiligten wohl auch nicht mehr recherchiert werden sollten.

Das einzige positive Ergebnis des vierzehntägigen Wien-Aufenthaltes Oskar Kokoschkas im November 1947, von dem auch die Zeitungen zu berichten wußten, war das auf Anregung Viktor Matejkas gegebene Versprechen des Meisters, er werde bei seinem nächsten Besuch in Wien den Bürgermeister Theodor Körner porträtieren.[14]

Zwar erfolgte im September 1948 eine neuerliche offizielle Einladung an den gerade in Florenz weilenden Kokoschka durch Bürgermeister Körner, damit Kokoschka »für unsere Städtischen Sammlungen einiges male«.[15] Der Besuch war für November 1948 geplant, kam aber erst im folgenden Frühjahr zustande.

Am 21. April 1949 begann Oskar Kokoschka seine Arbeit am Porträt des Wiener Bürgermeisters Theodor Körner. Im Rathaus wurde – nahe dem Arbeitszimmer des Bürgermeisters – ein behelfsmäßiges Atelier installiert, wo sich Körner dem Künstler für etwa zehn Sitzungen zur Verfügung stellte. Eine persönliche Sympathie zwischen Maler und Modell war momentan gegeben, und Wiener Blätter berichteten erstaunt, daß Kokoschka mit dem Stadtoberhaupt bald auf der Basis des Du-Wortes verkehrte.[16]

Freilich unterschied sich das mit vitalen Pinselschlägen auf die Leinwand gesetzte Porträt Körners grundlegend von den üblichen Bildnissen früherer Wiener Bürgermeister, die in den Repräsentationsräumen des Rathauses ausschließlich als abgeklärte Herren mit schwarzem Gehrock und mit goldener Kette vorzufinden waren. Ein Konflikt war geradezu vorprogrammiert.

In acht Tagen hatte Kokoschka das Bild fertiggestellt. Am 2. Mai 1949 reiste er von Wien ab, mit Ziel Italien und noch in der Absicht, in Rom auch Papst Pius XII. zu porträtieren, ein Vorhaben, das sich nach sehr konkreten Vorverhandlungen wegen Arbeitsüberlastung des Heiligen Vaters jedoch nicht realisieren ließ.[17]

Das Porträt Theodor Körners hatte vorerst Viktor Matejka übernommen, in dessen Büro sich zwecks Besichtigung des Bildes immer mehr Leute einfanden. Matejka sammelte in einem mittlerweile leider verschollenen Heft die Urteile, Meinungen und Kritiken über das Körner-Porträt. Hier hätten wir wohl eine einzigartige Quelle zur populären Kokoschka-Rezeption vor uns. Hoffen wir, daß dieses Dokument wieder einmal zum Vorschein kommt!

Für die weitere Geschichte des Körner-Bildes, das sich als Porträt eines Wiener Bürgermeisters heute – und dies ist für Uneingeweihte immer wieder verwirrend – in der Neuen Galerie der Stadt Linz befindet, für diese weitere Geschichte sind mehrere Fakten ausschlaggebend geworden.

Hinsichtlich der Frage des Honorars für das Körner-Porträt war von Kokoschka der Stadt Wien ein höchst nobler Vorschlag unterbreitet worden. Der Künstler wollte das Bild unentgeltlich zur Verfügung stellen, erbat sich jedoch zur Bedingung, daß die Stadt Wien unter Zufügung einer namhaften Spende in der Öffentlichkeit eine Kollekte veranstalten möge, um den Erlös für die Unterstützung notleidender Kinder zur Verfügung zu stellen.[18] Bürgermeister und Stadtsenat waren damit einverstanden, doch eine im gleichen Jahr erfolgende Änderung in der personellen Besetzung des Wiener Stadtsenats verhinderte alle weiteren Initiativen in die angedeutete Richtung.

Im Dezember 1949, nach Gemeinderatswahlen, mußte Viktor Matejka, bis dahin Vertreter der KPÖ innerhalb einer Koalitionsregierung von SPÖ, ÖVP und KPÖ, seine Funktionen zurücklegen. Als neuer Kulturstadtrat folgte Franz Mandl. Aus welchen Gründen auch immer, das Interesse an Oskar Kokoschka erlosch vollends. An die projektierte Spendenaktion dachte niemand mehr, und das nunmehr auch von offizieller Seite ungeliebte Körner-Porträt wanderte ins Depot.

Dort blieb das Bild bis zum Jahr 1951. Damals stand Oskar Kokoschka, von Wien sichtlich enttäuscht, bereits mit dem Salzburger Kunsthändler Friedrich Welz zur Begründung einer Schule des Sehens in Salzburg in engem Kontakt. Der frühere Berliner Kunsthändler Wolfgang Gurlitt, aus dessen Besitz später von der Stadt Linz der Grundstock für eine Neue Galerie erworben werden konnte, war seit der Zeit des Ersten Weltkrieges mit Kokoschka befreundet. Gurlitt bemühte sich, einen wesentlichen Teil der 1950 im Münchner Haus der Kunst gezeigten Kokoschka-Ausstellung auch nach Linz zu bringen. Ihm und seinem Mitarbeiter Walter Kasten gelang es, 1951 in der Neuen Galerie der Stadt Linz die erste große Kokoschka-Ausstellung nach dem Krieg in Österreich zu zeigen.

Von der Stadt Wien wurde das Körner-Porträt zur Ausstellung erbeten, das jedoch erst nach persönlicher Intervention Kokoschkas nach Linz gebracht werden konnte. Walter Kasten, unmittelbar an den Ausstellungsvorbereitungen beteiligt, berichtet über diese Angelegenheit:

»Ich sollte das Bild von der Städtischen Galerie in Wien . . . übernehmen. Das war leicht gesagt, aber, wie sich herausstellte, schwer getan. Direktor Glück war der Meinung, das Bild gehöre der Stadt Wien und damit der Städtischen Galerie. Schließlich kam es auf einen Brief heraus, mit dem OK mich schriftlich beauftragte, das Körner-Bild zu übernehmen. Der Brief war an mich gerichtet und mußte erst abgeschrieben werden. Aber ein in Maschine geschriebener Brief wurde vom Museumsdirektor nicht anerkannt. Schließlich löste sich das Problem mit einer Photokopie. Dann kam das Bild gerade noch zurecht zur Ausstellungseröffnung.«[19]

Kokoschka sah sich zu diesem Zeitpunkt wohl zurecht als Eigentümer des Bildes, denn die Bedingung, unter der er das Körner-Porträt Wien überlassen wollte – eine Sammlung beziehungsweise eine Stiftung für notleidende Kinder –, war nie erfüllt worden. Kulturstadtrat Mandl mochte mit seinem Diktum »In Wien gibt es keine hungrigen Kinder« 1951 gottlob recht haben, das Problem, eine offene und berechtigte Schuld zu begleichen, wurde damit jedoch nicht gelöst.

Kokoschka verfügte, daß das Körner-Porträt nach Ablauf der Ausstellung vorderhand in Linz verbleiben sollte. Die erst nach weiteren drei Jahren erfolgende endgültige Lösung der Besitzerfrage stellt wohl einen der kuriosesten Fälle dar, wie jemals in Österreich ein bedeutendes Kunstwerk in öffentlichen Besitz überging: Das verheerende Donauhochwasser vom Sommer 1954 bewog Oskar Kokoschka zu einer neuerlichen karitativen Aktion. Er beauftragte Friedrich Welz, das Körner-Porträt der Stadt Linz zum Kauf anzubieten. Am 29. Oktober 1954 teilte Welz dem Linzer Stadtmagistrat mit:

»Nach dem Wunsche Oskar Kokoschkas soll der Erlös des Gemäldes als Kokoschka-Spende den Hochwassergeschädigten seiner Heimatstadt Pöchlarn und der Stadt Linz zu gleichen Teilen zufließen. Die Verteilung der Mittel überläßt Kokoschka den beiden Stadtverwaltungen und verzichtet auf jede Einflußnahme bei derselben. Oskar Kokoschka hat keinen festen Kaufpreis für das Bild genannt. Wenn aber derselbe mit S 100.000,- angenommen wird, dann glaube ich die Zustimmung Kokoschkas dafür erwirken zu können, daß der Stadt Pöchlarn ein Anteil von S 40.000,- als Kokoschka-Spende für die Hochwassergeschädigten dieser Stadt überwiesen wird, während der Rest von S 60.000,– als Kokoschka-Spende für denselben Zweck der Stadt Linz zufallen soll.«[20] Genauso geschah es, und Linz erwarb damit das Porträt Theodor Körners.

Die bereits erwähnte, erstmals 1945 diskutierte Idee, für eine Linzer Kunstschule Oskar Kokoschka als Lehrer zu gewinnen, wurde 1951 ein weiteres Mal aufgegriffen. Nach Vorgesprächen durch Wolfgang Gurlitt, in denen sich Kokoschka bereits gegen die Übernahme einer ständigen Lehrverpflichtung in Linz ausgesprochen hatte, richtete der Linzer Magistratsdirektor DDr. Eugen Oberhuber die ergebnislos bleibende Bitte und Anfrage an den Künstler, ob Kokoschka nicht doch geneigt sei, an der Kunstschule der Stadt Linz pro Studienjahr einen auf kürzere Zeit bemessenen Meisterkurs abzuhalten.[21] Offensichtlich waren aber zu diesem Zeitpunkt die Gespräche mit Salzburg bereits so weit gediehen, daß Kokoschka dieser Stadt den Vorzug einräumte.

Aus dem von Ina Stegen auszugsweise veröffentlichten Briefwechsel von Oskar Kokoschka und Friedrich Welz zu den Vorbereitungen der späteren Salzburger Sommerakademie geht hervor, daß bereits Ende 1950 die prinzipielle Zustimmung des damaligen Salzburger Landeshauptmannes Dr. Josef Klaus für »Internationale Sommerkurse« unter der Leitung von Oskar Kokoschka vorhanden war, mit denen 1951 begonnen werden sollte.[22] Der konkrete Plan dazu war entstanden, als Welz im Sommer 1950 den Meister nach Salzburg eingeladen hatte und dieser die berühmte Ansicht Salzburgs vom Kapuzinerberg aus malte.

In der Folgezeit war Friedrich Welz unermüdlich in der Angelegenheit dieses Projektes tätig. Doch noch waren die Räumlichkeiten in der Salzburger Festung nicht restauriert, ein provisorisches Quartier im Pavillon des Zwerglgartens, das die Stadt Salzburg anbot, erschien als ungeeignet, und Friedrich Welz dachte sogar an den Ausbau der in seinem Besitz befindlichen Bichlmühle in Aigen bei Salzburg zu einem Atelier. Kokoschka selbst erwog den Erwerb eines bei Salzburg gelegenen Hofes. Geradezu flehentlich wandte sich Friedrich Welz an den Meister: »... lassen Sie ... Ihre alte Heimat Österreich nicht im Stich. Es gibt allzu viele, die den Undank gutmachen wollen, den man an Ihnen in der Vergangenheit begangen hat.«[23]

Für den Sommer 1951 gab es noch Probleme mit der Finanzierung. Im Herbst weilte Kokoschka zwar in Salzburg, sein Besuch wurde in den Medien vor allem dadurch bekannt, daß der Künstler und seine Frau in der Salzburger Innenstadt von betrunkenen amerikanischen Soldaten angepöbelt und mißhandelt wurden.[24] Im folgenden Winter stürzte unter den Schneemassen das Stallgebäude der Bichlmühle ein, wo Welz vorerst das Sommerseminar 1952 abhalten wollte. Erst im Sommer 1953 gelang es, Räume auf der Salzburger Festung zur Verfügung zu stellen.

286

In den vorbereitenden Briefen an Friedrich Welz vertrat Kokoschka unbeirrt seine künstlerischen Absichten. Hier soll nicht über die Richtigkeit der aus seiner Sicht verständlichen, jedoch sehr individualistischen Standpunkte diskutiert werden, von denen aus er Modetendenzen und vor allem die abstrakte Malerei verdammte. Natürlich beeinflußte dies auch die Auswahl seiner Mitarbeiter für die Sommerakademie. Fritz Wotruba etwa lehnte er kategorisch ab, und in einem Brief donnerte er: » . . . für die abstrakten Nichtsnutzer mache ich keine Akademie in Salzburg auf, die regieren ohnedies in der ganzen Welt.«[25]

Endlich erfolgte am 23. Juli 1953 im Goldenen Saal der Festung Hohensalzburg die feierliche Eröffnung der ersten von Oskar Kokoschka geleiteten »Internationalen Sommerakademie für Bildende Kunst«. Siebenundzwanzig Teilnehmer hatten sich für seine Malklasse angemeldet. An den vom deutschen Bildhauer Uli Nimptsch und vom Schweizer Architekten Hans Hofmann abgehaltenen Parallelseminaren nahmen nur vier beziehungsweise dreizehn Studenten teil.

Kokoschkas »Schule des Sehens« wurde für insgesamt elf Sommer, von 1953 bis 1963, zu einem künstlerischen und gesellschaftlichen Ereignis, das vor allem Gäste aus dem Ausland nach Salzburg brachte. Die von Kokoschka geleiteten Kurse unterschieden sich mit ihrer zwanglosen Methode von allen sonstigen Gepflogenheiten der Kunstakademien. So urteilte er selbst über sein erstes Salzburger Seminar, daß es ihm geglückt sei, jene, die sich ihm anvertraut hätten, die Kunst gelehrt zu haben, »mit eigenen Augen zu sehen« – mit Ausnahme eines einzigen Kursteilnehmers, der Hörer einer Akademie gewesen sei.[26]

Wie von selbst stellt sich hier die Frage, ob Kokoschkas Lehrtätigkeit nicht doch noch merkbare Spuren in der österreichischen Kunstlandschaft hinterlassen hat. Doch gerade das hätte den eigentlichen Intentionen Kokoschkas nicht entsprochen. Bei aller scharfen Kritik an Entwicklungen, denen er nicht zu folgen vermochte, ging es ihm nicht darum, seinen Schülern seine eigene Kunst zu oktroyieren. Ja, er fand es selbstverständlich, daß vielen seiner Schüler seine eigene Kunst unbekannt blieb. Er wollte durch die »schockartige Begegnung mit der Wirklichkeit«, mit der Erscheinungswelt, die individuelle Fähigkeit erwecken, mit den eigenen Augen und unvoreingenommen durch Zeitströmungen und geistige Gleichschaltungen die Welt zu erleben. In weiser Einsicht schränkte er jedoch ein: »Ich garantiere damit nicht, ihn – das heißt jeden Schüler – auch schon zum bildenden Künstler auszubilden.«[27]

Kokoschkas Salzburger Sommerkurse, von Friedrich Welz organisatorisch geschickt betreut, erfreuten sich größter Beliebtheit. Von Jahr zu Jahr stieg die Zahl der Schüler aus aller Herren Länder. 1960 hatten 260 allein für Kokoschkas Malklasse inskribiert.

Seit 1957 assistierte ihm in Salzburg Rudolf Kortokraks, ein 1928 in Ludwigshafen geborener Maler, der zuvor in Graz und Mannheim studiert hatte und der durch die Begegnung mit Kokoschka entscheidend geprägt wurde.[28] Wenn Kokoschka je einen direkten Schüler hatte, dessen Werk unmittelbar vom dramatisch-koloristischen Malstil des Meisters seinen Ausgang nahm, so war dies Rudolf Kortokraks mit seinen flimmernden, reich facettierten Städte- und Menschenbildern. Hier liegt der selten deutliche Fall einer direkten künstlerischen Rezeption vor. Sie erfolgte jedoch durch einen Deutschen.

Von seiner »Schule des Sehens«, zuletzt auch Sommertreff von Prinzessinnen und dilettierendem Geldadel, was zur entsprechenden Hofberichterstattung in Österreichs Medien führte, trennte sich Kokoschka 1963 schweren Herzens. Die Schülerzahl war so groß geworden, daß er sich den Anstrengungen physisch nicht mehr gewachsen sah, die sich bei der direkten und persönlichen Hinwendung an jeden seiner Schüler ergaben.

Die jährlichen Aufenthalte in Salzburg und Kokoschkas wachsende Popularität schufen allmählich auch im übrigen Österreich ein – von gewichtigen Ausnahmen immer wieder durchbrochenes – günstigeres Klima für die Rezeption seines Werkes.

In Linz gelang es der ambitionierten Kulturverwaltung, von Bürgermeister Dr. Ernst Koref tatkräftig unterstützt, den Gemeinderat davon zu überzeugen, daß es dem kulturellen Ansehen der Stadt nur förderlich sein könne, wenn Oskar Kokoschka eine Ansicht der Stadt Linz malen würde. Das Honorar (S 100.000,– und Aufenthaltskosten) wurde nach längerer Debatte mehrheitlich bewilligt, der zuvor heftig polemisierende VdU enthielt sich dabei der Stimme.

Anfang April 1955 traf Oskar Kokoschka in Linz ein. Nach längerem Suchen fand er am Pfenningberg einen ihm genehmen Standort, nach mehreren Pausen und wetterbedingten Verzögerungen war das Bild Anfang Mai vollendet.[29]

Aber auch in Linz wurde damals eine große Chance nicht genützt. Nach vorfühlenden Kontakten, die ins Jahr 1953 zurückreichten, wurde 1954 zwischen Kokoschka und dem Architekten Dr. Kurt Schlauß brieflich darüber verhandelt, ob der Meister nicht für den Sitzungssaal der 1952 fertiggestellten Handelskammer am Linzer Hessenplatz Gobelins entwerfen könne. Anläßlich seines Linz-Besuches im Juni 1955 besichtigte Kokoschka den Sitzungssaal und dachte eher an die Anbringung großer Wandbilder; ein weiterer Lokalaugenschein erfolgte im August des gleichen Jahres. Im September sandte er Skizzen zu den Themen »Hermes«, »Prometheus« und »Vulcan überrascht Ares mit Aphrodite«, die für die Handelskammer gedacht waren, an Walter Kasten, den Leiter der Neuen Galerie in Linz, wo sie sogar im Rahmen einer neuerlichen Kokoschka-Ausstellung zu sehen waren.

Allein, die Mächtigen der Handelskammer verließ der Mut, und das Vorhaben wurde nicht mehr weiter betrieben. Die drei Farbstiftskizzen blieben im Besitz der Neuen Galerie in Linz.[30]

Es wird wohl noch eifrigen Nachforschens in den Archiven bedürfen, um die Beziehungen Oskar Kokoschkas zu Wien in dem für Österreich so entscheidenden Jahr 1955 zu untersuchen. Vom Oktober bis November fand – mit großer Verspätung – die erste große Retrospektive von Werken Kokoschkas seit 1937 in Wien statt. Es war die Künstlervereinigung Wiener Secession, die Dr. Werner Hofmann mit dieser Aufgabe betraute. Gewiß leisteten das Unterrichtsministerium und die Stadt Wien die nötige finanzielle Hilfestellung, die Initiative ging jedoch von der Secession aus, die damit gegenüber ihrem Ehrenpräsidenten, zu dem man Kokoschka bereits 1953 gewählt hatte, eine Verpflichtung zu erfüllen trachtete. Der Zeitpunkt dieser Ausstellung wurde bewußt mit der festlichen Wiedereröffnung der Wiener Staatstheater übereingestimmt.[31] Die Ausstellung in der Secession wurde zu einem triumphalen Erfolg. Bei einer Führung, die Kokoschka selbst veranstaltete, wurden 1056 Besucher gezählt!

Bei der Wiedererrichtung von Burg und Oper hatte man bei der Auftragsvergabe auf Kokoschka vergessen. Dafür lud man ihn zur feierlichen Wiedereröffnung der Staatsoper am 5. November 1955 ein. Bereits zuvor war in Wiener Zeitungen von der offensichtlich ernst gemeinten Absicht die Rede, Kokoschka werde von einer Loge aus die feierliche Eröffnung malen. In einer satirischen »Falschmeldung« des Wiener »Bild-Telegraf« hieß es dazu ergänzend und nicht ohne bissigen Witz, Oskar Kokoschka sei auch beauftragt worden, den akad. Maler Prof. Eisenmenger zu malen, »wenn dieser gerade den eisernen Vorhang der Staatsoper bemalt«. [32]

In diesem Zusammenhang erscheint das im Juni 1956 im Auftrag der Republik gemalte Bild der Wiener Staatsoper als späte Geste des Versuchs einer Versöhnung. Die Verleihung des Großen Österreichischen Staatspreises im gleichen Jahr durch Unterrichtsminister Heinrich Drimmel war ein weiterer, längst fälliger Schritt der Anerkennung.

Ein eigenes Referat würde es erfordern, sollte auf die Wirkungsgeschichte von Kokoschkas Arbeiten für die Bühne eingegangen werden. Auf Anregung Wilhelm Furtwänglers entwarf er für die Salzburger Festspiele 1955 eine Gesamtausstattung der Zauberflöte.[33] 1960 und in den beiden folgenden Jahren entstanden für Wiens Burgtheater seine Bühnenbilder und Kostümentwürfe für Raimunds »Moisasurs Zauberfluch«, für die »Unheilbringende Krone« und zur »Gefesselten Phantasie«. Allein die Analyse der zu Kokoschkas Bühnenarbeiten getroffenen Urteile in der Tagespresse ergäbe eine aufschlußreiche Studie über das Kunstverständnis der damaligen Theaterkritiker.

Bereits 1958 bot die bis dahin größte Kokoschka-Ausstellung, die je zusammengetragen wurde, im Künstlerhaus ein weiteres Mal den Wienern die Gelegenheit einer Begegnung. Allerdings konnten sich auch damals noch Kritiker mit dem ausgestellten Körner-Porträt und dem Staatsopernbild nicht abfinden.[34]

Aber es hat den Anschein, als wartete man nunmehr im Wiener Rathaus nur noch auf eine passende Gelegenheit einer gleichsam offiziellen Aussöhnung mit Kokoschka. Immerhin hatte es noch zum 70. Geburtstag Kokoschkas von Stadtpolitikern sehr persönliche Einwände gegen eine Ehrung gegeben.[35]

Anläßlich seines 75. Geburtstages überreichte Bürgermeister Franz Jonas am 18. März 1961 im Stadtsenatsitzungssaal des Rathauses in Anwesenheit des Bundespräsidenten Dr. Adolf Schärf an Oskar Kokoschka die Ernennungsurkunde zum Ehrenbürger der Stadt Wien. Vizebürgermeister und Noch-immer-Kulturstadtrat Franz Mandl betonte in seiner Ansprache – fast entschuldigend –, daß vor Oskar Kokoschka mit Joseph Führich erst ein einziger Maler diese höchste Auszeichnung der Stadt Wien erhalten habe. Kokoschka replizierte, er sei ein Leben lang mit dieser Stadt in glücklicher und unglücklicher Liebe verbunden gewesen. »Wir haben uns gerauft und wir haben uns geliebt.«[36]

Ein eigenes Kapitel würde auch den Bemühungen gebühren, die Rupert Feuchtmüller als früherer Leiter des Niederösterreichischen Landesmuseums durch Jahre hindurch unternahm, um Werke Kokoschkas für diese Sammlung zu erwerben.[37] Das »Selbstbildnis mit der Staffelei« aus Kokoschkas Dresdner Zeit befand sich durch mehrere Jahre als Leihgabe im Niederösterreichischen Landesmuseum, wurde dort fachkundig restauriert, und mit Bohuslav Kokoschka, dem damaligen Besitzer, waren Verkaufsgespräche weit gediehen. Doch im Rahmen der niederösterreichischen Verwaltung waren es eher unverständige Juristen als Politiker, die alle Bemühungen der Fachbeamten zunichte machten. Ja, man verwehrte der Leihgabe zuletzt einen repräsentativen Hängeplatz im Museum und verbannte sie ins Depot. Das mangelnde Verständnis wird durch ein Diktum illustriert, das – wie korrekterweise betont werden muß – allerdings nicht mehr verifizierbar ist. Über Kokoschkas Porträtkunst soll ein hoher Landesbeamter geäußert haben: »Wer laßt sich denn schon vom Kokoschka malen!« Ohne die massive Unterstützung der Niederösterreichischen Landesregierung wäre es jedoch nicht möglich gewesen, in Pöchlarn eine Kokoschka-Gedenkstätte und eine Dokumentation über den Künstler einzurichten. Aber ein zur Eröffnung am 14. Juli 1973 verbreitetes Flugblatt der »Liga gegen entartete Kunst« protestierte nicht nur gegen die Verschwendung öffentlicher Gelder, sondern polemisierte auch: »Er malte ein Körner-Porträt, so schauderhaft, daß es im Wiener Rathaus nicht aufgehängt werden konnte. Er war kein guter Österreicher, denn er ging ins Ausland, als wir die Kümmernisse und die Schrecken des Zweiten Weltkriegs erleben mußten.«

Lassen wir es mit der Erwähnung dieser verspäteten lokalen Anachronismen genug sein.

In der Rückschau bleibt es ein großes Versäumnis, Kokoschka nicht unmittelbar nach dem Krieg nach Österreich geholt zu haben. Eine Rezeption seiner Kunst durch die jungen heimischen Maler der Nachkriegszeit wurde dadurch verhindert, das heißt eine Kokoschka Rezeption fand nicht statt! Seine heutige Enkel- und Urenkelgeneration scheint dagegen ein anderes, liebevoll-distanziertes Verhältnis zu ihm gewonnen zu haben.

Ein zentraler, schmerzlicher Punkt in Kokoschkas Bewußtsein blieb stets die verhinderte Heimkehr. Salzburg, das er durch so viele Jahre besuchte, bedeutete ihm nur eine künstliche Heimat. Seine dortige Lehrtätigkeit war verdienstvollstes Wirken innerhalb einer bunten internationalen Sommergesellschaft, aber keine Integration in die vorhandene kulturelle Struktur Österreichs.

Rezeption bedeutet auch »Aufnahme in eine Gemeinschaft«. Dazu sind wir nachträglich, auch mit dem leisen Schuldgefühl der Unbeteiligten, mehr als bereit. Dagegen konnten die zahlreichen Ehrungen zu Lebzeiten Oskar Kokoschkas bestenfalls mildernd wirken, die früheren Versäumnisse jedoch nicht mehr ungeschehen machen.

ANMERKUNGEN

1 Georg Eisler, Das Porträt als Wesensbild einer ganzen Epoche, in: heute Nr. 2/1982 (25. 2. 1982), S. 18; Oskar Kokoschka, Mein Leben. München 1971, S. 265.
2 Wiener Kurier, 27. 8. 1945.
3 Kokoschka (zit. Anm. 1), S. 265; Hans M. Wingler – Friedrich Welz, Oskar Kokoschka. Das druckgraphische Werk. Salzburg 1975, S. 152. Nr. 180.
4 Georg Wacha, Oskar Kokoschka und Linz. Eine Dokumentation. Stadtmuseum Linz-Nordico, Linz 1986, S. 3 ff.
5 Viktor Matejka, Widerstand ist alles. Notizen eines Unorthodoxen. Wien 1984, S. 192 f.
6 Matejka (zit. Anm. 5), S. 197.
7 Österreichische Zeitung, Arbeiterzeitung, jeweils 1. 3. 1946. – Das Konzept liegt im Archiv Viktor Matejka, ebenso mehrere recht unterschiedliche Entwürfe für den Brief Körners.
8 Kokoschka (zit. Anm. 1), S. 266.
9 Zitat aus einem Kokoschka-Brief in einem Schreiben Novotnys an Matejka vom 21. 10. 1947; Archiv V. Matejka.
10 Kokoschka (zit. Anm. 1), S. 266 f. – Olda Kokoschka erwähnte in einem Brief vom 15. 9. 1948 an V. Matejka diesen Vorfall. Die österreichische Zensurstelle fand sich bemüßigt, die diesbezüglichen Zeilen aus dem Brief herauszuschnipseln. Archiv V. Matejka.
11 Bohuslav Kokoschka, Museum des 20. Jahrhunderts. Wien 1970 (Ausstellungskatalog); Erinnerungen an Bohuslav Kokoschka. Ausstellung der Oskar Kokoschka-Dokumentation Pöchlarn, 1978.
12 Viktor Matejka, Kultur und Volksbildung, in: Franz Danimann – Hugo Pepper (Herausgeber), Österreich im April '45. Wien 1985, S. 288. – Nach Erscheinen seines Beitrages mußte V. Matejka feststellen, daß durch einen Eingriff eines Herausgebers der ursprüngliche Sinn ins Gegenteil verkehrt wurde.

13 Eisler (zit. Anm. 1), S. 19.
14 Wiener Kurier, 19. 11. 1947; Volksstimme, 20. 11. 1947.
15 Briefkopie vom 29. 9. 1948, Archiv V. Matejka.
16 Wiener Zeitung, 7. 5. 1949.
17 Weltpresse, 4. 6. 1949. – Brief V. Matejkas an Kokoschka vom 8. 6. 1949, Durchschlag im Archiv V. Matejka.
18 Brief V. Matejkas an Kokoschka vom 3. 6. 1949, Durchschlag im Archiv V. Matejka. – Wacha (zit. Anm. 4), S. 8 f.
19 Walter Kasten, Wie OK die »Linzer Landschaft« malte, in: linz aktiv, Heft 76 (1980), S. 58; Wacha (zit. Anm. 4), S. 9.
20 Wacha (zit. Anm. 4), S. 12 f.
21 Wacha (zit. Anm. 4), S. 11.
22 Ina Stegen, Das schönste Atelier der Welt. 25 Jahre Internationale Sommerakademie für Bildende Kunst, Salzburg. Salzburg 1978, S. 20 ff.
23 Stegen (zit. Anm. 22), S. 21, Brief vom 1. 3. 1951.
24 Volksstimme, 4. 9. 1951.
25 Stegen (zit. Anm. 22), S. 22, Briefe an F. Welz vom 4. 12. 1952 und 17. 1. 1953.
26 Stegen (zit. Anm. 22), S. 24.
27 Kokoschka (zit. Anm. 1), S. 273 ff.; Stegen (zit. Anm. 22), S. 27 f.
28 Kortokraks, Bilder, Zeichnungen, Drucke. Landau/Pfalz 1976 (Ausstellungskatalog). – Vgl. Stegen (zit. Anm. 22), S. 124.
29 Kasten (zit. Anm. 19), S. 55 ff.; Wacha (zit. Anm. 4), S. 13 ff.
30 Wacha (zit. Anm. 4), S. 20 ff.
31 (Ausstellungskatalog) Kokoschka, Wiener Secession, 15. 10.–13. 11. 1955 (Vorwort von Paul Meissner).
32 Bild-Telegraf, 7. 3. 1955.
33 Kokoschka (zit. Anm. 1), S. 278 f.; Oskar Kokoschka. Entwürfe für die Gesamtausstattung von Wolfgang Amadeus Mozarts Zauberflöte. Salzburger Festspiele 1955/56. Salzburg 1955.
34 Express, 21. 5. 1958. – (Ausstellungskatalog) Oskar Kokoschka, Künstlerhaus, Wien, 19. 5.–13. 7. 1958.
35 Viktor Matejka, Vom Erdenbürger zum Ehrenbürger, in: Tagebuch Nr. 3 (1961).
36 Die Presse, Wiener Zeitung, jeweils 19. 3. 1961.
37 Nach dem OK-Symposion erschien: Rupert Feuchtmüller, »Ihr nennt nur Raum, was Phantasie ist«. Erinnerungen an OK zum 100. Geburtstag, in: morgen Nr. 46 (1986) S. 104–111.

Herrn Dr. Viktor Matejka und Herrn Prof. Georg Eisler hat der Autor für wichtige mündliche Auskünfte zu danken, weiters den Herren Johann Winkler, Leiter der Oskar Kokoschka-Dokumentation Pöchlarn, und Mag. Norbert Pawlik für die Hilfe bei den Recherchen.

DIETER RONTE

Oskar Kokoschka und die Neuen Wilden

*A. S.: Die folgenden Ausführungen sind die Niederschrift eines frei vorgetrage-
nen Essays, des letzten Vortrages auf dem Oskar Kokoschka-Symposion in Wien
1986. Der Text folgt weitgehend der Niederschrift. Historische Überspitzungen
sind gemildert, Wiederholungen gestrichen, Zitate auf ihre Genauigkeit hin
überprüft und in Anmerkungen ausgewiesen worden. Vermieden wurde eine
vollständige Umschrift, um die leichte Ironie im Gesagten verankert zu lassen,
die Offenheit der Aussage zu stärken, um dem unerschöpflichen, als Reservoir
für Symposien letztlich unauslotbaren OK eine Hommage zu widmen, die ihn
nicht verschüttet, sondern sich an der Vitalität und Offenheit des Künstlers
orientiert.*

Meine Damen und Herren, am liebsten würde ich Ihnen diesen Vortrag jetzt
ersparen, weil es einfach zu spät ist, und Sie auffordern – und damit nähern wir
uns etwas bösartig und heiter unserem Thema –, mit mir zu überlegen, ob es
möglich wäre, in siebzig Jahren über die Neuen Wilden auch so ein langes, tief-
sitzendes und ergreifendes Symposion zu realisieren. Mir fällt auf, daß gewisse
Affinitäten und Parallelen im Thema versteckt sein müssen. Denn in siebzig Jahren könnte Oswald Oberhuber genausogut über österreichische Kunst und die
Störfaktoren der achtziger Jahre reden, man könnte über die Nahbilder genialer
Menschen nachdenken, das Verhalten der Neuen Wilden zu ihren Zeitgenossen
und ihre Widerspiegelung in den Porträts analysieren, man könnte die Neuen
Wilden nicht »späte Symbolisten«, sondern »verspätete Symbolisten« nennen,
aus dem »irrenden Ritter« könnten wir die »verwirrenden Ritter« machen und
so weiter.[1]
Ich erspare Ihnen die weitere Umsetzung, weil ich Sie hinwegführen möchte
von einer akribischen Kunstgeschichte in mehr feuilletonistische Bereiche, um
verschiedene Positionen abzustecken, die sich immer dann ergeben, wenn man
leichtsinnig ein Thema aufgreift wie »Kokoschka und die Neuen Wilden«. Ein
Thema, das sozusagen in der Luft liegt, wie man so schön sagt, und das auch
zeigt, daß eben die Rezeption des Expressionismus unser kunstgeschichtliches
Vermittlungsbild durch die Kunst der Gegenwart wieder weitgehend prägt; ein
Beispiel wäre die Ausstellung der deutschen Kunst in London 1986,[2] in der
ganze Kapitel der deutschen Kunst umgeschrieben werden durch simples Weg-

lassen, indem Kunstvermittler versuchen, wieder diese gefühlvolle, auf die reine Emotion hinzielende Kunstvorstellung zu betreiben, sicherlich unter dem Einfluß eben jener sogenannten »Neuen Wilden«.

Die Zeit reicht nicht aus, um die Begriffe ausführlich zu definieren; daran werden die Ausführungen etwas zu leiden haben. Ich verstehe unter Kokoschka ihn selbst, seine Zeit zwischen 1908/09 bis – sagen wir – Prag zugleich aber auch als Synonym für Expressionismus. Mit »Neue Wilde« benutze ich jenen von Wolfgang Becker erdachten Terminus, der sich als New Image Painting, Transavanguardia, la Nouvelle Figuration und so weiter in vielen Sprachen mitentwickelt hat und fast gleich gedeutet wird; wobei wir davon ausgehen dürfen, daß diese postmoderne Wortschöpfung für eine Generation steht, die die Kunst von heute erstellt und malt. Eine Warnung vorweg – es geht nicht darum, hier wertend im Sinne von Qualität in die Diskussion einzugreifen, sondern es ist wirklich der Versuch, Standpunkte, Gemeinsamkeiten, aber auch Unterschiedlichkeiten aufzuzeigen.

Beginnen wir, wie fast immer auf diesem Symposion ausgiebig getan, mit einem Zitat von Kokoschka, aus dem Jahre 1935 (Prag), das uns gleichzeitig die Distanz und die Sprengkraft des Themas anklingen läßt: »Der Zauber der Kunst ist der einzige, der nicht auf einem Aberglauben beruht. Hält die heutige Gesellschaft ihr Gesicht von der lebenden Kunst abgewendet, weil sie nicht erträgt, die Wahrheit zu schauen? Heute gibt es die höhere Wahrheit, die ein Lippenbekenntnis ist, und eine tiefere, nach der niemand zu leben wagt. Die Flut der Kunstbücher hat eine Legende ergeben, nach welcher das Genie im elfenbeinernen Turme haust, in der Mansardenkammer, und dort mit dem unbekannten Gotte ringt. Akademische Geschichtsauffassung nimmt ein psychologisches Interesse an dem Künstler, dessen Mitteilungsdrang der Gelehrte einem Erlöserwahn gleichstellt, und Kunstgeschichte beginnt gar mit dem Dogma: der Künstler muß erst tot sein; das nennt die akademische Geschichtsdarstellung: die historische Distanz gewinnen.«[3]

Das haben wir ausgiebig getan in den letzten Tagen. Die »Neuen Wilden« dagegen sind jung, frisch, lebendig; ihr Kapitel noch nicht endgültig geschrieben, denn sie malen noch an ihren eigenen Bildern, sie sind akademisch-kunsthistorisch noch nicht so festgelegt. Wir vergleichen also etwas nicht ganz Gleichwertiges, ein abgeschlossenes Œuvre eines europäischen Titanen mit jungen Künstlern, die oft tastend, vielleicht mit gewissen Parallelen zu Oskar Kokoschka operieren.

Der Begriff der Neuen Wilden/»Nouveau Fauves« ist von Wolfgang Becker, dem engagierten Direktor der Neuen Galerie in Aachen, 1980 für eine Ausstellung[4] benutzt worden, ausgehend von der Überlegung, daß auf der Ausstellung

»Paris – Berlin« die Franzosen etwas entsetzt vor den deutschen Expressionisten gestanden haben, die sie so schlecht den eigenen Fauves zuordnen konnten, also etwa Matisse. Becker präsentierte eine Ausstellung, in der er Amerikaner, Deutsche und Franzosen zeigte. In einem ersten skizzierten Statement versuchte er im Katalogvorwort die Kriterien roh zu umreißen. Diese Eigenschaften sind Farbigkeit, Hitze, gestalteter Ausdruck, Spontaneität, Lockerheit, Unruhe, Emotion, Erlebnis, Geschichte, Orient, Gesamtkunstwerk, Synthese, Kommunikation, Praxis. (Das sind genau die Begriffe, die wir fünf Tage lang auch in bezug zu Kokoschka erfahren haben.) Becker baut auch das Feindbild dazu auf, das Kokoschka wahrscheinlich als Feindbild auch unterschreiben würde – farblos, kalt, ausdruckslos, kalkulierend, besessen, ruhig, emotionslos, geschichtslos, akademisch, analytisch, kommunikationsarm, praxisfremd.

Zugleich wird also auch jene Kunstgruppe umrissen, gegen die sich Kokoschka immer gewehrt hat. Nun ist Kokoschka nicht der große Theoretiker in der Kunst unseres Jahrhunderts, sondern als Praktiker der sogenannte »Oberwildling«, wie er in den zehner Jahren in Wien beschrieben wurde. (Daher entwickeln sich der Begriff der Neuen Wilden und das Thema.)

Die Kunstvermittlung versucht heute die zeitgenössische Kunstproduktion sehr schnell in die historische Anbindung zu versetzen und macht dabei stets deutlich, daß alles anders ist als das, was vormals passiert ist. So schreiben Faust und de Vries 1982 in »Hunger nach Bildern«[5] über die Malerei der achtziger Jahre, ihr Auftreten sei spektakulär, radikal, direkt, wild, heftig, punkig, frech, aggressiv, häßlich.

Als Erneuerung und Fortschritt werden sie von ihren Bewunderern gefeiert, als Werke von Dilettanten und hochgemuten Nichtskönnern von den Kritikern verschmäht. (Auch diese Situation ist nach diesem Symposion, das ja jetzt zu Ende geht, nichts Neues für uns.) Faust/de Vries formulieren weiter über die achtziger Jahre, eben über die Neuen Wilden: Faszination, Schock, die Suche nach den neuen Bildern, Provokationen, das Lehrmaterial aus der Tradition; diese letztlich in widersprüchliche Impulse transformiert. Hinter diesem Hunger nach Bildern erkennen wir den Beginn, der eine neue Entwicklung in Deutschland charakterisiert. Die Malerei, in den sechziger und siebziger Jahren eine Randerscheinung, rückt plötzlich wieder ins Zentrum der Aufmerksamkeit – schon das läßt sich als Affront verstehen, als Versuch, ein eigentlich eher tabuisiertes, da traditionsbelastetes Medium wieder für die eigenen Zwecke zu nutzen.

Eine längere Untersuchung könnte jetzt aufzeigen – die Zeit verbietet es –, wie diese junge Kunst von den Künstlern selbst und von den Kunstvermittlern verbalisiert wird; so schreibt Faust zu Helmut Middendorf über »Spannung von lustvollem Taumel und ekstatischem Fall«.[6] Der Großstadtmensch der achtziger Jahre wird zum Wilden stilisiert (und als solcher agiert er und versteht er sich). Er ist ein sich der Gefahr Hingebender und Aussetzender, mitbestimmt durch Middendorfs Bilder, deren Fundament auf der Underground-Musikszene basiert: Musik statt OK Theater. Zur heftigen Malerei Rainer Fettings heißt es, sie lebt von Rückverweisen auf die Malereigeschichte.[7]

Doch selbstverständlich will die wilde Malerei nicht den Fauvismus und den Expressionismus aufnehmende Bewältigung von Sujets sein, also deren Imitation. Deshalb muß sie einen Grad an Intensität erreichen, der sie der Geschichte entreißt und unmittelbar zeitgenössisch werden läßt. Mit dem Blick auf die Malereitradition aber heißt dies, daß die Differenz zu ihr nicht als Weitermachen, sondern als Neuanfang zu erleben sein muß, daß ein Hier und Heute die Bildsprache radikal und einsehbar bestimmt. Diese Position wäre weiter auszuführen, und zwar auch im Hinblick auf eine Befragung der Vorbilder der Neuen Wilden.

Wir haben gelernt, wie Kokoschka sich indirekt, verschlüsselt und transformierend hat anregen lassen; die Neuen Wilden benutzen die Vorbilder völlig direkt. In der Wiener Ausstellung »Einfach gute Malerei«[8] sind die beteiligten Künstler befragt worden, auf welche Vorbilder sie sich berufen. Sie liefern eine fast vollständige Enzyklopädie der Kunstgeschichte. Es gibt kaum einen wichtigen Namen oder eine Bewegung, die ausgelassen werden. Interessanterweise nennen alle den Namen Velasquez. (Das wäre wahrscheinlich heute weltweit die interessanteste Ausstellung – eine Velasquez-Ausstellung als eine Hommage an die »Las Meninas«.) Ein Name aber fehlt bei den österreichischen Jungen: Das ist der Name von Oskar Kokoschka.

Kokoschka kann deshalb nur in bezug auf Expressionismus, bis zu seiner Dresdner Zeit, als eine gefühlvolle Ausrichtung im Sinne des mitteleuropäischen Nordismus[9] verstanden werden, weniger als direkte Vorlage. Ganz offensichtlich ist er nicht der Maler oder der Künstler gewesen, der diese heutige junge Generation direkt und stark beeinflußt, und zwar so, daß sie sich darauf beruft.

Beim Lesen der Texte von Kokoschka und denen der Neuen Wilden (alle schreiben und erklären mit Vorliebe aus der Angst heraus, mißverstanden zu werden) werden die Unterschiede deutlich – bei allen Parallelitäten und Affinitäten, die ich eingangs genannt habe, beim Pro und Kontra, bei der Diktion von heute und damals und selbstverständlich dem Feindbild, gegen das sich beide Gruppen wenden.

Kokoschka hat immer im Sinne einer Vision zur Wirklichkeit gearbeitet; er hat in der Wirklichkeit eine Vision erkennen und formulieren können, als die für ihn absolut höhere Wahrheit. Die Neuen Wilden gehen davon aus, daß sie Erkenntnisse erst finden, wenn sie es gemalt haben. Hier fließt der Gedanke der abstrakten Kunst ein, daß das Bild die neue Realität – nicht absolute Wahrheit – ist, die man zwar im Umgang mit Wirklichkeit erfährt, oft auch nur Wirklichkeit aus zweiter Hand, um sie nicht im Sinne von Oskar Kokoschka zu schildern, sondern wie es Siegfried Anzinger formuliert: »Ich male und zeichne ja, um es zu sehen.«[10] Der Künstler sieht es nicht vorher, er sieht es nach dem Malakt. Kokoschka sieht die Dinge vorher anders, und wir können sie erst nach dem Malakt so sehen, wie er es sieht.

Das heißt: eine Detailuntersuchung würde gewaltige Unterschiede im Zugang zur Wirklichkeit an das Tageslicht fördern. Die Zeit ist nicht da, alles weiter auszuführen. Es fällt aber auf, daß die Postmodernen im Umgang mit der alten Malerei (in der Architektur – gerade hier um die Ecke ist es zur Zeit ganz ausgiebig in der Radetzkystraße zu studieren), den Malern, die Vergangenheit nicht im Sinne einer zu erarbeitenden, zu studierenden und als Anregung auszubeutenden Vorgabe, sondern als Steinbruch mit direkter Materialentnahme benutzen. Kokoschka hat dies nicht extensiv, sondern ganz versteckt getan, ganz leise, nicht aufdringlich (Grünewald) – während die jungen Leute sich gerade darauf berufen, mit dieser Vergangenheit in völlig offener Radikalität im Sinne von Veränderung, von Irritation, von Verunsicherung der Ästhetik umgehen zu können. Sie greifen in die Schatzkiste der Tradition wie in eine Enzyklopädie, und sie leiden, oder, wenn man so will, sie profitieren von diesem Enzyklopädismus, der unsere Zeit heute beherrscht. Alles wird gleichgeschaltet und nivelliert. Pro und Kontra haben die gleiche Gültigkeit. De Vries/Faust zeigen das in ihrem Buch sehr genau auf. Es gibt keine Position, die nicht die andere sein könnte, in jedem Maler ist nicht das Ich dominierend, sondern, wie es Schmalix einmal ausgedrückt hat: »In mir sind viele Leute.«[11] In der deutschen Malerei spricht man von dem multiplen Ich, das sich ausdrückt.

Das allerdings sind Positionen, die mit der von Kokoschka nichts mehr zu tun haben. Was sie verbindet und auch als Begriff legiert, ist das Wilde, das Gestische, das Ekstatische; nur daß Kokoschka als Einzelgänger nicht in einer Gruppe arbeitete und im Grunde genommen die alte avantgardistische Position vertreten hat: Die Suche nach höheren Wahrheiten, an die der Künstler glaubt; das Durchbrechen von Tabus.

Wenn Sie, meine Damen und Herren, mir einen verkürzten Gedankenschluß erlauben, so ist es eigentlich mit Kokoschkas Leistung, daß die Jungen Wilden diesen enzyklopädischen Zugriff haben. Denn auch Oskar Kokoschka hat mitgeholfen, die Tabus aufzubrechen, unter deren Mangel die Jungen heute oft zu leiden scheinen. Im Vergleich also differenzieren sich die Positionen zwischen Avantgarde auf der einen und Postmoderne auf der anderen Seite; zwischen einem Glauben an Evolution und Verbesserung, nicht mehr Fortschritt – auch nicht bei Kokoschka –, sowie Einsamkeit und Widerborstigkeit einerseits und andererseits einer Absage an moralisierende Postulate, sowie die positive Sicht in der Beurteilung einer affirmativen Ästhetik; als auch Populismus und Theoriefeindlichkeit. Ich beziehe mich auf die Essays von Jean-François Lyotard.[12] Gerade Kokoschka würde es sich immer wieder verbeten haben, mit Robert Venturi »Learning from Las Vegas« zu betreiben. Das genau aber, diese Freiheit hat diese junge Generation, weil die anderen ihnen die Dämme zerbrochen und die Wege freigeschaufelt haben. Sie können leichter und direkter mit der Vergangenheit umgehen, können damit auch schneller artikulieren, formulieren. Sie sind nicht mehr an das gebunden, was man eine Stilkonsequenz nennt. Wenn Kokoschka noch einen erkenntnistheoretischen Anspruch an die Produktion von Kunst gehabt hat, so wird dies bei den Neuen Wilden geradezu negiert und abgelehnt.

Trotzdem lassen sich, wenn andere Kriterien herangezogen werden, weitere Gemeinsamkeiten und Differenzen aufzeigen. Es läßt sich nachweisen, daß – Kokoschka als eine historische Stilvorlage verwendet – wir über seine Dresdner Zeit zu Georg Baselitz, A. R. Penck und Markus Lüpertz Brücken bauen können; zu jenen, die genau aus diesem expressiven, expressionistischen mitteleuropäischen, deutschsprachigen Raum stammen; ihr Weg führt uns unmittelbar zu den Neuen Wilden wie Salomé und Helmut Middendorf. Ausgebrochen aus diesem mitteleuropäischen System ist zuvor Gerhard Richter, Träger des Kokoschka-Preises, der den Stilumbruch, den permanenten Stilwechsel à la Oswald Oberhuber oder à la Pablo Picasso bereits favorisiert hat; dieses gilt ebenso für Sigmar Polke.

Doch wo finden wir die Einflüsse Kokoschkas? Obwohl immer wieder dementiert, ist die »Schule des Sehens« von Kokoschka bei der Fragestellung nicht zu umgehen. Kokoschka hat sich in der Tradition der realistischen Schilderung bewegt, in der Nichtabstraktion. Selbstverständlich hat sie Folgen in Österreich durch die Persönlichkeit Kokoschkas gehabt. Obwohl es keine eigentliche Kokoschka-Schule gibt, die auch von den Künstlern negiert wird; wenn man sie danach fragt, was die Arbeiter-Zeitung dieser Tage getan hat, so sagen sie: »Damit haben wir nichts zu tun«.[13] Dennoch sind Georg Eisler, Hans Fronius, Alfred Hrdlicka, ein Teilaspekt von Adolf Frohner oder Fritz Martinz usw. ohne das Œuvre von Kokoschka nicht verständlich zu legitimieren. Es liegt ein ähnliches Kunstwollen vor; eine gleiche Zielrichtung selbst im politischen Glaubensbekenntnis zwischen links und finanzkräftigen Mitbewohnern, nicht aber – also ganz im Sinne von Oskar Kokoschka – die Imitation von Wirklichkeit.

Ununtersucht ist das Kapitel der Weiterwirkung des Theatermannes Kokoschka. Es ist auf dem Symposion angedeutet worden und hat mitgeklungen, daß sicherlich der Wiener Aktionismus von Günter Brus, Otto Mühl und Hermann Nitsch Kokoschka sehr viel zu verdanken hat.

Aber damit fixieren wir genau erneut einen Oskar Kokoschka-Einflußbereich bei der mittleren Nachkriegsgeneration, nicht jedoch bei den Neuen Wilden. Kokoschka hat in der Zwischengeneration vehement weitergewirkt. Er ist ihr Vorbildcharakter als soziales Wesen, als Mitglied der Gesellschaft, das sich als Rebell gibt. Denn die Position von Arnulf Rainer wäre ohne Kokoschkas Wiener Jahre und seine frühe Zeit nicht erklärbar. Das allerdings zeigt zugleich auf, wie wenig sich die Gesellschaft seit Oskar Kokoschka verändert hat oder, anders ausgedrückt, wieviel der Faschismus von dem wieder zugeschüttet hat, was die Generation von Kokoschka versucht hat zu erarbeiten.

Weitere Parallelen lassen sich ziehen: Die Emigration von Kokoschka ist die in der Ersten Republik; die Zweite Republik hat durch juristische Vorgangsweisen gegen die Avantgarde »freiwillig« eine große ästhetische Emigration in den sechziger Jahren hervorgerufen. Ich erinnere an die Wiener Gruppe. Diese extremen Ausgangspositionen finden die Neuen Wilden glücklicherweise nicht mehr vor, jene, die sich so gerne mit dem Etikett des Wilden schmücken.

Erstmals werden wir mit einer Kunstproduktion konfrontiert, die direkt von der Gesellschaft rezipiert, die aber auch nicht mehr gegen die Gesellschaft formuliert wird. Zumindest in den Anfängen von Kokoschka ist ein Veränderungswille wirklich nachweisbar. Wir erfahren heute zum ersten Mal in unserem Jahrhundert eine Kunstproduktion, die vom Handel aufgenommen und umgesetzt wird, bevor eine Ästhetik als mögliche Deutungstheorie überhaupt geschrieben ist. Sofort erkennen wir gewaltige Differenzen zwischen den Neuen Wilden und den alten Wilden. Das soziale Klima, der Produktionskontext ebenso wie der Vermittlungskontext, in dem diese Kunst entsteht, entsprechen genau jener gesellschaftlichen Verbindlichkeit, gegen die sich Oskar Kokoschka in leidenschaftlicher Reduktion existentieller Anpassung immer gewehrt hat, weil er das Fin de siècle als affirmative Gesellschaftsform haßte. Seine Kunst ist der Aufschrei gegen Verlogenheit und Anpassung, gegen den Leichtsinn der Selbstbestätigung, gegen die Kunst eines Hans Makart. Mir scheint, daß die sozio-ökonomischen Verhältnisse in der Kunst heute die der Makart-Zeit sind.

Makart steht für die schnelle Produktion, die rasante Akzeptanz; genau das, wogegen sich Kokoschka immer gestemmt hat. Vielleicht aber fallen 1986 diese Bemerkungen viel zu früh, sollten wir uns wirklich in siebzig Jahren wiedersehen. Es gibt Gemeinsamkeiten im Denken, in den Themen, auch in Auffassungen im Umgang mit Wirklichkeiten. Wer aber genau nachfragt, muß wieder differenzieren. Man beruft sich auf und legitimiert sich heute durch eine Vergangenheit, die man selbst noch nicht erarbeitet hat. Der Begriff Etikettenschwindel wäre falsch. Die Aufforderung ist kein Vorwurf an die Neuen Wilden, schon gar keiner an Kokoschka, sondern eine Aufforderung an uns, die Sachverhalte neu zu durchdenken. Damit wäre sogar Oskar Kokoschka einverstanden.

ANMERKUNGEN

1 Die Möglichkeit, alle im Symposion behandelten Themen auch der Kunst der achtziger Jahre zuzuschreiben, zeigt entweder auf, daß OK ein wirklicher Ausgangspunkt für die Neuen ist, oder aber, daß das postmoderne Vokabular, das unmittelbar an die Kunst der Neuen Wilden gekoppelt ist, alle Freiheit des Unverbindlichen in sich trägt.

2 German Art 1905–1985, Royal Academy of Arts. London 1986.

3 Oskar Kokoschka, Vom Erleben, März 1935, in Prag geschrieben, nach: Oskar Kokoschka, Ausstellungskatalog. Bregenz 1976, S. 134.

4 Ausstellungskatalog Les Nouveau Fauves/Die Neuen Wilden, Neue Galerie mit Sammlung Ludwig, Aachen 1980, mit einem Vorwort von Wolfgang Becker.

5 Wolfgang Max Faust, Gerd de Vries, Hunger nach Bildern. Deutsche Malerei der Gegenwart. Köln 1982.

6 Faust/de Vries, a. a. O., S. 90: »Die Spannung von ›lustvollem Taumel‹ und ›ekstatischem Fall‹ wird emotional aufgeladen durch ein bildbeherrschendes Feuerrot, das das Sujet belebt und zugleich wie ein Brand verzehrt.«

7 Faust/de Vries, a. a. O., S. 91: »Die Heftige Malerei lebt von Rückverweisen auf die Malereigeschichte. Doch will sie nicht die ›wilde‹, den Fauvismus, Expressionismus aufnehmende Bewältigung von Sujets sein, sie muß einen Grad von Intensität erreichen, der sie der Geschichte entreißt und unmittelbar zeitgenössisch werden läßt. Mit dem Blick auf die Malereitradition aber heißt dies: daß die Differenz zu ihr nicht als Weitermachen, sondern als Neuanfang zu erleben sein muß, daß ein ›Hier und Heute‹ die Bildsprache radikal und einsehbar bestimmt.«

8 Einfach gute Malerei, Museum moderner Kunst/Museum des 20. Jahrhunderts, 1983. In dieser Ausstellung wurden Arbeiten von Siegfried Anzinger, Josef Kern, Alfred Klinkan, Gottfried Mairwöger, Peter Marquant, Alois Moosbacher, Kurt Rohrbacher, Hubert Scheibl, Hubert Schmalix, Turi Werkner vorgestellt. Die Ausstellung wurde von Wolfgang Drechsler realisiert.

9 Zum Begriff Nordismus, einem neuen Begriff der Kulturgeschichte, der, vom Donaustil bis in das 20. Jahrhundert, besonders das Kulturwollen des mitteleuropäischen Raumes erklärt, vgl.: Kurt Rossacher, Gerhard Bott, Dieter Ronte, Nordismo, in: alte und moderne Kunst, 29. Jahrgang, 1984, Heft 195.

10 Siegfried Anzinger: »Ich male und zeichne ja, damit ich diese Dinge sehe, damit ich auf sie komme. Das ist die einzige Motivation zum Malen und zum Zeichnen.« Gespräch mit Dieter Koepplin, Basel, 30. April 1985, zit. n.: Siegfried Anzinger, Werke auf Papier 1977–1985, zwei Gemälde und eine Gruppe Plastik. Basel–Bonn–Linz 1985/1986, S. 5.

11 Hubert Schmalix: »Das Problem – oder vielleicht die Stärke an mir ist vielleicht, daß in mir so viele Leute sitzen, daß ich versuche, jeden einzelnen herauszuarbeiten. Also komme ich nie zu dem Punkt, wo ich sagen kann: Das bin ich. Es ist immer für eine gewisse Zeit so, für eine gewisse Zeit glaube ich, das bin ich, und dann kommt heraus, naja so möchte ich doch nicht mein ganzes Leben sein.« Zit. n. Kat. Einfach gute Malerei, a. a. O., S. 60.

12 Jean-François Lyotard, Essays zu einer affirmativen Ästhetik. Berlin 1982, franz. Ausgabe Paris 1973; J. F. Lyotard, Apathie in der Theorie. Berlin 1979, franz. Ausgabe Paris 1977.

13 A. Z., Neue Arbeiter-Zeitung, Wien, Wochenendbeilage, 1. 3. 1986, zum Thema Oskar Kokoschka.

JOHANN WINKLER

»Das hieße eine Geschichte schreiben, die gar nicht wahr ist.«

Die Oskar Kokoschka-Dokumentation in Pöchlarn: Aufgabe und Folgen

Es geht der Oskar Kokoschka-Dokumentation Pöchlarn so gut, daß ihr Fortbestand ernstlich in Frage gestellt ist.

Dieser Satz ist ernst gemeint, trotz aller mitschwingenden Ironie, ohne die die Wechselbäder kultureller Arbeit oft nicht zu ertragen wären.

Ein Jubiläum wie die Feier des 100. Geburtstages Oskar Kokoschkas bietet Gelegenheit, das bei solchen Anlässen besonders gern zur Schau getragene und besonders laut proklamierte kulturelle Verantwortungsbewußtsein beim Wort zu nehmen, um der euphorischen Bekenntnisfreude über den Tag hinaus Dauer und Fruchtbarkeit zu sichern.

Lassen Sie mich daher das Forum dieses Symposions zu Ehren Kokoschkas dazu benützen, über die bisherige Tätigkeit der Oskar Kokoschka-Dokumentation Pöchlarn Bilanz zu ziehen und auf die Gefährdung einer Initiative aufmerksam zu machen, die wider manche Erwartung in den letzten Jahren zunehmend nationale und internationale Anerkennung gefunden hat.

Wie kam es zur Gründung dieser Dokumentation?

Wie sahen die Ziele aus, die man sich mit dieser Gründung steckte? Und warum ausgerechnet Pöchlarn, die kleine niederösterreichische Donaustadt, die durch Kokoschkas Geburt am 1. März 1886 in dem damals als Vorstadt Nr. 5 bezeichneten Haus zwar in die kunstgeschichtliche Literatur einging, die über diesen glücklichen Umstand hinaus jedoch jahrzehntelang keine Verbindung zu ihrem berühmtesten Sohn hatte?

Begonnen hat die Geschichte am 4. April 1972 in Villeneuve, als eine kleine Pöchlarner Delegation, bestehend aus dem damaligen Direktor des Niederösterreichischen Landesmuseums, Prof. Dr. Rupert Feuchtmüller, dem Bürgermeister der Stadt, Dr. Josef Hager, und Herrn Dr. Hermann Geyrhofer, Oskar Kokoschka den Vorschlag unterbreitete, ihm in seinem Pöchlarner Geburtshaus eine Gedenkstätte einzurichten.

Kokoschka ist damals mit Enthusiasmus auf diese Idee eingegangen. Die Anregung dazu hatte er eigentlich selbst gegeben, als er im Jahr davor der Stadtgemeinde Pöchlarn seine beiden Mappen »Bekenntnis zu Hellas« stiftete und dazu

119. Die Oskar Kokoschka-Dokumentation im Hoftrakt des Geburtshauses Oskar Kokoschkas in Pöchlarn (Niederösterreich), Regensburger Straße 29

schrieb, er wolle damit in Pöchlarn »eine Sammlung von Druckwerken beginnen«.

Vorausgegangen waren lockere Kontakte zwischen dem Künstler und seiner
Geburtsstadt: im Juni 1951 war ihm die Ehrenbürgerschaft zugesprochen und
im August 1956 der erste Ehrenring der Stadt Pöchlarn überreicht worden.
Daß die Stiftung der Hellas-Mappen nicht nur eine großzügige Geste, sondern
der damit verbundene Wunsch, gerade in Pöchlarn eine wie auch immer geartete
Dokumentation seines Werkes einzurichten, ernst gemeint war, bezeugt nicht
zuletzt das Schreiben, das Kokoschka kurz nach der erwähnten Zusammen-

kunft an Bürgermeister Dr. Josef Hager richtete und das seither gleichsam als Gründungsurkunde der Oskar Kokoschka- Dokumentation gilt.

Darin heißt es:

»Ihr Besuch hat mich sehr gefreut, daß Sie und die Herren Ihrer Begleitung, der Kunsthistoriker Dr. Feuchtmüller und Dr. Geyerhofer, den weiten Weg nicht gescheut hatten, um mir Ihren, mich sehr ehrenden Vorschlag zu unterbreiten, in dem Haus wo ich geboren war, eine Gedenkstätte mit Werken von mir und einen Vortragssaal einzurichten. Ich bin sehr glücklich über diesen Vorschlag und werde Ihnen allen nach Möglichkeit behilflich sein, mit der Zeit in Pöchlarn Ihre Idee zu fördern, um zukünftigen Besuchern aus anderen Ländern auch zu beweisen, wie die Stadtväter meiner Geburtsstadt für das kulturelle Erbe und Ihre Heimat besorgt waren. Ich bitte dies auch dem Gemeinderat Pöchlarn mitzuteilen. Auf jeden Fall wünsche ich, daß Ihre Idee ausschließlich in Pöchlarn verwirklicht wird und wünsche Ihnen Glück, Erfolg und Ausdauer in einer Zeit, die von Nöten aller Art bedrängt, eher materielle als geistige Aufgaben vor Augen hat.«

Zur Bestimmung der Gedenkstätte hatte man sich damals folgendes überlegt: Im Geburtshaus Kokoschkas sollte ein Ausstellungsraum zur ständigen Präsentation graphischer Arbeiten eingerichtet werden. Zusätzlich wollte man mit dem Aufbau einer wissenschaftlichen Dokumentation beginnen.

Diese Entscheidung muß vor dem Hintergrund des Budgetrahmens einer Kleinstadt wie Pöchlarn als überaus mutig bezeichnet werden.

Immerhin kosteten die Renovierung und Adaptierung des Hauses, womit im Oktober 1972 begonnen wurde, mehr als öS 2,500.000,–. Dabei konnte man zum damaligen Zeitpunkt noch nicht absehen, welche Folgen der Vorsatz, ein »wissenschaftliches Archiv« zu gründen, gerade bei einem so umfangreichen Schaffen wie dem Oskar Kokoschkas nach sich ziehen mußte.

Auf Einladung der Stadtgemeinde Pöchlarn habe ich damals die Koordinierung der Bauarbeiten sowie die Vorbereitungen zur Einrichtung des Archives übernommen und im Anschluß daran den Aufbau des Archives und alle seine Aktivitäten bis zum heutigen Tag betreut.

Am 2. Februar 1973 konstituierte sich der »Verein zur Erforschung und Dokumentation des Werkes Oskar Kokoschkas« als organisatorische Basis der künftigen Arbeit. Für das wissenschaftliche Kuratorium zur fachlichen Beratung des Vorstandes konnten hervorragende Fachleute gewonnen werden.[1]

Die offizielle Eröffnung und Übergabe des Hauses fand am 14. Juli 1973 statt.

Jetzt stellten sich Probleme ganz unterschiedlicher Art. Zunächst galt es, der Gefahr heimatmusealer Verniedlichung vorzubeugen sowie übertriebenen Hoffnungen auf eine vor allem fremdenverkehrswirksame Attraktion entgegen-

zuwirken. Dann mußte man sich über die Zielsetzung des Unternehmens klar werden:
Dokumentation meint die Erfassung, Ordnung und Aufschließung von Dokumenten sowie deren Bereitstellung für Zwecke der Information.
Waren Archiv und Dokumentationszentrum sowie die damit zusammenhängende vereinsmäßige Organisation mit der lebendigen und eigenwilligen Persönlichkeit Oskar Kokoschkas überhaupt vereinbar? Hat er nicht selbst am Beginn seiner Autobiographie »Mein Leben« die Aussagekraft von Daten und Fakten für seine Person geradezu programmatisch in Zweifel gezogen, als er sagte: »Ich soll meine Biographie schreiben. Was heißt Biographie? Mit Daten jonglieren? Idealisieren? Das hieße eine Geschichte schreiben, die gar nicht wahr ist.«
Aufgabe eines Unternehmens wie der lebens- und werkbezogenen Dokumentation im Pöchlarner Geburtshaus mußte es also sein, über den archivalischen Sammelauftrag hinaus, den subjektiven, am Grad des eigenen Erlebnisses orientierten Wirklichkeitsbegriff des Künstlers als wesentlichen und vermittlungswürdigen Punkt zu berücksichtigen.
Der Zwiespalt zwischen faktisch nachprüfbaren Ereignissen und ihrer subjektiv-künstlerischen Verwandlung hat gerade im Fall Kokoschkas immer wieder zu Unsicherheit und Verwirrung geführt. Jeder Biograph mußte sich aufs neue mit dieser Problematik auseinandersetzen. Ein Archiv kann den gordischen Knoten nicht lösen. Es kann nur versuchen, möglichst viele biographische und werkbezogene Materialien und Quellen zu konzentrieren und bereitzustellen, um der Forschung eine sachliche Basis zu schaffen.
Darüber hinaus sollte mit Ausstellungen der Versuch unternommen werden, den Reichtum und die Bedeutung der besonderen Erlebnisfähigkeit Kokoschkas gerade für den Nichtfachmann durch das Kunstwerk selbst zu veranschaulichen, den lebendigen Zeugen dieser unmittelbaren Wirklichkeitserfahrung.
Erst im Abstand der Erfahrung mehrerer Jahre wurde deutlich, welche Schwierigkeiten die zunächst kaum definierten Pöchlarner Zielsetzungen implizierten. Erst langsam kristallisierten sich Schwerpunkte für den Aufbau der Sammlungen und für das Wirken in die Öffentlichkeit heraus.
Es darf gesagt werden, daß die Oskar Kokoschka-Dokumentation Pöchlarn inzwischen eine zumindest für Österreich völlig neuartige Mischform aus musealer Gedenkstätte, Forschungszentrum, Archiv und Studienbibliothek darstellt. Es handelte sich ja nicht, wie zum Beispiel im Fall des Nolde-Museums im norddeutschen Seebüll, um einen Ort, wo ein umfangreicher Künstlernachlaß zu verwalten und zu ergänzen war. Auch die am ehesten vergleichbaren Dokumentationen über Adolf Loos und Egon Schiele sind unterschiedlich zu bewerten,

da diese umfangreichen und geschlossenen Sammlungen lange nach dem Tod der beiden Künstler durch Ankauf beziehungsweise Schenkung aus Privatbesitz an die Albertina gelangten.

Im Gegensatz dazu war die Oskar Kokoschka-Dokumentation Pöchlarn erstmals eine zu Lebzeiten des Künstlers erfolgte Gründung ohne Anfangskapital. Ein geliehenes Exemplar des Gemäldekataloges von Hans Maria Wingler bildete zum Zeitpunkt der Gründung die einzige Ausstattung des Archives.

Das bisher gesammelte Material der Oskar Kokoschka-Dokumentation bildet zwei große Einheiten: die druckgraphische Sammlung und die Bibliothek.

Die druckgraphische Sammlung besteht zum größten Teil aus Stiftungen des Künstlers und seiner Witwe, Frau Olda Kokoschka, die dem Archiv nach und nach als Bausteine für die Sammlung übergeben wurden. Sie enthält überwiegend die großen Zyklen des graphischen Spätwerks, aber auch Schlüsselwerke, wie etwa den »Gefesselten Kolumbus«, aus den frühen Jahren.

Die Bestimmung der Sammlung erschöpft sich nicht in der Bewahrung der Materialien. Ihre derzeit 230 Blätter bilden den Grundstock für Ausstellungen in Pöchlarn und anderswo. Aus dem Bestand der Sammlung konnten bereits zahlreiche Präsentationen des druckgraphischen Werkes im In- und Ausland zusammengestellt werden. Über die eigene Sammlung hinaus haben wir in unseren jährlichen Sommerausstellungen immer wieder versucht, auf spezielle, mitunter vernachlässigte Aspekte des Werkes aufmerksam zu machen. Zu nennen sind in diesem Zusammenhang die ersten Ausstellungen von 1973 und 1974 mit den Bühnenbild- und Kostümentwürfen zu Ferdinand Raimunds Zauberspielen »Moisasurs Zauberfluch« und »Die gefesselte Phantasie« oder die vorjährige Präsentation mit bisher unbekannten Farbstiftakten aus den vierziger und fünfziger Jahren.

Andere Ausstellungen brachten eigene Forschungsergebnisse in die jeweilige Präsentation ein.

So konnte mit den »Reiseskizzen aus Schottland und Wales« im Jahr 1982 erstmals ein geschlossener Komplex aus den bis dahin in der Öffentlichkeit weitgehend unbekannten Skizzenbüchern behandelt werden. Zugleich brachte der Katalog eine erste detaillierte Dokumentation der Emigrationsjahre 1938–1947 in England, wobei vor allem auf Kokoschkas Engagement im antifaschistischen Widerstand und auf die in diesem Zusammenhang entstandenen Gemälde eingegangen wurde.

Aus der Ausstellung »Der junge Kokoschka«, die seine Studienjahre an der Kunstgewerbeschule, seine Arbeiten für die Wiener Werkstätte und sein erstes öffentliches Auftreten im Kabarett »Fledermaus« und auf der »Kunstschau

1908« zum Thema hatte, ergab sich ein vom Wissenschaftsministerium gefördertes Forschungsprojekt, das mit der von Werner Josef Schweiger verfaßten Monographie »Der junge Kokoschka« zur ersten quellenkritisch erarbeiteten Darstellung der Frühzeit führte.

Für das Jubiläumsjahr 1986 ist – wiederum in Zusammenarbeit mit Werner Josef Schweiger – geplant, Kokoschkas Beitrag zu Herwarth Waldens Zeitschrift *Der Sturm* in Form einer Ausstellung mit begleitendem ausführlichen Katalog zu würdigen.

Den zweiten Schwerpunkt der Sammlung bildet die Bibliothek. Ihr Aufbau orientierte sich von Anfang an an dem Ziel, möglichst alle bisher erschienenen Publikationen zum Leben und zum Werk des Künstlers unter Einbeziehung des künstlerischen und zeitgenössischen Umfeldes zu erfassen. Dazu gehören, angefangen von den frühesten Aufsätzen und Berichten über den jungen Kokoschka und den Katalogen seiner ersten Ausstellungen und Ausstellungsbeteiligungen sowie den ersten monographischen Abhandlungen, alle folgenden Veröffentlichungen dieser Art bis auf den heutigen Tag, ebenso alle frühen und späteren übergreifenden Abhandlungen zur Kunstgeschichte des 20. Jahrhunderts, um auch die Rezeption vollständig zu belegen. Zu berücksichtigen waren ferner Kokoschkas eigene Schriften in möglichst allen Ausgaben.

Ich kann heute ohne Übertreibung sagen, daß es gelungen ist, die eben angesprochenen Zeugnisse von und über den Künstler, soweit sie irgendwo nachweisbar waren, zum größten Teil im Original oder in Form von Kopien in Pöchlarn zu vereinigen. Die Bibliothek kann mit ihrem Bestand von derzeit etwa 1500 Bänden und Ausstellungskatalogen der Forschung bereits heute die wesentliche Literatur nahezu lückenlos anbieten.

Viele Werke wurden dem Archiv über die Jahre von Oskar und Olda Kokoschka selbst zum Geschenk gemacht. Freunde des Künstlers, private Sammler und Museen haben sich ebenso um die Erweiterung der Bestände verdient gemacht.

Regelmäßige Ankäufe konnten trotz beträchtlicher Finanzierungsschwierigkeiten aus dem jährlichen Budget bestritten werden. Bei besonderen Angeboten auf Auktionen oder aus dem Antiquariatsbuchhandel ließen sich in einzelnen glücklichen Fällen dank privater Stiftungen wertvolle Einzelstücke und Konvolute erwerben.

Von großer Bedeutung war die Stiftung des viele tausend Zeitungsausschnitte und Pressenotizen umfassenden persönlichen Archives Oskar Kokoschkas durch Olda Kokoschka. Diese Dokumente veranschaulichen die Entwicklung seines künstlerischen Schaffens im Urteil der Zeit und machen den Wandel der

Rezeption deutlich. Darüber hinaus stellen sie bedeutendes Quellenmaterial zur Biographie dar.

Als weitere überaus wichtige und aufschlußreiche Quellen gehören in diesen Zusammenhang die Briefe, die der Künstler geschrieben und empfangen hat. Wesentliche Korrespondenzen befinden sich in Form von Kopien oder Abschriften bereits jetzt in der Obhut des Archives. Es ist vorgesehen, daß nach Abschluß der auf vier Bände veranschlagten Ausgabe von Kokoschkas Briefen das gesamte diesbezügliche Material unter Einschluß der nicht in die Ausgabe aufgenommenen Zeugnisse dem Archiv zur dauernden Aufbewahrung übergeben werden soll.

In Ergänzung des eigentlichen Bibliotheksbestandes ist im Rahmen einer Photosammlung ein biographisches Bildarchiv im Aufbau, das auch die Familie des Künstlers, den Kreis seiner Freunde, seine Modelle und die verschiedenen Stätten seines Wirkens einbezieht.

Ebenso wurde von Anfang an an der systematischen photographischen Dokumentation des Werkes gearbeitet. Die diesbezüglichen Bemühungen gelten in erster Linie den Gemälden, Aquarellen und Zeichnungen und haben vorläufig zu einer Sammlung von mehr als 2500 Bildbelegen geführt.

Damit kommen wir noch einmal auf die eigene Forschungstätigkeit zurück, die als interessanteste und schönste Aufgabe der Dokumentation bezeichnet werden darf. Unserer Institution fällt dabei der Bereich der Grundlagenforschung zu, die dann weiterführenden Untersuchungen Anreiz und Material liefern soll.

Im Augenblick steht hier die Neubearbeitung des vollständigen Gemäldekataloges im Vordergrund.

Die erste, längst vergriffene und in vielen Punkten überholte Ausgabe wurde 1956 von Hans Maria Wingler aus Anlaß des 70. Geburtstages Kokoschkas vorgelegt. Aus Krankheitsgründen konnte der Verfasser die Neubearbeitung nicht mehr allein durchführen. Sie wurde auf der Grundlage des von ihm gesammelten Materials im Einverständnis mit ihm und mit Frau Olda Kokoschka im April 1983 der Dokumentation übertragen. Frau Kokoschka hat sich seither an den anfallenden Kosten, wie zum Beispiel den Aufwendungen für Forschungsreisen oder Literaturbeschaffung, maßgeblich beteiligt. Die neue Ausgabe wird zum ersten Mal alle Gemälde, auch die inzwischen neu aufgetauchten Bilder, sowie das nach 1956 entstandene malerische Spätwerk ausführlich dokumentieren und soll noch in diesem Jahr im Verlag Galerie Welz, Salzburg, erscheinen.

Im Anschluß daran ist in Zusammenarbeit mit Werner Josef Schweiger die Herausgabe einer ausführlichen Kokoschka-Bibliographie geplant, wie sie von der Forschung seit Jahren gefordert wird. Dieses Projekt ist derzeit allerdings erst

307

zum Teil aus Mitteln des Jubiläumsfonds der Österreichischen Nationalbank finanziert.

Alle diese Tätigkeiten haben die Oskar Kokoschka-Dokumentation weit über den ihr ursprünglich gesteckten Rahmen hinausgeführt. Das zunächst vage definierte »wissenschaftliche Archiv« ist mit all den ihm zugewachsenen Aufgaben inzwischen so groß geworden, daß sein Unterhalt aus den begrenzten Mitteln einer Kleinstadt wie Pöchlarn längst nicht mehr bestritten werden kann.

Die Bestände der Dokumentation werden laufend von außen für Diplomarbeiten, Dissertationen und sonstige Forschungsvorhaben, für Auskünfte über die Authentizität neu auftauchender Werke sowie für die Vorbereitung anstehender Ausstellungsvorhaben in Anspruch genommen. Beispielsweise haben wir für die diesjährige große Kokoschka-Retrospektive der Tate Gallery in London wichtige Unterlagen zur Verfügung gestellt und an der in Wien gezeigten Ausstellung der »Städteporträts« maßgeblich mitgearbeitet. Die so von vielen Seiten an uns herangetragenen Ansprüche setzen aber eine Ausstattung des Archives voraus, wie sie weder personell noch finanziell gegeben ist.

Es darf nicht vergessen werden, daß ich als Leiter der Dokumentation von der Universitätsbibliothek Wien, wo ich hauptberuflich tätig bin, allein während der ersten beiden Aufbaujahre zur Gänze, später nur mehr für die Dauer von Sonderurlauben freigestellt war, wofür der Bibliotheksdirektion und dem Bundesministerium für Wissenschaft und Forschung ausdrücklich gedankt sei.

Erst 1985 konnte durch die Anstellung von Mag. Norbert Pawlik im Ausmaß einer halbwöchentlichen Verpflichtung der herrschenden Personalknappheit wenigstens zum Teil abgeholfen werden, doch ist diese Anstellung derzeit auch nur bis zum Ende des Jahres 1986 gesichert.

Was die Finanzierung der Oskar Kokoschka-Dokumentation betrifft, so hat die Stadtgemeinde Pöchlarn bisher anteilsmäßig am meisten dazu beigetragen, doch gelten ihre Zahlungen von jährlich bis zu öS 350.000,– nach wie vor überwiegend der Tilgung aufgenommener Darlehen, kommen demnach dem laufenden Betrieb nur in sehr eingeschränktem Maß zugute. Dieser muß aus Subventionen des Bundesministeriums für Wissenschaft und Forschung, des Bundesministeriums für Unterricht, Kunst und Sport und des Kulturamtes der Niederösterreichischen Landesregierung bestritten werden.

Da in Österreich Subventionen nur in direktem Zusammenhang mit genau definierten Vorhaben, wie etwa Ausstellungen oder Katalogen, vergeben werden, haben wir für alle anderen anfallenden Tätigkeiten, wie sie sich aus den vorhin angesprochenen Aufgaben ergeben, kaum jemals Gelder zur freien Disposition. Daher mußte bis heute die systematische Aufarbeitung und damit Nutzbarmachung der reichen Archivbestände immer wieder aufgeschoben werden.

308

Die Schere zwischen Anspruch und Aufgaben einerseits sowie der Finanzierbarkeit andererseits öffnet sich von Jahr zu Jahr weiter.

Damit komme ich auf meine eingangs gemachte Aussage zurück, wonach es der Kokoschka-Dokumentation Pöchlarn so gut geht, daß ihr Fortbestand ernstlich in Frage gestellt ist.

Ich selbst muß aus dienstlichen Gründen die hauptverantwortliche Leitung mit Ende des Jahres abgeben.

Zu allem Überfluß ist unserem Seiltanz jetzt auch das Fangnetz entzogen worden, da die Stadtgemeinde Pöchlarn infolge überproportional angestiegener kommunaler Verpflichtungen künftig nicht mehr imstande sein wird, für das Archiv zu zahlen.

Das bedeutet, daß uns jeder Handlungsspielraum genommen ist. Norbert Pawlik kann als Mitarbeiter nicht weiterverpflichtet werden. Die systematische Aufarbeitung ist endgültig eingefroren. Das ganze Projekt droht zum Mausoleum zu werden.

Was ist zu tun?

Es muß gelingen, die zuständigen Bundes- und Landesstellen, konkret das Bundesministerium für Wissenschaft und Forschung, das Bundesministerium für Unterricht, Kunst und Sport und die Kulturabteilung der Niederösterreichischen Landesregierung, auf ihre Verantwortung für den Fortbestand der Oskar Kokoschka-Dokumentation festzulegen.

Das soll nicht heißen, daß nur von seiten öffentlicher Stellen Gelder erwartet werden. Unser Status als Verein läßt schließlich anderen Institutionen oder privaten Wohltätern ausreichend Spielraum für Spenden und sonstige Zuwendungen, die künftig hoffentlich in größerem Maße, als es heute in Österreich der Fall ist, als steuerliche Absetzposten genützt werden.

In Anerkennung der bisherigen Leistungen sind uns große Schenkungen in Aussicht gestellt worden. Dazu kann es jedoch nur kommen, wenn das Archiv weiterhin tätig ist, ihm also Personal und eine ausreichende Dotation zur Verfügung stehen.

Die Kräfte dürfen nicht zersplittert werden.

Der Ankauf eines für Kokoschka überaus bedeutenden Privatarchives, wie er zum heurigen Jubiläumsjahr der Hochschule für angewandte Kunst in Wien gelungen ist, kommt glücklicherweise dank der großzügigen Kooperationsbereitschaft ihres Rektors Oswald Oberhuber in Form einer Dauerleihgabe unserem Archiv zugute.

Solange solche Zeichen der Zusammenarbeit gesetzt werden, ist Optimismus erlaubt.

Feierliche Rhetorik allein wird dem Erbe, das Oskar Kokoschka uns in seinem

Schaffen hinterlassen hat, nicht gerecht. Was zählt, sind die Folgen, die über ein Jubiläum wie die Feier dieses 100. Geburtstages hinaus bleiben.

Dann erst hätte die Wahrheit eine Chance, Geschichte zu werden.

ANMERKUNG

1 Zum Zeitpunkt der Vereinsgründung gehörten dem Kuratorium folgende Personen an:
   Prof. Hofrat Dr. Rupert Feuchtmüller, Wien (Vorsitz); Prof. Dr. Josef Hodin, London;
   Prof. Dir. Dr. Werner Hofmann, Hamburg; Prof. Friedrich Welz, Salzburg, Dir. Dr. Hans
   M. Wingler, Berlin-West.
   Seit 1980 ist Frau Dr. Olda Kokoschka Ehrenmitglied des Kuratoriums.

OSKAR KOKOSCHKA

1886   Geboren am 1. März in Pöchlarn als zweites von vier Kindern des aus Prag gebürtigen Goldschmieds Gustav Kokoschka und der aus Hollenstein a. d. Ybbs stammenden Försterstochter Romana, geb. Loidl.
Kindheit und Jugend in Wien.

1904   Matura an der Staatsrealschule in Wien XVIII.

1905–   Studium an der Wiener Kunstgewerbeschule. Seit 1907 Mitarbeiter der »Wiener Werk-
1909   stätte«; Postkarten, Fächer, Bilderbogen, Kabarett »Fledermaus«; Dichtung und Lithographien »Die träumenden Knaben« (publ. 1908).

1908   Beteiligung an der »Kunstschau« der Klimt-Gruppe als erste Ausstellungsbeteiligung. Bekanntschaft mit dem Architekten Adolf Loos, der die künstlerische Entwicklung Kokoschkas entscheidend fördert.

1909   Beginn einer Reihe bedeutender »psychologischer« Porträts, u. a. mit Bildnissen von Adolf Loos, Peter Altenberg und Karl Kraus.
Lösung von der »Wiener Werkstätte«. Beteiligung an der »Internationalen Kunstschau« der Klimt-Gruppe. Im Gartentheater der »Kunstschau« Uraufführung seines Dramas »Mörder, Hoffnung der Frauen«.
Zur Jahreswende Reise in die Schweiz.

1910   Aufenthalt in Berlin. Mit Texten und Zeichnungen einer der wichtigsten frühen Mitarbeiter von Herwarth Waldens Zeitschrift »Der Sturm«.

1912   Beginn der Freundschaft mit Alma Mahler. Assistent an der Wiener Kunstgewerbeschule.

1914   Gemälde »Die Windsbraut«. Freiwillige Meldung zum Militär.

1915   Trennung von Alma Mahler. Schwere Verwundung an der galizischen Front.

1916   Verbindungsoffizier der Kriegsberichterstatter an der Isonzo-Front. Erholungsurlaube in Berlin und Dresden. Publikation der Lithographien zur »Bach-Kantate« und zu »Der gefesselte Kolumbus«.

1917   Während der Rekonvaleszenz in Dresden Anschluß an den Künstlerkreis um Käthe Richter, Walter Hasenclever und Ivar von Lücken.

1919   Berufung als Professor an die Dresdner Akademie.
Erste Elbe-Ansichten.

1922   Teilnahme an der Biennale in Venedig.

1923–   Nach Aufgabe der Dresdner Professur Reisen in die Schweiz, nach Italien, Frankreich,
1930   Spanien, Holland, Großbritannien, Nordafrika und in den Vorderen Orient.
Bedeutende Landschafts- und Städtebilder.
Zwischen den Reisen Aufenthalte in Paris.

1931–   Längere Aufenthalte in Wien und Paris. Reise nach Rapallo.
1933   Rückkehr nach Wien.

1934   Tod der Mutter. Die politischen Ereignisse in Österreich und Deutschland bewegen den Künstler zur Übersiedlung nach Prag.

1935   Begegnung mit seiner späteren Gattin Olda Palkovská.
Kritische Schriften zu Fragen der Erziehung, Gesellschaft und Politik.
Bis 1938 insgesamt 16 Ansichten der Stadt Prag.

1937 Stellungnahme zum spanischen Bürgerkrieg mit Zeichnungen und dem Plakat »Helft den baskischen Kindern«.
Erste große Einzelausstellung in Wien.
In Deutschland werden 417 Werke Kokoschkas als »entartete« Kunst aus öffentlichen Sammlungen entfernt.

1938 Zusammen mit Olda Palkovská Emigration von Prag nach London, wo der Künstler nahezu mittellos und kaum bekannt eine neue Existenz aufzubauen beginnt.

1938–
1945 Porträtaufträge und satirisch-allegorische Gemälde zu politischen Themen.
Kulturpolitische Vorträge und Aufsätze. Präsident der »Free German League of Culture«, des kulturellen Zentrums der deutschen Emigration in England.
Infolge der kriegsbedingten persönlichen wie materiellen Beschränkungen neuerliche Hinwendung zum Aquarell und zur Zeichnung. Während mehrerer Erholungsaufenthalte in Schottland und Wales entstehen Blumenaquarelle, Natur- und Tierstudien sowie Landschaftsskizzen.
Die um diese Zeit von Kokoschka für sich entdeckte Technik der Farbstiftzeichnung verwendet der Künstler nach dem Krieg in umfangreichen Skizzenbüchern über Begegnungen mit Städten, Menschen und Kunstwerken weiter.
Wesentlicher Bestandteil seines ab 1953 in der Salzburger »Schule des Sehens« wieder aufgenommenen Unterrichts ist erneut – wie schon 1912 an der Wiener Kunstgewerbeschule – die spontane zeichnerische Erfassung der Bewegung des menschlichen Körpers.

1947 Annahme der englischen Staatsbürgerschaft. Erste große Ausstellungen nach dem Krieg in Basel und Zürich.

1948 Sonderschau auf der Biennale in Venedig. Große Wanderausstellung in den USA.

1949 Nach Aufenthalten in Wien und Italien erste Reise in die USA.

1950 Große Retrospektive in München.

1953 Erstmalige Leitung des Hauptkurses der von Kokoschka mitbegründeten »Schule des Sehens« in der Internationalen Sommerakademie für bildende Kunst in Salzburg. Er leitet diesen Kurs zehn Jahre lang bis 1962.
Im September Übersiedlung von London nach Villeneuve am Genfer See.

1954 Auf Anregung Wilhelm Furtwänglers Ausstattung von Mozarts »Zauberflöte« für die Salzburger Festspiele.

1956 Der deutsche Bundespräsident Theodor Heuss beruft Kokoschka in den Orden »Pour le mérite«.

1958 Retrospektiven in München, Wien und Den Haag. Die Ausstellung im Wiener Künstlerhaus ist mit 682 Werken die bis heute umfangreichste Kokoschka-Ausstellung.

1960 Erasmus-Preis. Ehrendoktorat der Universität Oxford.

1961 Reise nach Griechenland.

1963 Apulien-Reise.
Illustrationen zu Shakespeares »König Lear« als erste große Lithographien-Folge des graphischen Spätwerks.

1964 »Bekenntnis zu Hellas« erscheint.

1965 Publikation der Lithographien zur »Odyssee«.

312

1966   Städteansichten von London, New York und Berlin.
       Unter den zahlreichen Ehrungen und Ausstellungen zum 80. Geburtstag eine große
       Retrospektive im Kunsthaus Zürich.

1969   Radierungen zu Kleists »Penthesilea«.

1971   Die Österreichische Galerie in Wien ehrt Kokoschka zum 85. Geburtstag mit einer be-
       deutenden Werkschau. Weitere Retrospektiven u. a. in Salzburg und München.
       Veröffentlichung der Autobiographie »Mein Leben«.

1973   Eröffnung der Oskar Kokoschka-Dokumentation Pöchlarn im Geburtshaus des Künst-
       lers.

1975   Wiederannahme der österreichischen Staatsbürgerschaft. Ehrendoktorat der Universi-
       tät Salzburg.

1978   Retrospektive mit 450 Werken in Japan, in Kamakura bei Tokio und in Kyoto.

1980   Am 22. Februar Tod in Montreux.

KURZBIOGRAPHIEN DER REFERENTEN

RICHARD CALVOCORESSI
geboren 1951, lebt in London. Studium der englischen Literatur an der Oxford University (1972 BA) und der Kunstgeschichte am Courtauld Institute (1975 MA). 1977–1979 Kurator an der Scottish National Gallery of Modern Art, Edinburgh. Seit 1979 Kurator an der Tate Gallery, dort insbesondere für die deutsche und österreichische Kunst des 20. Jahrhunderts verantwortlich. Organisierte die Ausstellung zum 100. Geburtstag von Oskar Kokoschka in der Tate Gallery, 1986.

WOLFGANG G. FISCHER
geboren 1933 in Wien, lebt in London. Studium der Kunstgeschichte in Wien, Freiburg und Paris (Dr. phil.). Schriftsteller, Kunsthistoriker und Kunsthändler (Fischer Fine Art), seit 1963 in London. Publikationen: neben kunsthistorischen Arbeiten – u. a. über Kokoschka, Klimt und Schiele – seit den frühen fünfziger Jahren Veröffentlichungen von Lyrik und Prosa (Roman »Wohnungen«).

PETER GORSEN
geboren 1933 in Danzig, lebt in Wien. Studium der Philosophie, Psychologie, Soziologie, Philologie und Kunstgeschichte. 1965 Promotion zum Dr. phil. bei Theodor W. Adorno und Jürgen Habermas. Lehrtätigkeit an der Goethe-Universität Frankfurt und an der Liebig-Universität Gießen. Seit 1976 o. Prof. für Kunstgeschichte an der Hochschule für angewandte Kunst in Wien. Publikationen: »Kunst und Krankheit. Metamorphosen der ästhetischen Einbildungskraft«, »Frauen in der Kunst« (gem. mit Gislind Nabakowski und Helke Sander), »Transformierte Alltäglichkeit oder Transzendenz der Kunst«, »Proletkultur« (gem. mit Eberhard Knödler-Bunte) u. a.

WOLFGANG HILGER
geboren 1943 in Wien, lebt in Wien. Studium der Geschichte und Kunstgeschichte. Absolvent des Institutes für österreichische Geschichtsforschung. Wissenschaftlicher Beamter der Akademie der Wissenschaften und der niederösterreichischen Landesregierung. Seit 1985 Kunstreferent der Stadt Wien.

JOSEF PAUL HODIN
geboren 1905 in Prag, lebt in London. Studium der Rechtswissenschaften in Prag (1929 Dr. jur.). Studium der Literatur und Philosophie bei August Sauer und Oskar Kraus, sowie der Kunstgeschichte bei Matějček. 1931–1933 in Dresden und Berlin. 1933–1935 in Paris, Studium am Collège de France bei René Huyghe. Erste Begegnung mit Oskar Kokoschka in Prag 1934. 1935 Reise nach Stockholm. 1944 als Presseattaché der norwegischen Regierung nach London, Beginn der Arbeit an seiner großen Kokoschka-Biographie. Publikationen: »Bekenntnis zu Kokoschka«, »Kokoschka. Sein Leben. Seine Zeit«, »Kokoschka. The Artist and His Work«, »Oskar Kokoschka. Die Psychographie eines Künstlers«, »Kokoschka und Hellas«, Biographien über Edvard Munch, Isaak Grünewald u. a.

EDITH HOFFMANN
geboren 1907 in Wien, lebt in Jerusalem. Studium der Kunstgeschichte in Berlin, Wien und München (Dr. phil. unter Pinder). 1934–1938 Volontärin am British Museum. 1938–1950 Redaktionsmitglied des Burlington Magazine, 1947–1950 als Assistant Editor. 1951 Auswanderung nach Israel. Vorlesungen an den Universitäten von Jerusalem und Tel Aviv, gelegentlich auch am Courtauld Institute, London. Publikationen: zahlreiche Beiträge in Burlington Magazine, Apollo, Art News, Neue Zürcher Zeitung etc.; 1947 »Kokoschka – Life and Work« (erstes englisches Buch über Kokoschka), kleinere Veröffentlichungen über Kokoschka u. a.

WERNER HOFMANN

geboren 1928 in Wien, lebt in Hamburg. Studium der Kunstgeschichte an den Universitäten Wien und Paris. 1950–1955 Assistent an der Albertina Wien. 1957 und 1964 Gastprofessur in den USA. 1960–1969 Aufbau des Museums des 20. Jahrhunderts in Wien. Seit 1969 Leiter der Hamburger Kunsthalle. Gastprofessuren in Berkely und Harvard, 1984 Meyer Schapiro Professorship an der Columbia University in New York. Publikationen: Zahlreiche wissenschaftliche Untersuchungen, Schwerpunkt Kunst des 19. und 20. Jahrhunderts; »Grundlagen der modernen Kunst«; »Gustav Klimt und die Jahrhundertwende«; »Von der Nachahmung zur Wirklichkeit« u. v. m.

LEO A. LENSING

geboren 1948 in Lake Providence (Louisiana), lebt in Middletown (Connecticut). Studium an der University of Notre Dame, South Bend/Indiana (1970 BA). Studium der Germanistik, Anglistik und Komparatistik an der Cornell University, Ithaca/New York (1976 Dr. phil.) und Heidelberg. 1974–1976 Lektor für Deutsche Sprache und Literatur an der Wesleyan University, Middletown/Connecticut. 1976–1980 Assistant Professor an der Wesleyan University. Seit 1981 Associate Professor an der Wesleyan University. Publikationen: Herausgeber (gem. mit Hans-Werner Peter) »Wilhelm Raabe. Studien zu seinem Leben und Werk«, »Narrative Structure and the Reader in Wilhelm Raabe's ›Im alten Eisen‹«, zahlreiche Aufsätze in Fachzeitschriften.

THOMAS M. MESSER

geboren 1920 in Bratislava, lebt in New York. 1939 Auswanderung in die USA. Studium an der Boston University (1942 BA), an der Sorbonne/Paris und an der Harvard University (1951 MA). 1949–1952 Direktor des Roswell Museum, Roswell (New Mexico). 1957–1961 Direktor des Institute of Contemporary Art, Boston. Seit 1961 Direktor des Solomon R. Guggenheim Museum New York; seit 1980 Direktor der Peggy Guggenheim Collection Venedig und der Solomon R. Guggenheim Foundation. Mehrfach Gastprofessor, u. a. an der Hochschule für angewandte Kunst Wien. Publikationen: »Edvard Munch«, »The Emergent Decade: Latin-American Painters and Paintings in the ›60's‹«, zahlreiche Museumskataloge und Beiträge in Kunstzeitschriften.

OSWALD OBERHUBER

geboren 1931 in Meran, lebt in Wien. Maler und Bildhauer. Seit 1973 Professor, seit 1979 Rektor der Hochschule für angewandte Kunst in Wien. Begründer der informellen Plastik, Theorie der permanenten Veränderung in der Kunst. Zahlreiche Einzelausstellungen im In- und Ausland. Beteiligung bei Biennale Venedig 1972, Documenta 1982, Sao Paolo 1983 u. v. a. Publikationen: »Lust auf Worte, Texte aus drei Jahrzehnten«, 1985.

FRED REISINGER

geboren 1934 in Wien, lebt in Wien. Gelernter Schriftsetzer. Besuch der Arbeitermittelschule. Studium der Germanistik und Anglistik an der Universität Wien (Dr. phil.). Verfasser von Literatur- und Sprachsendungen für den ORF, Deutsch- und Literaturunterricht an amerikanischen Colleges, jetzt freiberuflich tätig. Publikationen: »Kokoschkas Dichtungen nach dem Expressionismus«.

DIETER RONTE

geboren 1943 in Leipzig, lebt in Wien. Studium der Kunstgeschichte, Archäologie und Romanistik in München, Pavia und Rom (Dr. phil.). Ab 1971 Mitarbeiter der Museen der Stadt Köln. Danach Leiter der Graphischen Sammlung des Museums Ludwig in Köln. Seit 1979 Direktor des Museums moderner Kunst in Wien. Publikationen: u. a. über die Kunst der Nazarener;

Hrsg. »Adolf Frohner, Werkbuch eines unruhigen Werkes«, zahlreiche Museumskataloge und Beiträge in Kunstzeitschriften.

DIETHER SCHMIDT

geboren 1930 in Lubmin bei Greifswald. Studium der Kunstgeschichte an der Humboldt-Universität Berlin (DDR), 1956–1960 Mitarbeiter der Staatlichen Kunstsammlungen und des Stadtmuseums Dresden, 1960 Promotion. Bis 1966 Forschungsaufträge über engagierte Kunst im 20. Jahrhundert. 1969–1976 Lektor im Verlag der Kunst, Dresden. Als Publizist, Kritiker, Dozent der Volkshochschule und Ausstellungsmacher tätig, zahlreiche Vorträge. 1984 aus der DDR ausgewiesen, seither in Eschborn bei Frankfurt/Main, BRD. Herausgeber und Autor, u. a. »Otto Dix im Selbstbildnis«, Berlin 1978; »Fritz Cremer«, Dresden 1972; »Bauhaus«, Dresden 1966; zahlreiche Texte und ein (unrealisiertes) Buchprojekt zu Oskar Kokoschka.

HENRY I. SCHVEY

Studium der Komparatistik an der Indiana University. Promotion zum Dr. phil. mit der Dissertation: »Oskar Kokoschka. The Painter as Playwright«. Professor für Englisch und Theater an der Universität Leiden. Gründer des »The Leiden English Speaking Theatre«. Publikationen: »Oskar Kokoschka. The Painter as Playwright«; zahlreiche Abhandlungen über das moderne Drama.

WERNER J. SCHWEIGER

geboren 1949 in Lilienfeld/Niederösterreich, lebt in Wien. Seit 1967 Beschäftigung vor allem mit Kultur, Kunst und Literatur im Wien der Jahrhundertwende. Aufbau eines Archivs. Publikationen: »Wiener Werkstätte. Kunst und Kunsthandwerk 1903–1932«, »Der junge Kokoschka. Leben und Werk 1904–1914«, »Bilderbögen der Wiener Werkstätte«, »Das große Peter-Altenberg-Buch«, Herausgeber des Gesamtwerkes von Robert Müller.

LIA SECCI

geboren 1933 in Genua, lebt in Rom. Studium der Klassischen Philologie in Genua und Paris (Sorbonne). 1963–1969 Lektorin für Italienisch an der Universität Heidelberg. Seit 1969 Lehrbeauftragte und seit 1976 ordentliche Professorin für Deutsche Literatur an der Universität Perugia. Publikationen: »Die lyrischen Dichtungen Oskar Kokoschkas«, in: Jahrbuch der Deutschen Schillergesellschaft 1968; »Il mito greco nel teatro tedesco espressionista«, Rom 1969; »Dal salotte al partito. Scrittrici tedesche tra rivoluzione borghese e diritto di voto«, Rom 1982; »Effetto Wagner, Dalla struttura alla ricezione«, Neapel 1986. Übersetzungen: G. Grass, »Die Blechtrommel«; F. von Herzmanovsky-Orlando, »Der Gaulschreck im Rosennetz«; H. Heine, »Die Götter im Exil«; Theater des Expressionismus; F. Wedekind, »Franziska«; Gedichte und Dramen Oskar Kokoschkas.

HEINZ SPIELMANN

geboren 1930 in Hattingen, BRD, lebt in Hamburg und Schleswig. Studium der Architektur, Kunstgeschichte und Philosophie in Aachen und Stuttgart. 1960–1986 Leiter der modernen Abteilung des Hamburger Museums für Kunst und Gewerbe, zu der auch eine umfassende Sammlung von Werken Oskar Kokoschkas gehört. Seit 1986 Landes-Museumsdirektor des Landes Schleswig-Holstein, Schloß Gottorf. Publikationen: mehrere Kataloge und Veröffentlichungen über Oskar Kokoschka, u. a. »Oskar Kokoschka. Handzeichnungen, Druckgraphik, Tapisserie 1965–1970«, »Oskar Kokoschka – die Fächer für Alma Mahler«, »Oskar Kokoschka – Griechisches Skizzenbuch«, Hrsg. des schriftlichen Werkes und der Briefe Oskar Kokoschkas (gemeinsam mit Olda Kokoschka).

JAN M. TOMEŠ

geboren 1913 in Olmütz, lebt in Prag. Studium der Kunstgeschichte bei Antonín Matějček und Josef Cibulka an der Universität Prag (1952 Dr. phil.). 1950–1958 Arbeit in der Nationalgalerie als Leiter der Abteilung für neuzeitliche tschechische Malerei. 1959–1970 Dozent für Kunstgeschichte an der Hochschule für angewandte Kunst in Prag. Publikationen: Bücher über tschechische Landschaftsmalerei (Antonín Slavíček, Antonín Chittussi, Jindřich Prucha); Monographie František Tichý, über tschechische Skulptur (Jan Lauda, Josef Wagner), monographische Arbeit über Renoir, Gauguin, Nervi, zwei Bücher über Oskar Kokoschka; daneben auf dem Gebiet der Literatur tätig.

PATRICK WERKNER

geboren 1953 in Innsbruck, lebt in Wien. Studium der Kunstgeschichte, Geschichte und Archäologie in Innsbruck, München und London (Dr. phil.). Anschließend Stipendiat am Österreichischen Kulturinstitut in Rom und Universitäts-Lektor in Innsbruck. Seit 1982 Mitarbeiter der Österreichischen Akademie der Wissenschaften, seit 1985 Lehrbeauftragter an der Akademie der bildenden Künste Wien. Publikationen: Veröffentlichungen in Buchpublikationen, Ausstellungskatalogen und Fachzeitschriften mit einem Schwerpunkt in der österreichischen Kunst des 20. Jahrhunderts.

JOHANN WINKLER

geboren 1946 in Pöchlarn. Einige Semester Studium der Anglistik und Germanistik. Seit 1970 Bibliothekar der Universitätsbibliothek Wien. Leiter der Oskar Kokoschka-Dokumentation Pöchlarn seit der Gründung im Herbst 1972. Publikationen: zahlreiche Kataloge der Oskar Kokoschka-Dokumentation, »Oskar Kokoschka – Gemälde und Graphik 1908–1976«, »Oskar Kokoschka – Handzeichnungen und Aquarelle«, »Oskar Kokoschka – Reiseskizzen aus Schottland und Wales«, Hrsg. der Festschrift »Begegnung mit Kokoschka«; bereitet die Neuauflage des Werkverzeichnisses der Gemälde Oskar Kokoschkas vor.

ABBILDUNGSVERZEICHNIS UND PHOTONACHWEIS

Sofern nicht anders angegeben, stammen die Photoreproduktionen von den Autoren.
HSAK = Hochschule für angewandte Kunst in Wien.
Für alle Abbildungen von Werken Oskar Kokoschkas: © 1986, Copyright by Cosmopress, Genf.
Abbildung auf dem Schutzumschlag:
OK, Selbstbildnis an der Staffelei, 1920/22, Öl/Lw., 183×113 cm
Privatbesitz, Wien
Photo: Otto, Wien

1. OK, Peer Gynt, 1973, Öl/Lw., 115×89 cm
   Privatbesitz, Schweiz
2. OK, Mädchenakt, um 1906, Bleistift, aquarelliert/Papier, 45,2×30,7 cm
   Historisches Museum der Stadt Wien
   Photo: HSAK aus: OK Die frühen Jahre, Kestner-Ges. Hannover, Kat. 1/1983
3. OK, Stehender Knabe, um 1906, Bleistift, aquarelliert/Papier, 45×31,5 cm
   Privatbesitz
   Photo: HSAK aus: OK Die frühen Jahre, w. o.
4. OK, Jugendbildnis des Bruders Bohuslav, um 1906, Öl/Karton, 48,5×42,5 cm
   Privatbesitz
   Photo: HSAK aus: OK Galerie Würthle, Wien 1986
5. OK, Mädchenbildnis, um 1906, Öl/Lw., 42,5×29 cm
   Privatbesitz
   Photo: HSAK aus: OK Galerie Würthle, Wien 1986
6. OK, Exlibris Emma Bacher, 1909, Lithographie, 7,4×5,8 cm
   Photo: HSAK aus: W. J. Schweiger, Der junge Kokoschka, Wien 1983
7. ANTON ROMAKO, Herr und Dame in einem Salon, 1887, Ausschnitt
   Historisches Museum der Stadt Wien
8. GUSTAV KLIMT, Adele Bloch-Bauer I, 1907
   Österreichische Galerie, Wien
9. OK, Die Windsbraut, 1914, Öl/Lw., 181×220 cm
   Kunstmuseum, Basel
10. OK, 5. Fächer für Alma Mahler, 1914, Aquarell und Tusche auf Schwanenhaut
    Museum für Kunst und Gewerbe, Hamburg
11. OK, 6. Fächer für Alma Mahler, 1914, Aquarell und Tusche auf Schwanenhaut
    Museum für Kunst und Gewerbe, Hamburg
12. OK, Auguste Forel, 1910, Öl/Lw., 71×58 cm
    Städt. Kunsthalle, Mannheim
13. EGON SCHIELE, Arthur Rössler, 1910
    Historisches Museum der Stadt Wien
14. OK, Der Trancespieler, 1908/09, Öl/Lw., 84×65 cm
    Musées Royaux des Beaux-Arts, Brüssel
15. OK, Alter Mann (Vater Hirsch), 1907, Öl/Lw., 68×61 cm
    Neue Galerie der Stadt Linz, Wolfgang Gurlitt Museum
16. VINCENT VAN GOGH, Porträt eines Mannes, 1888
    Rijksmuseum Kröller Müller, Otterloo
17. OK, Ritter von Janikowsky, 1909, Öl/Lw., 60×57 cm
    Privatbesitz, USA
18. OK, Conte Verona, 1909, Öl/Lw., 70×58 cm
    Privatbesitz, USA
19. OK, Herzogin de Rohan-Montesquieu, 1909/10, Öl/Lw., 95×50 cm
    Nationalmuseum, Stockholm

318

20. OK, Peter Altenberg, 1909, Öl/Lw., 76×71 cm
    Privatbesitz, USA
21. OK, Adolf Loos, 1916, Silberstift/Papier, 65×50 cm
    Kunsthaus, Zürich
22. OK, Stilleben mit Hammel und Hyazinthe, 1909, Öl/Lw., 87×114 cm
    Österreichische Galerie, Wien
23. CARL SCHUCH, Stilleben mit Hummer, 1870
    Nationalgalerie, Staatl. Museen Preußischer Kulturbesitz, Berlin
24. VINCENT VAN GOGH, Stilleben mit Äpfeln, Trauben und Birne, 1887
    The Art Institute of Chicago
25. OK, Selbstbildnis, Plakat für »Der Sturm«, 1910, Farblithographie, 67,3×44,7 cm
    Photo: OK-Dokumentation Pöchlarn
26. EDVARD MUNCH, Schmerzensblume, 1897
27. OK, Die Agonie im Garten, 1916, schwarze Kreide/Papier, 36×31 cm
    Privatbesitz, Wien
    Photo: HSAK
28. OK, Ehrenstein mit Skelett, Illustration zu Albert Ehrenstein »Tubutsch«
    Photo: HSAK aus: Tubutsch, Wien 1911
29. OK, aus dem Zyklus »O Ewigkeit – du Donnerwort« (Bachkantate),
    11 Kreidelithographien, 1914
    Photo: HSAK aus: L. Lang (Hg.), Bachkantate, Leipzig 1984
30. MAX KLINGER, Verworfene Schlußplatte aus dem Zyklus »Ein Leben«, 1883
31. OK, Saul und David, 1966, Öl/Lw., 100×130 cm
    Collection of the Tel Aviv Museum
    Photo: OK-Dokumentation Pöchlarn
32. OK, Titelvignette zu »Die träumenden Knaben«, 1907/08, 10,5×9,1 cm, Buchdruck
    Photo: HSAK aus: W. J. Schweiger, Der junge Kokoschka, Wien 1983
33. OK, Einbandvignette zu »Die träumenden Knaben«, 1907/08, 9,1×6,5 cm
    Photo: w. o.
34. OK, Detail aus »Das Mädchen Li und ich«, aus »Die träumenden Knaben«, 1907/08, acht
    Farblithographien (in fünf bis sechs Farben), 24×22 cm
35. OK, Detail aus »Die Schlafenden«, aus »Die träumenden Knaben«
36. OK, Detail aus »Das Schiff«, aus »Die träumenden Knaben«
37. OK, Himmlische und irdische Liebe, Zeichnung zu »Mörder, Hoffnung der Frauen«, aus
    »Der Sturm«, Nr. 26 v. 25. 8. 1910
38. Grete Wiesenthal, Posenphoto
    Photo: Österr. Nationalbibliothek
39. Grete Wiesenthal tanzt Donauwalzer, aus »Erdgeist«, 1909
    Photo: Kat. G. W., Museen der Stadt Wien 1985
40. Grete Wiesenthal tanzt Beethoven (Allegretto, F-Dur-Sonate op. 6) aus »Erdgeist«, 1909
    Photo: w. o.
41. OK, Plakatentwurf für den Kaiser-Huldigungs-Festzug, 1907/08 (nicht ausgeführt),
    Tempera/Karton, 134×92 cm
42. KOLO MOSER, Tänzerin, um 1904, Entwurf für Metalltreibarbeit der Wiener Werk-
    stätte
43. Ruth Saint-Denis, Tanzpose
    Photo: Österr. Nationalbibliothek
44. EGON SCHIELE, Postkartenentwurf für die Wiener Werkstätte, 1911
45. EGON SCHIELE, Erwin van Osen als Halbakt, 1910
46. OK, Aufnahme 1909
    Photo: Österr. Nationalbibliothek

47. OK, Plakat für »Mörder, Hoffnung der Frauen« in der Kunstschau Wien 1909, Farblithographie, 122×79,5 cm
Photo: HSAK
48. OK, Zeichnung zu »Mörder, Hoffnung der Frauen«, 1910
Photo HSAK aus: Der Sturm, Feldafing Obb., 1955
49. OK, Ehepaar Tietze, 1909, Öl/Lw., 76×136 cm
Museum of Modern Art, New York
Photo: OK-Dokumentation Pöchlarn
50. OK, Karl Kraus I, 1909, Öl/Lw., 100×74,5 cm
Photo: OK-Dokumentation Pöchlarn
51. Karl Kraus, Aufnahme von Madame d'Ora, 1908
Photo: Österr. Nationalbibliothek
52. Karl Kraus, Titelbild zu Robert Scheu, Karl Kraus, 1909
53. OK, Bildnis Karl Kraus, um 1909/10, Tuschfeder und Pinsel/Papier, 29,7×20,7 cm
Photo: OK-Dokumentation Pöchlarn
54. KARL KRAUS, Bildnis Oskar Kokoschka, sign. K. K.
Photo: Alfred Pfabigan
55. OK, Bildnis Karl Kraus, 1912, schwarze Kreide/Papier, 45,2×30 cm
Photo: OK-Dokumentation Pöchlarn
56. Karl Kraus, Aufnahme um 1913/14
Photo: Brenner-Archiv, Innsbruck
57. Karl Kraus' Arbeitszimmer (Ausschnitt), Aufnahme um 1936
Photo: Brenner-Archiv, Innsbruck
58. Titelbild zum 3. Akt der »Letzten Tage der Menschheit« (Akt-Ausg.) von K. Kraus, 1919
59. Titelbild zum 4. Akt der »Letzten Tage der Menschheit« (Akt-Ausgabe), 1919
60. Titelbild zum Drama »Die Letzten Tage der Menschheit«, 1922
61. KARL KRAUS, »Pietà« (Hermann Bahr und seine Frau), in »Die Fackel« 632, 1923, S. 106
Photo: Dokumentationsstelle für neuere österr. Literatur, Wien
62. OK, Der Mann erhebt den Kopf aus dem Grabe, auf dem das Weib sitzt; aus dem graphischen Zyklus »O Ewigkeit – du Donnerwort« (Bachkantate), 11. Kreidelithographie, 1914
Photo: HSAK aus: L. Lang (Hg.), Bachkantate, Leipzig 1984
63. OK, Der Apfel der Eva; aus dem graphischen Zyklus »Der gefesselte Kolumbus«, 1913, 12 Kreidelithographien
Photo: HSAK aus: Wingler/Welz, OK Das druckgraphische Werk, Salzburg 1975
64. OK, Einbandzeichnung zu »Vier Dramen«, 1919
Photo: HSAK aus: ebda., Berlin 1919
65. OK, Glasberg legt die Mumie an Stelle von Eliza in den Sarg; aus »Ann Eliza Reed«, 1952, eine Erzählung mit 11 Kreidelithographien
Photo: HSAK aus: Wingler/Welz, OK Das druckgraphische Werk, Salzburg 1975
66. OK, Araberinnen, 1928, Öl/Lw., 89×130 cm
Privatbesitz, Zürich
Photo: Verlag Galerie Welz, Salzburg
67. OK, Reed sieht die nackte Eliza vor sich, die den Arzt Glasberg getötet hat; aus »Ann Eliza Reed«, w. o.
68. OK, Aigues-Mortes, 1925, Öl/Lw., 73×101 cm
Privatbesitz
Photo: HSAK
69. REMBRANDT, Die Nachtwache, 1642
Rijksmuseum Amsterdam
Photo: HSAK aus: A. Munoz, Rembrandt, Rom 1941

70. OK, Der Irrende Ritter, 1915, Öl/Lw., 90×180 cm
    The Solomon R. Guggenheim Museum, New York
    Photo: ebda.
71. OK, Lebensgroße Darstellung meiner Geliebten, um 1918, Öl/Papier
    Photo: OK-Dokumentation Pöchlarn
72. OK, Skizze im Brief an Hermine Moos vom 10. 12. 1918
    Privatbesitz
    Photo: OK-Dokumentation Pöchlarn
73. OK, Skizze im Brief an Hermine Moos, w. o.
74. OK, Skizze im Brief an Hermine Moos, w. o.
75. Hermine Moos mit ihrer für Kokoschka hergestellten Puppe, Anfang 1919
    Photo: OK-Dokumentation Pöchlarn
76. Die Puppe, w. o., links die lebensgroße Zeichnung des Kopfes
    Photo: OK-Dokumentation Pöchlarn
77. Die von Hermine Moos für Kokoschka in Lebensgröße hergestellte Puppe, Anfang 1919
    Photo: OK-Dokumentation Pöchlarn
78. OK, Ruhende und alte Dienerin, Studie zum Gemälde »Frau in Blau«, 1919, Federzeichnung
    Photo: HSAK aus: Rathenau, OK-Handzeichnungen, Bd. I–V, Berlin (und New York) 1934–1977
79. OK, Devotion, 1919 (nach der lebensgroßen Puppe), Feder und Tusche/Papier, 53×38 cm
    Privatbesitz, USA
    Photo: wie 78
80. OK, Studie zum Gemälde »Frau in Blau«, 1919, grüne Kreide/Papier, 57,6×56,6 cm
    Privatbesitz, Frankfurt
    Photo: wie 78
81. OK, Frau in Blau, 1919, Öl/Lw., 75×100 cm
    Württembergische Staatsgalerie, Stuttgart
    Photo: HSAK aus: H. M. Wingler, OK Das Werk des Malers, Salzburg 1956
82. OK, Maler mit Puppe (Selbstporträt mit Puppe), 1922, Öl/Lw., 84×119 cm
    Staatliche Museen Preußischer Kulturbesitz, Nationalgalerie, Berlin
    Photo: w. o.
83. OK, Katja (Der Maler mit Käthe Richter), 1918, Öl/Lw., 74×99 cm
    Museum Wuppertal
    Photo: Stoe-Dia
84. OK, Die Heiden, 1918/19, Öl/Lw., 75×125 cm
    Wallraf-Richartz-Museum, Köln
    Photo: Rheinisches Bildarchiv
85. OK, Die Macht der Musik, 1918, Öl/Lw., 100×151,5 cm
    Stedelijk Van Abbemuseum, Eindhoven
    Photo: ebda.
86. OTTO GUSSMANN, Fasching – Mädchen mit roten Strümpfen, um 1920
    Dresden, Privatbesitz
87. BERNHARD KRETZSCHMAR, Im Café, 1926
    Altenburg, Staatl. Lindenau-Museum
    Photo: Sächsische Landesbibliothek, Abt. Deutsche Fotothek
88. OK, Stilleben mit Maske, 1920, Öl/Lw., 50×60 cm
    Westfälisches Landesmuseum, Münster
    Photo: Stoe-Dia
89. OTTO GUSSMANN, Dame mit Rosen vor Rot, um 1920
    Privatbesitz, Dresden

90. OK, Dresden-Neustadt IV (vom Atelierfenster), 1922, Öl/Lw., 80×120 cm
    Kunsthalle Hamburg
91. ROBERT STERL, Kalmückenboot auf der Wolga, 1922
    Gemäldegalerie Neue Meister, Dresden
    Photo: Sächsische Landesbibliothek, Abt. Deutsche Fotothek
92. OK, Selbstbildnis mit gekreuzten Armen, 1923, Öl/Lw., 110×70 cm
    Privatbesitz, Krefeld
    Photo: Stoe-Dia
93. MAX BECKMANN, Selbstbildnis mit blauer Jacke, 1950
    Morton D. May, St. Louis
94. Ansichtskarte: Dulsie Bridge, von OK am 24. 8. 1929 abgeschickt
95. OK, Dulsie Bridge, Schottland, 1929, Öl/Lw., 71×91 cm
    Österreichische Galerie, Wien
    Photo: ebda.
96. Ansichtskarte: Zusammenfluß von Findhorn und Divie, von OK am 25. 8. 1929 abge-
    schickt
97. OK, Landschaft in Schottland, Findhorn River, 1929, Öl/Lw., 71×91 cm
    Courtauld Institute Galleries, London
    Photo: ebda.
98. Divie-Fluß bei der Einmündung in den Findhorn
    Aufnahme 1985
99. Ansichtskarte: Plodda-Fälle, Guisachan, von OK am 10. 9. 1929 abgeschickt
100. OK, Plodda-Fälle, Schottland, 1929, Öl/Lw., 71×91 cm
    Privatbesitz
    Photo: J. Webb
101. Dulsie Bridge mit dem Bauernhaus (oben links), Aufnahme 1985
102. Die Familie Stewart, 1930
    v. l. n. r.: Dulsie, Pearl, Frau Stewart (mit William), Herr Stewart (mit Douglas)
103. »Ein halbwüchsiges Mädchen, lahm auf einem Bein«: Dulsie Stewart
104. OK, Bessie Loos, 1909/10, Öl/Lw., 73×91 cm
    1945 vermutlich verbrannt
105. OK, Veronika mit dem Schweißtuch, 1909, Öl/Lw., 119×80 cm
    Szépmüveszeti Museum, Budapest
106. OK, Doppelbildnis eines schottischen Ehepaares, 1969, Öl/Lw., 90×130 cm
    Marlborough Fine Art Ltd. London
    Photo: ebda.
107. OK, Ezra Pound, 1964, schwarze Fettkreide, 56×44,7 cm
108. OK, Michael Tippett, 1963, Kreide, Kohle/Papier, 62,2×48,2 cm
    Privatbesitz
109. OK, Prometheus-Saga, 1950, Tempera/Leinwand
    Linker Flügel: Hades und Persephone, 230×230 cm
    Courtauld Institute Galleries, London
110. OK, Prometheus-Saga
    Mittelbild: Apokalypse, 230×350 cm
111. OK, Prometheus-Saga
    Rechter Flügel: Der gefesselte Prometheus, 230×230 cm
112. OK, Skizze für ein Plakat, Sommertheater der Kunstschau, 1908
    Photo: HSAK aus: Rathenau, OK Drawings, 1905–1965, Miami 1970
113. PARIS BORDONE, Hochzeitsallegorie (Allegorie mit Victoria), um 1560
    Kunsthistorisches Museum, Wien
    Photo: ebda.